KB195964

네 꿈을 기억할게
춘천봉사활동 인하대희생자 투쟁 이야기

춘천봉사활동 인하대희생자 투쟁 이야기

네 꿈을 기억할게

초판 1쇄 발행 2013년 7월 27일
기획 춘천봉사활동 인하대희생자 기념사업회
글쓴이 이승원
펴낸이 양규헌
표지 디자인 토가디자인
내지 디자인 정육남

펴낸곳 한내 http://hannae.org

주소 서울특별시 영등포구 영등포동2가 94-141호 동아빌딩 303호
전화 02-2038-2101 팩스 02-2038-2107
등록 2009년 3월 23일(제318-2009-000042호)

ISBN 979-11-85009-04-9 03330

값 25,000원

*이 도서의 국립중앙도서관 출판시도서목록(CIP)은 서지정보유통지원시스템 홈페이지 (http://seoji.nl.go.kr)와 국가자료공동목록시스템(http://www.nl.go.kr/kolisnet)에서 이용하실 수 있습니다.
(CIP제어번호: CIP2013011930)

*이 도서는 춘천봉사활동 인하대희생자 기념사업회에서 발주한 프로젝트의 결과물로 만들어졌습니다.

기획 **춘천봉사활동 인하대희생자 기념사업회**
저자 **이승원**

발 간 사

이 건 학 (춘천봉사활동 인하대희생자 기념사업회 회장)

아이들이 허망하게 떠나간 지 벌써 2년이 지났습니다.

2년 전 대책위원회를 구성하며 처음 만났을 때 모두 슬픔에 잠겨 있었고, 자식들의 죽음을 받아들이지 못했습니다. '왜 나에게?' 라는 자책부터 '아니 어떻게 이런 일이?' 라는 공분까지 있었지만, 공통된 것은 억울함이었습니다. 잘못도 이유도 없이 짧은 생을 마감해야 했던 자식들의 한을 풀어줘야 했습니다. 그것은 또한 자신들의 생존을 위한 몸부림이기도 했습니다.

무엇보다도, 알아야 했습니다. 사람 사는 세상에 원인 없는 결과는 없고 무슨 일이든 분명, 이유가 있습니다. 과학기술의 발전을 논하고 우주 시대를 이야기하는 사람들이 자신들이 책임져야 할 문제가 생기면 자연재해를 이야기하고 사람이 어쩔 수 없는 일이라고 합니다. 대표적으로 우리가 만난 이광준 춘천시장이 그렇습니다. 말로는 합리적이라고 자부하면서 보신주의에 빠져서 법과 규정만 외치는 전형적인 관료의 모습에서 우리는 분노하며 슬픔을 딛고 일어섰습니다. 대책위를 만들고 기자회견을 하고, 일인시위, 집회, 가두서명… 할 수 있는 것은 모두 다 했습니다. 죽음의 진실을 밝히고 아이들의 명예를 회복하기 위해서였습니다. 세상에는 물론 좋은 분들이 더 많았습니다. 생면부지의 사람들이 격려해 주고 지지를 보내주니 용기를 내서 싸웠습니다. 그 이야기를 책으로 엮었습니다. 남들은 관심 없을지 몰라도 한평생 가슴에 담고 가야할 이야기이기에 기록으로 남기고 혹 필요할 지도 모를 사람들을 위해 세상에 내놓았습니다.

대책위를 결성하며, 이렇게 오랜 시간이 걸리고 어려움이 있을 거라고는 상상도 못했습니다. 책임져야 할 사람은 핑계로 일관하며 세월만 보내고 오히려 유가족을 능멸하였기에 아이들을 잃은 슬픔보다도 더 큰 설움에 눈물지어야 했습니다. 그러나 지난 과정을 통해 이 사회에 이광준 춘천시장 같은 사람만 있는 것이 아님을 깨달았고, 아이들이 가졌던 꿈과 소망을 알게 되었습니다. 발명을 통한 인류사회 발전과 봉사활동의 실천으로 더 나은 사회를 만들기 위해 노력했던 아이들의 마음을 헛되이 하지 않기 위해서 이 책을 남기려 합니다.

기록을 통해 아이들의 꿈을 기억하고 뜻을 기리기 위해서입니다. 2주기를 맞이하여 이제 진정으로 우리 자식들을 이 사회를 위해 내놓고자 합니다. 아이들을 기억하는 모든 사람들과 공유하고자 합니다. 그리고 아이들의 꿈을 기억하는 모든 이들과 함께 슬픔과 추모보다는 아이들의 뜻을 실천을 통해 이 사회를 발전시켜 가기를 희망합니다. 지난 2년간 함께 해주신 모든 분께 진심으로 감사드리며, 어려운 조건에서도 이 책의 출판에 협조해 주신 한내출판사에 감사드립니다.

서 문

그들의 꿈을 기억하고 다시는 이런 일이 없기를 바랍니다.

2011년 7월 27일

참사가 있기 전, 10명의 희생자 중 제가 아는 아이는 한 명이었습니다. 지난 2년간 나머지 아이들을 모두 알아가며 긴 터널을 지났다고 생각했는데 아직 터널이 계속되고 있습니다. 백서 작업을 하며 그들을 꿈에서 만나야 했고, 그들이 살아 온 삶의 무게에 가위 눌리며 몸부림쳐야 했습니다. 희생된 아이들의 부모들을 만나 기억하고 싶지 않은 것들을 물어야 했던 그 시간들은 안타까움뿐이었습니다. 자식 잃은 부모가 짓는 한숨의 의미가 무엇인지 이해는 할 수 있겠지만, 당사자가 아닌 이상 알 수는 없었습니다. 다만 인생사가 항상 허무한 것은 아님을 깨달으며 원고를 마무리했습니다.

이 책은 산 자들을 위해 썼습니다. 희생된 아이들과 그 부모, 그리고 함께 한 사람들의 이야기입니다. 물론 참사의 책임자와 대책위가 싸웠던 상대의 이야기도 있습니다. 무엇보다도 이 책을 통해 자원봉사 활동을 교육적으로 권장하지만 문제가 생기면 제도적 대안이 전무한 우리나라의 자원봉사제도 현실이 개선되기를 바랍니다. 안전불감증에 빠져 무분별한 난개발과 대책 없이 절개지에 숙박시설을 짓는 행태에 대해 경고를 하고자 합니다. 전국에 펜션이라는 이름의 숙박업소 중 정작 정식으로 허가받은 업체가 몇 개나 될지 궁금합니다. 춘천에 펜션 이라는 명칭을 합법적으로 쓸 수 있는 업체는 1~2곳 이라고 들었습니다. 농어촌 민박이 펜션으로 홍보되고 주인이 거주해야 하는 조건의 민박집이 주인이 거주하지 않으면서 전문 숙박업소로 영업을 해도 주민등록만 되어 있으면 아무런 문제가 없는 나라입니다. 금년 여름, 비 피해가 없으면 난개발은 계속 되겠지요. 그러다가 어느 해 비가 많이 오고 산이 무너져서 무고한 사람들이 죽으면 언론부터 떠들고 난리겠지요. 이광준 춘천시장과 그 하수인 같은 사람은 '왜 나만 갖고 그래? 나만 잘 못했어?' 라고 할 것입니다. 그러한 뻔뻔한 자치단체장이 이 사회에 존재하지 않기를 바라며 그들의 이야기를 적시했습니다.

이 백서는 총 2부로 구성되었습니다. 1부에는 참사의 상황과 전국에서 모인 유가족들의 이야기로 시작하여 아이디어뱅크가 어떤 조직이며 왜 춘천에 가게 되었는지를 소개하고 있습니다. 대책위의 결성과 진상조사위원회 운영과 해체과정에서 무슨 일이 있었는지, 자체 진상조사 및 참사 책임 주체들의 문제점과 결과 발표, 춘천시와의 투쟁, 강원도와의 교섭, 조례제정 및 모금, 인하대와의 문제 정리, 춘천 상천초등학교 공적비 건립과 이광준 시장에 대한 소송, 시장 사과까지 전 과정을 여과 없이 수록하고 있습니다. 제6장에서는 조직 운영에 있어서의 갈등을 기술하여 조직 내부의 진통을 보여주고 있으며, 불가피하게 이런 조직을 운영하게 되는 분들을 위해 주요 장의 말미에 12가지 대처법을 정리해 두었습니다.

2부는 아홉 명의 아이들에 대한 이야기입니다. 비록 짧은 생이었지만 가족과 친구들 그리고 본인들의 기록을 통해 그들을 좀 더 이해하고, 남은 자들이 그들의 꿈을 기억할 수 있도록 정리해 보았습니다. 희생된 아이들을 기억하는 모든 사람들이 소장하고 그들을 기억할 수 있도록 만들고자 했습니다. 아이들은 비록 갔지만 남은 자들이 『네 꿈을 기억할게』를 통해 반드시 기억하고 꿈을 실현하여 더 나은 세상을 만들기를 바랍니다.

다시는 이런 참사가 없기를 간절히 바라면서 꽃다운 나이에 세상을 떠난 김유라, 김유신, 김재현, 성명준, 신슬기, 이경철, 이민성, 이정희, 최민하, 최용규의 영전에 이 책을 바칩니다.

2013년 6월 어느 날 **이승원** 씀

:차례

제3장 대책위원회 구성과 사건조사위원회 대응

제4장 자체 진상조사 및 투쟁 돌입

제5장 강원도와의 대화 및 인하대, 춘천시 대응

제6장 갈등

제7장 인하대, 강원도와의 마무리

제8장 기념사업회 출범과 후속 조치들

제2부 네 꿈을 기억할게

제 1 부

춘천봉사활동 인하대희생자 이야기

: 불길한 징조

불안감을 떨칠 수가 없었다. 아이들을 키우며 이렇게 걱정해 본 적이 없는데 오늘은 왠지 불안하다. 어제 새벽에 연하를 만나 학교에 간다고 밤새 잠도 안자고 나간 민하가 전화를 안 받는다. 아빠가 전철역까지 데려다 준다는 것도 거절하고 친구하고 가겠다고 했는데 춘천에 잘 도착했는지 궁금하기만 하다. 오후 들어 서울에 내리기 시작한 비가 전국으로 확대된다는데, 춘천에도 비가 오는지…. 일은 많은데 손에 잡히지 않는다. 전화를 세 번째 하는데 받지 않는다.

5시가 다 되었는데 회의를 하잖다. 무슨 이야기를 하는지 통 머릿속에 들어오지 않는다. 저녁을 먹으러 나가 간단히 맥주 한 잔을 하면서도 딸에 대한 걱정이 떠나지를 않았다. 다섯 번째 시도에 통화가 되었다.

"민하야! 너 왜 전화를 안 받아?"

"응, 받았잖아. 정신이 없었어요. 끝나고 바로 저녁 먹었고요."

걱정했던 자신이 무안할 만큼 맹랑하게 답했다.

"거기도 비 오니?" "응, 엄마."

"비 오는데 밤에 돌아다니지 말고 숙소에 있어. 위험하니까, 알았지?"

정경원(민하 어머니)이 말하자 민하가 대답했다.
"응, 걱정마세요. 여기는 방도 여러 개에요."

전화를 끊고 걱정하지 말라는 민하의 말을 되새기며, 정경원은 속으로 '그래 숙소에 있으면 아무 일 없겠지' 라며 마음을 진정시켰다.

× × × ×

용규는 며칠째 잠을 못자고 있었다. 아이디어뱅크 살림을 총괄하는 총무 일을 맡으며, 신경 쓸 것도 많아졌는데 이번 발명캠프는 실험재료 준비와 숙식 등 챙길 것이 너무 많았다. 로켓포를 만들 페트병은 아버지의 도움을 받으면 될까 했지만 쉽지 않았다. 발명캠프도 가야 했고, 교회 수련회도 있고, 군대를 카투사로 가고 싶어서 응시한 영어 시험도 며칠 후 보아야 했다. 그러나 이 발명캠프는 꼭 성공리에 해야 했다. 하고 싶은 일이었기 때문이다. 2주전 답사를 다녀온 후에도 계속 신경 쓸 일이 많았다. 집행부는 춘천으로 떠나기 하루 전인 일요일, 인하대 동아리방에서 최종 점검을 했다. 집에 돌아와서도 회장과 채팅으로 준비상태를 확인 또 확인했다. 잠을 못 잔 상태에서, 아침에 나가면서 한 말이었다.

"아, 내 말을 아이들이 이해하지 못하면 어떡하지?"
걱정하는 용규에게 엄마는 할 말을 잃고 되물었다.
"초등학생들이?" 아들의 쓸데없는 걱정에 웃음을 지으며 말했다.
"괜찮을 거야, 자신감 갖고 해!"

× × × ×

민은순(유신이 어머니)은 쏟아지는 비를 보며 봉사활동 간 아들이 걱정되었다. 처음 간 것도 아닌데 왜 이리 불안한지 아들의 일을 방해할까봐 아니 엄마의 조바심에 아들이 불편해 할까봐 조심스럽게 문자를 보냈다. 조금 지나자 유신이에게서 전화가 왔다.

"엄마! 친구들하고 있는데 엄마가 잘 있는지 궁금해서 했어."

전화기 너머 들리는 목소리는 집에서보다 더 밝고 듬직해 보였다.

"어 엄마는 잘 있어. 비 많이 오지?"

"응."

"숙소는 깨끗하니? 오두막이야?"

민은순은 제일 먼저 숙소를 걱정했다.

보낼 때는 어련히 알아서들 할까 했지만 막상 비가 내리니 숙소가 걱정이었다. 깨끗하다는 유신이의 말을 들으며 전화를 끊었지만 무언가 불안감이 엄습하였다. 시간을 보니 저녁 8시가 넘어서고 있었다. 뭔가 기가 연기처럼 확 빠져나가는 그런 느낌을 받고 어쩌지를 못하고 그 자리에서 맴돌았다.

불안한 마음에 잠도 못자고 있는데 남편이 술을 한잔 하고 들어왔다. 들어오자마자 김현철(유신이 아버지)은 아들의 소식을 물었다. "연락 왔어?" "응, 두시간전 쯤 통화 했어." '나도 없는데….' 혼잣말을 하며 핸드폰을 들었다.

"유신아 거기가 산이냐? 바다냐?" "응, 산이야." 아들의 목소리를 확인하고 조심해서 잘 다녀오라 하고 전화를 끊었다. 그래도 남편이 통화를 하자 민은순은 마음이 정리되었다. 그러나 혈육의 정이 이런 것인가? 유신이의 누나인 유경이가 그 시간 밖에서 유신이와 통화를 했다. 끊을 때 뭔가 메아리치는 것처럼 이상한 걸 느꼈다.

× × × ×

슬기는 발명캠프에 가고 싶었다. 삼수까지 해서 들어간 대학에서 가입한 동아리는 자신의 대학생활을 풍요롭게 했다. 특히 이번 발명캠프는 아이들을 가르치는 것 아닌가? 엄한 아버지가 자신의 절제된 생활을 위해 통행금지까지 선포하시고, 외박을 허락하지 않으시지만 발명캠프는 꼭 가고 싶었다. 그러나 부모님을 설득할 길이 없었다. 아니 오히려 엄마는 자신의 핸드폰을 신형으로 바꾸어 주며 가지 말라고 역공을 취하셨다. 자신의 가장 든든한 지원자였던 언니와 장래 형부까지 가지 말라고 만류하고 있었다.

신현범(슬기 아버지)은 딸을 엄격하게 키우는 편이지만 발명캠프에 가고 싶어 하는 마음도 이해할 수 있었다. 초등학생들을 가르치는 봉사활동이고, 학교에서 잔다고 하니 허락하고 싶은 마음도 있었으나 애 엄마와 다른 딸들의 반대가 심해 슬기가 그냥 포기했으면 하는 마음이었다. 엄마가 신형 핸드폰을 사왔다. 금요일에 사오는 바람에 월요일이 되어야 개통할 수 있다고 했다. 월요일은 발명캠프를 떠나는 날이었다.

슬기는 고민했지만 포기할 수 없었다. 시무룩한 슬기의 모습을 보며 부모는 마침내 신형전화기를 개통해 주며 다녀오라고 허락하였다. 전화기가 말썽이었다. 개통 당일 먼 곳으로 간 딸과 통화가 여의치 않았다. 간신히 된 통화 끝에 슬기는 말했다.

"나 정신없어, 너무 재밌어. 응, 모레 갈 거야." 정신없이 돌아가는 현장의 모습이 선명하게 그려지는 통화였다.

× × × ×

제 1 장

쓸려간 아름다운 청춘

1. 봉사활동 첫날

2011년 7월 25일 오전 11시경 인하대학교 정석도서관 뒤편으로 아이디어뱅크 회원들이 모여들었다. 춘천의 상천초등학교로 발명캠프 봉사활동을 가는 날이었다. 내일부터 시작할 발명캠프를 위해 밤잠을 설치며 모인 31명의 학생들은 김밥 한 줄로 점심을 때우고 인하대 버스를 타고 춘천으로 향했다. 오후 2시경 인하대 버스는 춘천의 상천초등학교 근처에서 학생들을 내려주었다. 초등학교 진입로가 공사 중이어서 학교까지 들어갈 수가 없었다. 시원한 에어컨이 나오는 버스에서 내린 아이디어뱅크 회원들은 견디기 힘든 7월 말의 폭염 속에 실험용 재료와 개인 짐을 먼저 옮겨야 했다. 비 오듯 땀방울을 흘리며 숙소인 춘천민박까지 1㎞ 남짓 짐을 들고 걸었다. 짐을 숙소에 옮겨 놓고는 다시 초등학교로 가야 했다. 교장선생님께 인사도 해야 했고, 내일부터 시작할 발명캠프의 리허설도 해야 했기 때문이다. 30명

발명캠프

이 넘게 왔지만 발명캠프에 처음 참석하는 1학년이 절반에 가까웠다. 처음 해보는 실험인데다 초등학생을 가르치려면 먼저 해보는 것이 중요했다. 하지만 학교는 너무 더웠다. 교장선생님을 뵙고 쉴 사람은 쉬고, 축구도 하고 자유시간을 가졌다. 먹촌식당에서 밥을 먹고 저녁부터 실험준비를 해서 각자 한 가지씩 설명을 해보고, 실습도 해보았다. 인하대에서 한차례 리허설을 했지만 그리 쉽지만은 않았다. 내일을 위해 빨리 자기로 했다. 어린 학생들을 만난다는 설렘 때문에 여행의 즐거움도 잊고 잠자리에 들었지만 쉽게 잠이 오지는 않았다.

방학이라 집에서는 이렇게 일찍 일어나지는 않는데, 아침 6시가 되자 모두 자리에서 일어났다. 상천초등학교로 가서 8시부터 실험준비를 완료하고 아이들 맞을 준비를 하였다. 9시30분이 되니 학생들이 모여 들었다. 상천초등학교는 발명특성화 학교로 이번 캠프에는 인근의 초등학생들까지 함께 참석하였다. 2박 3일로 진행되는 발명캠프는 원래 아침 9시30분에 시작해서 저녁 7시에 끝날 예정이었는데, 학교 측에서 좀 더 일찍 끝낼 것을 요구해서 오후 5시 쯤 끝났다. 첫날은 진짜 정신없이 보냈다. 처음 만나는 아이들이었지만 말도 잘 들었고, 잘 따라주어서 힘든 줄도 몰랐다. 벌써 하루가 지났다니 아쉽기도 하였다. 조별로 진행된 발명캠프는 조장 역할을 맡은 선배들과 1학년들이 나뉘어 배치되어 일사불란하게 움직였다. 캠프에 참여한 초등학생들 못지않게 대학생인 아이디어뱅크 학생들에게도 설레고 흥미로운 활동이었다. 긴장감 속에 예민해져 있던 정진아 회장과 집행부와는 달리 1학년들은 처음 해보는 경험이 마냥 즐겁기만 하였다. 오후 3시경 4학년인 민성이와 동현이, 태진이가 차를 타고 발명캠프에 합류하였다. 취업과 진학에 고민이 많은 시기지만 4학년 선배들의 참석은 후배들에게는 자신감을 더해 주는 것이었다.

학생들이 묵었던 민박집 전경

예정보다 일과가 일찍 끝나 남학생들은 축구를 하러 학교로 갔다. 공을 조금 찼더니 빗방울이 떨어지기 시작하였다. 나머지 사람들은 숙소로 돌아와서 쉬며 오늘의 일과를 이야기하였다. 내일에 대한 고민과 걱정도 함께 나누는 시간이었다. 저녁 6시경 식사를 하기 위해 식당으로 갔다. 오늘까지 식당에서 먹고 내일은 마지막 밤이니 숙소에서 고기를 구워먹기로 하였다. 저녁을 먹고 나오니 빗줄기가 굵어졌다. 숙소로 돌아와서 간단한 술과 음료를 놓고 대화의 시간을 시작했다. 특히 1학년들은 궁금한 사항들이 많았다. 선배들과 1층 큰 방에서 이야기를 나눴다. 2층에서는 아이디어뱅크 집행부를 중심으로 모여 캠프와 이후 아이디어뱅크에 대한 이야기를 나누고 있었다. 빗줄기가 점점 거세어지고 밤이 깊어갔지만 젊은이들은 잠들지 못하고 이야기꽃을 피웠다. 이제 대학 생활을 시작한 지 한 학기밖에 안 되는 새내기들에게 선배들과의 이런 대화 시간은 아주 천금같은 시간이었다. 발명캠프로 시작된 이야기는, 대화가 깊어질수록 자신들의 학업, 장래와 사회문제 등 고민거리를 중심으로 발전해 갔으며 꼭 답을 듣고자 하기 보다는 자신들의 고민을 함께 공유하는 시간이었다. 그 고민의 폭은 무한대로 뻗어나갔다.

이미 시간은 밤 12시를 넘기고 있었지만 35명의 젊음은 자신들에게 닥칠 일을 전혀 모르고 있었다. 특히 2011년 7월 26일 21시 25분을 기해 학생들이 묵었던 마적산에 산사태 위험주의보가 발령되었으나 시 공무원을 제외하고는 알 수가 없었다. 산림청은 그날 밤 12시까지 춘천시에 3차에 걸쳐 산사태 주의보를 보냈다.

2. 어둠 속의 혼돈

"형님, 비가 이리 오는데 이제 문 닫고 빨리 들어가세요."

"그러지 않아도 들어갈 생각이었네."

신북읍 천전리 일대에서 장사를 하는 사람들의 대화다. 이 지역은 소양강댐 밑에 있는 관광지이다. 비만 오면 불안하기 짝이 없는 지역이다. 특히 소양강댐의 위험을 막기 위해 한 보조여수로 공사 이후 주민들은 더 큰 불안에 휩싸여 있었다. 비가 오지 않아도 소양강댐의 수문을 열면 천전리 일대에 안개비가 내리는 것 같은 현상이 나타났다. 언제부터인가 마적산도 산사태에 무방비 상태였다. 오늘도 비가 오는 것이 심상치 않았다. 장사도 안 되고, 일찍 들어갈 사람들은 모두 들어가고, 버스종점 앞 음식점에 상인들이 모여 술추렴을 하고 있었다. 일하는 아주머니가 댁에 간다고 해서 한 사람이 운전을 하고 아주머니가 살고 있는 느치골(참사 이후 주민 소개령이 내려지고, 자연공원화 된 곳)에 데려다 주다 보니 느치골은 밤 11시경에 자동차의 타이어 절반이 잠길 정도였다. 돌아와 보니 이미 9시경부터 마을회관 맞은편에 침수사태가 발생된 후였다. 사람들이 모여 있는 음식점으로 들어서면서 말했다.

"아휴, 심상치 않네. 이미 침수가 일어나고 뭔 일이 나겠는 걸?"

더 이상 술은 오가지 않았다. 혹 벌어질지 모를 사태에 대비하며 여기에 없는 친목회원들의 안부를 묻기 시작했다. 그 중에는 35명의 학생들이 자신의 민박집에서 묵고 있는데, 자신만 안전한 시내 아파트로 들어가 자고 있던 민박집 주인 김○웅도 있었다.

산사태의 조짐은 그 전날 저녁부터 있었다. 2011년 7월 26일 화요일 저녁 9시 30분경 천전리 마을회관 맞은편 해강아파트 앞의 집 두 채가 침수되는 사건이 발생하였다. 마적산 정상으로부터 빗물이 내려왔지만 마을회관 맞은편 공사현장(엘리시아 아파트)에서 우수관을 300밀리짜리로, 집수정을 600밀리 관으로 묻어 배수가 안 되고 역류하였다. 춘천시청 수도과와 읍사무소 직원이 나와 수도과에서 양수기 2대, 소방서에서 양수기 1대를 동원하여 응급조치를 하였다.

26일 밤 11시 30분경에는 소양강댐 바로 아래(저녁 9시 30분에 침수된 지역으로부터 2㎞ 정도 위) 느치골에서 하수구가 막혀 물이 넘치는 사고가 발생하였다. 평상시에도 비가 오면 느치골에서 산사태 지점까지는 도로에 빗물이 그득한데, 그날도 비가 많이 와서 도로에는 물이 차 있었다.

인하대 학생들은 무슨 일이 벌어지고 있는지 알지 못했다. 그들에게 연락을 해 줄 사람은 민박집 주인뿐이었는데 그는 이미 자기의 아파트에서 자고 있었기 때문이다. 26일 저녁 8시경부터 집중호우가 내렸다. 27일(수) 새벽 0시 8분경 춘천시 신북읍 천전리 윗샘밭

시내버스 종점 인근 일명 떡갈봉(해발 50m)의 경사면이 무너지면서 산 아래에 있는 닭갈비집(2층)과 인근 상가 건물 1개 동을 덮쳤다. 마적산 정상에서부터 쓸려 내려온 토사가 건물을 반대편 하천부지까지 밀어내 버렸다. 건물의 잔해와 토사가 도로를 막아버려 구조 작업도 쉽지 않았다. 춘천소방서에 신고가 접수되어 출동은 했으나 레커차, 경찰순찰차 등이 와도 무용지물이었다. 지역 주민들은 서로 전화로 다 나오라고 하고 안전을 확인하는 정도였다. 이 와중에 2차 산사태로 건물이 형체 없이 쓸려 나갔던 춘천여행에 투숙했던 사람들은 1차 산사태 직후 지인으로부터 연락을 받고 피신하여 약간의 찰과상만 입었다. 그러나 인하대 학생들은 어떤 연락도 받지 못하였다.

1차 산사태가 나고 12분 후 27일 0시 20분 30초경 1차 산사태와 100여 미터 가량 떨어진 능선에서 두 번째 산사태가 나면서 바로 아래 춘천민박(2층 건물), 춘천민박(단층), 춘천여행 건물 3개동이 완파되었다. 인하대 학생들이 묵었던 춘천민박은 산을 절개하고 바로 이어서 민박집을 지은 상태였다. 칠흑 같은 어둠 속에서 비와 함께 천둥소리가 점점 크게 들리더니 순식간에 산 쪽 창문에서 검은 그림자가 들이닥쳤다. 그 검은 그림자는 토석류였다. 그것을 알았을 때는 이미 늦었다. 비명 소리와 함께 순식간에 토사에 휩쓸려 파묻히거나 쓸려나갔다. 민박집의 1층 벽면이 뻥 뚫린 것이다. 어떻게 이런 일이 벌어질 수 있는지…. 2층에 있던 학생들은 천행으로 살 수 있었지만 아래층의 상황도 알 수 없는 지경이었다. 계속 핸드폰으로 119에 구조 요청을 했지만 1차 산사태 때문에 접근이 어려운 상황이었다.

피해는 1층 큰 방에 모여 있던 학생들에게 집중되었는데, 1층 방의 부엌 쪽에서부터 치고 들어 온 상태였다. 춘천민박은 조립식 패

참사현장

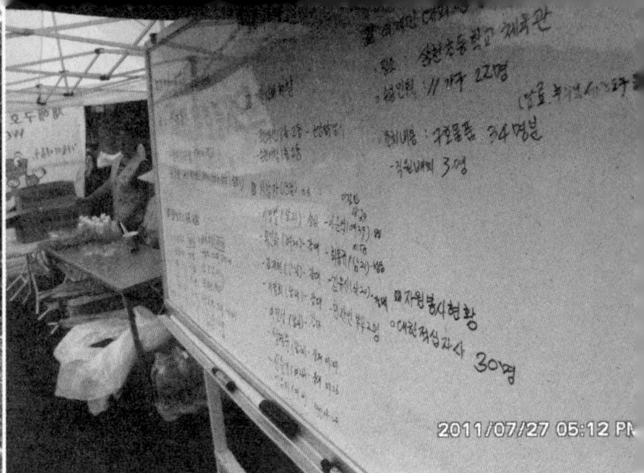

구조본부와 적십자사 자원봉사

널로 지어놓고 외벽만 붉은 벽돌을 한 장씩 쌓아놓은 형태로 토사가 밀려들자 벽체가 힘없이 부서지고 토사와 함께 피해 학생들을 타격하는 도구 역할을 한 것이었다. 사고 민박 1층은 골조만 남은 상태이다. 새벽 1시 30분이 지나서야 본격적인 구조작업이 시작되었다. 동이 트며 보인 모습은 어제까지 멀쩡하던 도로가 없어졌고, 길과 산의 구분이 없어졌다. 2층에 있던 친구들이 아래층의 친구들이 걱정돼서 내려가고자 했으나 내려갈 수도 없었다. 살아 있는 학생들도 사경을 헤매거나 외상이 없는 친구들도 정신적인 충격 속에서 헤어나지 못하는, 그야말로 아비규환이었다. 병원으로 후송된 학생들도 정신을 차릴 수 없었고, 신원확인도 쉽지 않았다. 아이디어뱅크 집행부가 감당하기에는 너무나도 어처구니없는 엄청난 사태였다. 이미 사망한 학생들과 다친 학생들은 강원대병원과 한림대병원 등으로 후송되었다. 그 당시 파악된 사망자는 인하대 아이디어뱅크 10명과 일반인 3명으로 총 13명, 부상자는 아이디어뱅크 20명 일반인 5명으로 25명 이었다. 명단은 아래와 같다.

사망자

■ 김유신(20 · 신소재공학부/1) ■ 최용규(21 · 생명화학공학부/2) ■ 이경철(20 · 전기전자공학부/1) ■ 이민성(26 · 섬유공학/4) ■ 이정희(25 · 컴퓨터공학/3) ■ 최민하(19 · 여 · 생활과학부/1)

■김재현(26 · 기계공학/3) ■성명준(20 · 생명화학공학부/1) ■신슬기(22 · 여 · 생활과학부/1)
■김유라(20 · 여 · 생활과학부/1) ■이은영(39 · 여 · 1차 참사) ■김상우(42 · 춘천여행)
■박진영(43 · 여 · 춘천여행)

부상자

■김현빈(20 · 중상) ■신태진(23 · 중상) ■박미리(19 · 여 · 중상) ■박기영(26 · 중상)
■이효성(19 · 중상) ■양창모(23 · 중상) ■김인철(24 · 경상) ■김동찬(20 · 경상)
■박희용(23 · 경상) ■김동현(26 · 중상) ■신주영(19 · 여 · 경상) ■엄기성(21 · 경상)
■임기돈(21 · 경상) ■강상구(21 · 경상) ■홍진호(25 · 경상) ■길혜준(20 · 여 · 경상)
■정진아(20 · 여 · 경상) ■이승훈(18 · 경상) ■이희주(23 · 경상) ■곽진(20 · 경상)
■김종수(나이미상 · 경상) ■양순자(나이미상 · 여 · 경상) ■김기분(52 · 여 · 경상)
■강순자(56 · 여 · 경상) ■이춘자(52 · 여 · 경상)

봉사활동을 갔던 아이디어뱅크 회원이 35명이었으니 사망자와 부상자를 제외하면 불과 5명만이 멀쩡했던 것이다.

3. 황망한 유족들

아이들의 참사 소식을 제일 먼저 들은 유족은 재현이 부모였다. 경주에 사는 김성규, 정철옥은 고등학교를 졸업하고는 6년 넘게 일 년에 두 번 보는 아들이었기에 여름 방학에 내려왔다 바로 또 인천으로 올라가는 것이 그리 이상하지도 않았다. 이틀 전 고등학교 선생님인 아버지에게 전화해서 용돈을 좀 부탁했던 것 외에는 그냥 일상의 나날이었다. 그런데 27일 새벽 1시경 재현이의 친구로부터 전화가 왔다.

"아버님 재현이가 춘천으로 발명캠프 봉사활동 간다고 했는데 방금 방송에서 산사태가 났다고 하는데요…." 전화기 너머의 목소리는 점점 말끝을 흐리며 희미해져 갔다. 김성규(재현이 아버지)는 아무 정신이 없었다. 아니 이 무슨 황당한 이야기인가?

'무슨 일은 없겠지?' 마음을 가라앉히며 부인에게 상황 설명을 하고, 딸과 함께 전화를 하기 시작하였다. 인하대, 춘천경찰서, 소방대, 춘천시, 병원들… 모두 연락했지만 모르기는 마찬가지였다. 출발하는 게 낫겠다 싶었지만 이 새벽에 경주에서 춘천까지 무슨 수로 간다는 말인가? 온 몸이 떨려 운전도 할 수 없었다. 할 수 없이 콜택시를 대절해서 출발하였다. 힘들어 하는 부인을 안심시키며 애써 태연한 척 해 보았지만 춘천과 통화를 할수록 절망이 앞을 가렸다. 5시간을 달려가며 강원대병원으로 가야함을 알았고, 도착했을 때는 이미 재현이가 이 세상 사람이 아니었다. 재현이를 바로 데려가고 싶었다.

'이 먼 춘천까지 와서 이 무슨 일이란 말인가?'

그러나 신분 확인도 어려웠다. 무작정 기다리라는 말에 울분이 치밀었지만, '혹 재현이가 아닐지도 모른다.' 는 생각에 망연자실 기다릴 수밖에 없었다. 몇 시간을 기다려서야 재현이를 확인할 수 있었다. 바로 데려가고 싶었지만 검사의 지휘가 떨어지지 않으면 안 된다고 해서 병원 로비에서 넋을 놓고 말았다.

유신이 아버지 김현철은 아침 출근길이었다. 버스에서 아침 뉴스를 하는데 인하대 학생들의 참사소식이 나왔다. 유신이가 그 중에 한 명일 것이라고는 꿈에도 생각을 못하고, 부인에게 전화를 해서 "인하대 아이들이 산사태 사고를 당했다는데?"라고 이야기해 주었다.

민은순(유신이 어머니)은 남편의 전화를 끊고 텔레비전을 켜려고 일어서다가 친구로부터 문자를 받는다. '인하대 애들이 사고를 당했다는데 유신이인지 확인해봐라.' 시계를 보니 아침 7시였다. 깜짝 놀라서 텔레비전을 켰지만 뉴스에 유신이의 이름은 없었다. 다른 아이들 이름은 나오는데 그 중에 아는 이름이 없었다. 그러다가 용규라는 이름이 나왔다. 가끔 유신이가 '용규형, 용규형' 하던 것이 생각났다. 그리고 이어서 유신이와 고교 동창에, 같은 대학에 진학하고 아이디어뱅크에도 같이 가입한 명준이 이름이 나왔다.

그 때부터 민은순은 서 있을 수도 걸을 수도 없었다. 그때부터 진짜 기어 다녔다. 기가 다 빠져 어떻게 할 수가 없었다. 유신이 누나한테도 겨우 연락을 했다. 유신이 아빠는 출근하다 말고 다시 돌아왔다.

유신이 누나가 춘천의 소방서, 경찰서에 전화를 했다. 부상자 이름에 유신이가 없다는 말만 듣고 춘천으로 달려갔다. 강원대병원에서 유신이를 보고서 민은순은 정신을 잃고 말았다. 작은아버지가 같이 와서 그나마 뒷일을 봐주었다.

슬기 엄마 윤미열은 아침 뉴스를 보다가 자지러질 뻔 했다. 그렇게 반대하던 발명캠프에 가더니 결국 사고 소식이 나왔으니 말이다. 방으로 가서 큰 딸을 깨우고 빨리 방송을 보라고 했다. 슬기 언니가 뉴스를 보니 춘천 어디서 사고가 났다고 하는데 인하대학교 아이디어뱅크 동아리가 나왔다. 믿을 수가 없어 처음에는 긴가민가했는데 죽은 애들 이름 중에 동생이 자주 얘기하던 이름이 떴다. 그래서 이거 진짜 큰일 났다고 생각하고 바로 일어서서 차를 타고 춘천으로 출발하였다. 대책 없는 출발이었다. 그냥 무턱대고 춘천으로 갔다.

가는 중에 병원도 뉴스에 떴다. 병원마다 전화를 했지만 그런 환자는 없다고 해서 일말의 희망을 가졌다. '아직은 살아 있는가 보다. 아직은 그런가 보다' 하고 가는데 그 도중에 사망자 소식이 추가로 떴다. 슬기 이름이 뜨는 순간 기억이 혼미해졌다. 무슨 정신으로 병원에 전화를 하고 찾아갔는지 모르겠다. 슬기언니의 남자친구는 7시가 안 되어 슬기언니의 전화를 받았다. 일단 출근은 했지만 가봐야 할 것 같아 8시가 넘어 춘천으로 출발하였다.

길이 막혀서 9시가 조금 넘어 슬기네 식구들은 강원대병원에 도착하였다. 슬기 부모인 신현범과 윤미열은 다리가 떨려 어찌해야 할지를 모르고 있었다. 슬기언니가 응급실로 가서 간호사에게 물었다.

"산사태 사고 때문에 실려 온 신슬기라는 학생이 여기 있나요?"

컴퓨터로 조회를 끝낸 간호사가 답했다.

"영안실로 가 보세요." 그 간호사는 무표정하게 이야기하고 얼굴을 돌렸다.

'아, 진짜 큰일이구나….' 슬기언니의 얼굴은 눈물로 범벅이 되었다. 부모님도 말없이 쫓아오셨다. 남자친구가 10시가 넘어 도착할 때까지 무슨 일이 있었는지 아무 것도 기억할 수 없었다.

정희 엄마 김영순은 그날따라 이상했다. 평상시에는 밥을 안쳐놓고 텔레비전을 켰는데 그날은 이상하게 밥을 안치기 전에 텔레비전을 켜고 싶었다. 춘천에 뭔 사태가 났다고 뉴스에 나왔다. 그 뉴스가 아들 정희의 사고 소식이라고는 꿈에도 생각을 못하고 다시 주방으로 들어갔다. 밥을 안치려는데 머릿속을 스치는 느낌이 있었다.

"인천 모 대학이라고 나오더라고요. 그래도 애들이라고는 꿈에도 생각을 못하고 다시 주방에 갔는데 뭐가 느낌이 팍 오더라고요. 팍 스치는 게 있어요. 다시 가서 얼른 봤지요. 그랬더니 조금 지나니까 이제 인하대학교로 나오더라고요 근데 애가 춘천으로 간다고 얘기를 한 게 기억이 나더라고요."

부랴부랴 자는 딸을 깨웠다.

"오빠한테 뭔 일 있는 거 같다. 빨리 좀 일어나 봐라."

딸아이도 허둥대며 어찌할 바를 모르고 있었다. 뉴스가 자세히 안 나오니 인터넷을 보라고 하자, 딸아이가 컴퓨터를 켰다. 애들이 세 군데 병원으로 분산되어 있다고 해서 학교로 전화를 하니 전화가 안 되었다.

병원 전화번호를 모두 찾아 연락하니 강원대병원에 있다는 거였다.

"상태가 어때요?" 물으니 "어떻게 되세요?" 라고 되묻는다.

"엄마인데요." 하니 "와보세요." 하고는 전화를 끊었다. 그것이 죽음을 의미하는지는 꿈에도 몰랐다. 살아 있겠지 하는 기대감에 남편 이상규에게 전화를 걸어 빨리 가자고 하였다.

그 시간 이상규(정희 아버지)도 춘천에 전화를 걸어 확인 중이었다. 방송에 이종희로 나와 죽지는 않았겠지 기대감이 있었는데, 강원대병원에 전화를 해 사실을 알게 되었다. 운전에는 자신 있는 이상규였지만 할 수가 없었다. 매제가 온다고 해서 기다렸다가 8시 경에 출발하였다. 산사태로 도로가 통제되어서 낮 12시가 되어서야 강원대병원에 도착하였다.

전날 밤부터 내린 비 때문에 유라엄마 이정자는 걱정이 앞섰다.

'혹 무슨 일은 없겠지.' 아침 5시 50분 일어나자마자 텔레비전을 켰다. 6시 뉴스를 보기 위해서였다. 6시 뉴스에 춘천 산사태라고 나왔지만 무심결에 주방 쪽으로 가다가 '어!' 하고 다시 와서 보니 인천 모 대학이라고 떴다. 아차, 싶어 한참을 앉아 있었다. 그랬더니 인하대 발명동아리가 떴다. 더 볼 것이 없었다. 머리를 대충 감고서 말리지도 못하고 애들 아빠를 깨워 가자고 했다. 6시 20분 경 유라 이모와 오빠를 깨워 놓고 텔레비전에 뭐가 나오면 연락 달라는 말만 남겨놓고 김용주(유라 아버지), 이정자는 출발을 하였다.

2시간 정도 달려서 간 곳이 남양주였다. 앞이 안보일 정도로 비가 쏟아져 도무지 갈 수가 없었다. 그 때 아들에게 전화가 왔다. "엄마, 차 옆에 세우세요. 가지 마세요." 시계를 보니 8시 30분이었다. 텔레비전에 뜬 유라 이름을 보고 아들이 전화한 것이다. 그리고 가지 말라는 것이다. 그러나 시신이라도 보아야 이 문제가 해결될 것 같아 가기로 하였다. 이미 8시 전에 양평에 사는 오빠에게 현장에 가 보라고 부탁을 해 놓은 상황이었다. 연락을 받은 유라의 삼촌은 현장에서 유라를 보았다. 처참한 모습의 유라는 평상시의 그 모습이 아니었다. 동생이 본다면 충격이 클 상황이었다. 동생(유라 엄마)에게 전화를 걸었다.

"유라 엄마야, 큰 맘 먹고 와라, 큰 맘 먹고 와라. 놀래지 말고…." 다른 이야기는 할 수가 없었다. 처참한 모습의 조카를 본 것도 기막힌데 그 광경을 동생네 부부에게 이야기할 수 없었기 때문이었다. 김용주 · 이정자 부부는 12시가 다 되어서야 병원에 도착하였다. 유라 삼촌은 그 현장을 보고 그런 고랑창에다 집을 짓게 해 놨냐면서 상식도 없다고 분개하였다.

경철이 엄마 전온순은 27일 새벽 2시가 넘어 전화를 받았다. 자신의 신분도 밝히지 않고 다짜고짜 경철이가 다쳤다는 전화에 놀라서 벌떡 일어났다. 안성에 있는 남편 이상섭에게 전화를 했으나 자는지 받지를 않는다. 이상섭(경철이 아버지)은 그 전날 기계에 이상이 있어 수리 후 동료들과 한잔 하고 잠자리에 들어 전화 소리를 잘 못 들었다. 새벽 4시가 되어서야 통화가 되었다.

"무슨 일이야?" 잠결에 전화를 받은 이상섭이 물었다.

"경철이가 다쳤다고 연락이 왔어." 이미 전온순(경철이 어머니)과 딸은 택시를 타고 춘천으로 가는 중이었다. 전온순은 남편과 전화를 하며 조금 전의 끔찍한 상황을 다시 상기하였다. 알 수 없는 발신자에게 계속 물어보았다.

"경철이 상태가 어떤데요?" 전화기 너머의 답변은 이상했다.

"경철이가 말을 못해요." 이게 무슨 일인가? 딸과 함께 아무리 머리를 굴려 봐도 이상했다. 왜 말을 못한다는 거지? 머리가 복잡했다. 그런데 저쪽에서 말했다.

"어쨌든 빨리 오시지요." 아니, 이건 무슨 소리지? 빨리 오라니? 무서운 생각이 들었다. 남편에게 전화를 하니 전화를 안 받는다. 너무나도 막막했다. 그러다가 퍼뜩 춘천에 있는 남동생이 생각났다. 전화를 해서 네가 일단 가보고 연락을 달라고 했다. 기다리다가 아무래도 안 되겠다고 생각한 전온순은 택시를 타고 춘천으로 향했다. 딸도 쫓아 나왔다. 가면서 남편과 통화가 되었다. 남편하고 만나서 성심병원으로 갔다. 도로가 막혀서 10시경에나 병원에 도착하였다. 부인에게는 아들의 상황을 이야기하지 않았지만 아버지 이상섭은 숙소에서 텔레비전 자막에 뜬 아들 이름도 보았고, 병원에 먼저 간

처남의 '와보면 알 것입니다' 라는 말을 듣고 아들의 상황을 알아 차렸다. 말도 못 할 비통함에 빠졌지만 절망할 부인을 생각하여 모른 척하고 춘천까지 가야만 했다.

용규 아버지 최영찬은 아침 7시 전에 출근한다. 가평의 회사 숙소에서 6시가 되기 전에 일어나 뉴스를 듣기 위해 평소처럼 YTN을 켜니 인하대 발명캠프 이야기가 나왔다. 용규가 간 곳이 소양강댐 근처라고 했지 정확한 위치는 몰랐다. 이어서 사망자가 6~7명 나오고, 미확인자로 아들 이름이 나왔다. 사무실에 가서 이야기 하고 부인에게 전화를 했다. 부인은 어젯밤부터 시아버님께서 전화하셔서 용규 안부를 물으시고, 비도 많이 내려서 혼자 있으려니 너무 무서워서 제대로 잠을 이루지 못했다. 새벽녘 잠들었다가 남편의 전화에 깼다.

"용규가 갔던 곳이 어디지? 춘천펜션 맞아?"

"응, 맞아. 춘천펜션. 왜?" 아들 용규가 어려운 조건을 이해하고 계약을 해 주셨다며, 춘천펜션 사장에게 감사의 편지를 쓴다고 한 기억이 또렷이 났다. 지금도 노트북에 남아 있는 그 편지를 어떻게 해석해야 하나 여러 가지로 복잡했다.

8시 넘어 최영찬은 현장에 도착했다. 뉴스를 볼 때만 해도 아들 이름이 나오지 않아 희망을 가졌다. '살아는 있겠지….' 비 오는 길을 운전하면서 그래도 우리 아들 어디 있으면 좀 살려달라고 하나님께 울부짖으면서 달려왔다. 도착해보니 춘천펜션이 멀쩡하게 있었다. 잘못 알았던 것이다. 아이들이 묵은 곳은 춘천펜션이 아니라 춘천민박이었다. 민박 앞은 완전 흙. 주차장도 흙투성이였고, 집은 거의 반파되어 있었다. 30분 이상을 보고 있다가 옆에 있는 구조본부를 보았다. 그곳에 가보니 인하대 생존자가 있었다. 말도 못하고 막 부들부들 떨고 있는 학생에게 무언가 들을 수 있을까 기대했지만 기억도 잘 못하고 있었다. 사람들의 이야기에 지푸라기라도 잡는 심정에 왔다 갔다 하다가 아이들이 나온 장소를 알게 되니 가망이 없겠다는 생각이 들었다. 혹시나 하는 마음에 뻘에 막 빠지면서 올라갔더니 그곳은 다른 곳이었다. 자포자기 상태에서 망연자실하여 바라보고 있었다. 그렇게 한 두 시간 지났을까? 사람이 하나 발견됐다고 웅성웅성 거렸다. 가서 보니 민박집 계단이었다. 들것을 들고 오는데 들것이 거의 꽉 차 있었다. 아들 용규가 182㎝, 직감적으로 아들 같았다. 맞았다. 눈물도 안 나왔다. 머리가 하얘지면서 밑에 다리까지 한 번 쭉 봤는데 외상이 하나도 없었다. 한림대병원으로 향했다.

한림대병원에 있는데 부인이 도착했다.

"용규 어딨어?" 부인이 물었다.

"아직 안 왔어." 거짓말을 했다. 용규 엄마는 희망을 놓지 않으며, 라디오를 들으며 지하철을 타고 오는데 오열하던 자신을 미친 여자처럼 보고 수군대던 사람들이 생각났다. 하지만 용규만 살아있다면 무엇이 문제이겠는가? 그런데 남편의 태도가 이상했다. 만난 지 30분이 지나고 12시가 지났는데도 계속 쓸데없는 소리만 하고 있었다.

"왜 그래? 용규 어딨어?" 하고 소리치니, 영안실을 가리켰다. 씻겨 진 용규의 모습을 볼 수 있었다. 하나님이 원망스러웠고, 세상이 다 원망스러웠다. 30여 분을 울고 난 후, 최영찬은 '어찌해야 하나?' 현실적인 생각이 들었다. 마지막으로 발견된 용규는 한림대병원으로 왔지만 대부분은 강원대병원으로 갔다. 여기에는 용규와 유라,

명준이만 와 있었다. 유족들이 앉을 곳도 없었다. 그냥 시멘트 바닥에 앉아 있으니 누가 돗자리를 가져다줘 깔고 앉아 있었다. 일단은 다른 유족들을 만나봐야 했다.

민하 어머니 정경원은 새벽 6시경 친정어머니의 전화에 잠이 깼다. 어제 비가 많이 와서 딸이 걱정돼 신경을 써서인가? 잠자리도 편하지 않았고 일어나기도 쉽지 않았다. 잠결에 받은 전화에서는 어머니의 흐느끼는 소리가 들렸다.

"경원아 민하… 민하가…." 말끝을 잇지 못하시는 어머니의 소리에 직감적으로 가슴이 철렁 내려앉았다. "왜 그래? 엄마!" "텔레비전 못 봤니?" 텔레비전에서는 춘천 산사태 소식이 계속 나왔다. 절망이었다. 세상에서 무엇과도 바꿀 수 없는 사랑스런 내 딸에게 이런 일이 벌어지다니. 어제부터 엄습하던 불안감이 현실로 닥쳐 온 것이다. 어떤 방송에서는 명단이 '최민하'가 아니라 '채민하' 라고 나와서 잠시 헷갈리기도 했지만 사실이었다.

민하 아빠인 최영도도 제 정신이 아니었다. 119로 전화를 하여 민하의 사망을 확인하고 강원대병원에 있는 것을 알았다. 아무리 정신을 차리려고 해도 침착할 수가 없었다. 마침 방학 중이던 학교 선생인 동서가 와서 운전을 해 주고 가족들이 함께 춘천으로 향했다. 사방에서 확인 전화가 오고 도로는 막혀 우회도로를 찾고 춘천까지 가는 길이 만 리 길은 되었다.

'아니겠지, 아니겠지, 나에게 닥친 일이 사실은 아니겠지' 라는 마음으로 강원대병원에 도착하였다. 한참을 기다린 후에야 민하를 볼 수 있었다. 누워 있는 민하의 얼굴은 아무 일 없이 누워서 머드팩을 하고 있는 것 같았다. '민하야 일어나! 가자' 라고 외치고 있었지만 목소리는 나오지 않았다. 노동운동가 정경원 이었지만, 본인이 이런 경우를 당하니 어찌해야 할지를 몰랐다. 이 일을 어찌한단 말인가? 주변에서 하는 이야기가 하나도 들리지 않았다. 민하를 빨리 이곳에서 데려가고 싶었다.

민성이 아버지 이건학은 출근 준비 중이었다. 민성이 어머니 김미월은 부엌에서 아침 준비 중이었고, 이건학이 텔레비전을 보다가 갑자기 흐느꼈다.

"어, 우리 민성이 죽었시야…."

아니, 민성이 이름도 안 나왔는데 이 양반이 왜 그러나 싶어 부엌에서 달려 나오니 애 아빠는 제 정신이 아니었다. 이건학은 뉴스에 나오는 자막을 봤다. 인하대 아이디어뱅크 이야기와 함께 산사태, 민성이 이름이 나오고 35세로 나왔다. 오보였다. '발명동아리 아이디어뱅크에 35세가 어디 있나? 내 아들이지….' 억장이 무너졌다.

출근을 포기하고 동생을 불러 함께 춘천으로 향했다. 7시가 조금 넘어 출발했는데 오후 2시에 도착하였다. 가는 길에 강원대병원에 전화를 해서 확인을 요청했지만 가족이 오기 전까지는 확인해 줄 수 없다고 해서 인하대 학생을 바꿔달라고 했다. 민성이가 맞았다. 아무 정신도 없고 뭐를 어떻게 해야 좋을지도 모르겠는데 길은 자꾸 막히고 돌아가려고 국도로 들어섰지만 통제만 되었다.

민성이 어머니 김미월은 도무지 믿을 수가 없었다. 명단은 일찍 나왔지만 믿지 않았다. '학교에서 연락도 안 왔고 이 일이 사실이면 나한테 연락이 왔어야 하는 것 아닌가?' 그런데 12시 30분경 학교에서 전화가 왔다. 웬 여자가 인하대라고 하면서 민성이가 사고를 당했다는 이야기를 전해주었다. 그 이후로는 어떤 기억도 없었다.

2시경 강원대병원에 도착해서 영안실로 들어가니 한 여자가 다가와서 물었다.

"민성이 어머니세요?" 정희 어머니였다.

초면이었지만 서로 알아보고 부둥켜안고 울었다. 정희 아버지가 민성이를 데리고 다니며 아르바이트를 시킬 정도로 정희와 민성이는 친했다. 어머니끼리는 처음이었지만 서로 알아봤던 것이다. 민성이네가 제일 마지막에 도착한 것이다. 경찰관이 와서 여기저기 서명하라고 하였다. 아무 정신이 없어 하라는 대로만 하고 있는데 방송사 카메라들이 들어왔다. 거부하는데도 계속 물어봤다. 뭘 말해야 하는지…. 민성이의 어린 시절을 묻는 기자에게 할 말이 없었다.

봉사활동 중인 대학생을 포함하여 13명이 사망한 사건은 이 사회를 충격으로 몰아넣은 심각한 사건이었다. 특히 27일 오전에 발생한 우면산 산사태와 함께 연이은 산사태는 우리 사회 개발정책과 안전에 심각한 문제의식을 던져 주었다. 유족들은 장례식도 못 치르고 앉을 곳도 없이 널브러져 있는데 언론의 취재경쟁은 가히 전쟁을 방불케 하였다. 동일한 방송국에서도 중앙, 인천, 강원의 주재 기자들이 서로 취재경쟁을 펼쳤다. 정신이 없는 유

참사현장 구조작업

족들을 상대로 인터뷰 요청을 하며 카메라를 들이댔다.

정치권도 만만치 않았다. 인천이 지역구인 한나라당 황우여대표가 춘천의 강원대병원까지 찾아오는가 하면 27일에 바로 당 차원의 성명서를 발표하여 '채 피지도 못하고 가족과 친구의 꿈을 남기고 이승을 떠난 청춘의 넋 앞에 진심으로 명복을 빈다' 고 안타까운 죽음을 애도했다. 이들은 '자원봉사 활동을 갔던 인하대학교 학생 다수와 주민이 불의의 산사태로 유명을 달리했다' 며 '모든 죽음에 예외가 없겠지만 이번 참사로 인한 젊은 학생들의 희생은 참으로 안타깝고 가슴 저리다' 고 밝혔다.

민주당 인천시당도 이날 성명을 내고 '오늘은 인천시민들과 함께 매우 슬픈 날' 이라면서 '오늘 새벽 춘천 상천초등학교 학생들을 대상으로 발명교실을 개최하던 인하대 발명동아리 「아이디어뱅크」학생들이 머물던 숙소가 산사태에 휩쓸려 10명의 인하대생이 목숨을 잃었다' 고 밝히고 이어 '자원봉사를 떠났다가 꽃다운 나이에 안타까운 변을 당한 학생들의 명복을 빈다' 며 '또, 사랑하는 자녀를 잃고 깊은 슬픔에 빠진 유가족들에게 애도를 표한다' 고 했다.

민주노동당 인천시당도 '27일 새벽 춘천 산사태로 인하대학교에서 봉사활동을 온 대학생 10명의 사망 소식이 너무도 안타깝다' 며 '삼가 고인의 명복을 빈다. 부모님들께도 위로의 말씀을 전한다' 고 했으며 '조속히 인명피해를 최소화하고 재발방지를 위한 대책에 나서야 할 것이고 다시는 이런 일이 발생하지 않도록 정부는 대책을 마련해야 할 것' 이라고 재발방지 대책을 촉구했다.

인천시에서는 송영길시장이 직접 춘천까지 와서 유족들을 위로했으며 신동근 정무부시장을 단장으로 하는 사고수습대책반을 구성하고 119대원을 춘천에 파견하는 등 발빠른 대응을 하였다. 인천시는 춘천시와 협의하여 병원 근처에 유족들의 숙소를 마련하고 사망자와 부상자의 인천 후송대책을 마련하기도 하였다. 민주당 손학규 대표와 일행들도 춘천 참사현장을 송영길 인천시장과 둘러보고 강원대병원에 들러 유족들을 위로하였다.

정치권도 인하대가 위치한 인천과 중앙은 최대의 관심과 지원을 약속했지만 강원도와 춘천권의 정치인들은 아무도 나타나지 않았다. 책임 당사자인 춘천시도 실무자들만 대기하고 있었을 뿐 책임 있는 사람들이 나타나질 않았다.

어떻게 해야 할지 아무런 생각도 없이 비통함에 빠져있던 유족들은 누가 누군지도 모른 채 통곡하며 지쳐갔고, 시간은 흐르고 있었다. 이래서는 안 되겠다고 생각한 김용주(유라 아버지)가 나섰다. 한림대병원에서 유라를 확인하고 시간이 지나 정신을 차린 김용주는 강원대병원으로 건너왔다. 그리고 사람들을 찾아다니며 모이자고 했다. 아직 정신들이 없었지만 그래도 모이기는 해야겠기에 모여서 인적사항부터 파악하기 시작했다. 그런데 당사자인 유족들 보다 그 모임에 더 관심을 가졌던 사람들은 경찰 등 정보관계자, 시청 직원들, 기자들이었다. 당시 유족들의 모임을 주도했던 김용주의 이야기를 들어보자.

"첫날밤에 우리는 한림대병원에서 장례식장(사설)으로 옮기고, 애엄마는 유라 곁에 있고 나는 사람들이 많은 곳으로 갔죠. 다들 넋 놓고 있고 아무 대책도 없고 누가 진두지휘하는 사람도 없고, 그래서

유족들의 참사현장 방문

내가 일단은 안 되겠다 싶어 '일단은 유족들 모여 봅시다' 했지요. 내가 볼펜하고 노트 하나 찢어가지고 직계가족, 누구 전화번호, 사고자 학생 이름 하고, 부모 주소하고 적어 보자고 했죠. 그랬더니 내가 거기서 주도적으로 하는 줄 알고 기자들이 나한테 달라붙고 그래서 난 아니라고 하고 말았죠."

이렇게 모였지만 누가 누구인지 알 수가 없었다. 그렇지만 그냥 있을 수는 없었다. 인하대의 빠른 대처로 유족들이 불편한 사항은 없었다. 정신을 차리고 몇몇이 사고 현장을 다 덮어버리기 전에 가 봐야 한다고 했다. 인하대 버스를 타고 학교에서 준비한 비옷을 입고 5시경 참사 현장을 가 보았다. 그 때는 이미 포클레인이 흙더미를 밀어내고 길을 낸 뒤였다.

4. 수습과 합의

저녁에 강원대병원에 모두 모였다. 서로 누가 누군지 알 수가 없었다. 어머니들은 충격으로 쓰러져 있는 사람들도 있었고, 대부분 아버지들이 참석하였지만 그중에는 아버지가 아닌 친척들도 있었다. 모임을 주도한 김용주(유라 아버지)가 대표를 뽑아야 하지 않느냐고 제안하고 최영찬(용규 아버지)을 추천하였다. 점잖고 말도 조리 있게 하는 최영찬을 유족들은 신뢰하고 있었다. 공동대표로 하기로 하고 서울지하철노조에서 간부를 해 보았다는 유신이의 작은아버지 김현수를 뽑고, 정희의 고모부인 명용학을 선출하였다. 다 잘 알고 적극적이었던 사람들로 기억하고 있다. 그 당시에는 유신이와 정희 아버지인 것으로 착각한 사람들도 있었다.

27일 논의 사항은 장례 문제와 이후 대책이었다. 대부분 장례문제와 이후 투쟁에 있어 공동행동을 한다는 것이었고, 춘천시와의 담판이 주요한 내용이었다. 장례는 춘천시와의 문제가 해결되면 인하대학교에서 제안한 학교장으로 치르는 것으로 기울어졌다. 그러나 장례문제에 대해서는 이견도 있었다. 민하네의 경우에는 이 죽음에 대해 학교가 가장 책임이 있는 주체일 수 있는데, 책임 문제에 대한 정리 없이 학교장을 받아들이기 어렵다는 입장이었다. 또한 민하네가 살고 있는 일산은 민하를 키우다시피 하신 외할아버지 · 할머니의 친인척이 정씨일가를 이루고 사는 곳이었다. 사랑하는 손녀딸을 객지에서 보낼 수는 없었다. 가족장을 결정하였다. 그러나 의외로 가만히 있던 명준이네가 28일 새벽 3시에 먼저 인하대병원으로 출발하였다. 나중에 안 사실이지만 인하대 출신이고 인천시청 공무원인

S는 입장이 곤란하여 학교의 제안을 먼저 수락하고 인천으로 갔다. 정경원은 노동운동의 경험상 장례를 안 치르고 하는 투쟁이 얼마나 끔찍한 것인지 잘 알고 있었다. 이 문제는 묵과할 수 없는 일이지만 민하의 장례식은 잘 치러주고 싶었다. 남편을 재촉하여 일산으로 가자고 하였다. 친척들에게 연락하여 일산병원을 수배하고 28일 새벽 6시 구급차에 민하를 싣고 출발하였다.

28일 오후에 강원대병원으로 최문순 도지사와 전두수 춘천부시장 등 시 · 도 관계자들이 찾아왔다. 책임자들의 첫 방문이었다. 그 때까지도 언론보도와는 다르게 분향소도 없이 유족들은 그냥 영안실 바닥에 앉아 있었다. 도지사가 왔다는 소리에 어제 저녁 선출한 대표들을 중심으로 사망자들의 아버지들이 참석하여 회의를 하였다. 주로 장례대책과 유족들의 요구사항을 듣는 자리였다. 그것을 언론에서는 장례보상대책회의라고 명명했으나, 그런 형식을 갖춘 협의가 아니었다. 도지사가 오기 전 유족들은 저녁부터 아침까지 몇 차례에 걸쳐 회의를 했지만 많은 사람들이 서로 자기주장만 하다가 한두 명씩 지쳐 빠져 나가면 새로운 사람이 들어오고 하는 것이 반복되는 회의였기에 뚜렷한 결론이 없는 회의들이 진행되었다. 도지사를 만났지만 준비가 안되었다. 이야기가 정리되지 않았다. 사람들이 이야기 한 8가지 요구를 제시한 정도였다. 유족들이 제시한 요구는 ▲사고진상조사위원회 구성 ▲현장 추모비 건립 ▲춘천시장 및 관계자의 분향소 조문 및 사고조사 진행상황 설명 ▲행정책임자 처벌 ▲장례의 조속한 진행 지원 ▲시 · 도 차원의 보상금액 제시 ▲사고건물에 대한 인허가서류 첨부 ▲펜션 건물주의 조문 및 경위와 대책

설명 등이었다. 지극히 상식적인 내용이었다. 무엇보다 중요한 것은 어떤 일이 있었는지 진실을 아는 것이었다. 무슨 일이 있었기에 사람 사는 집에 있다가 집이 무너져서 죽는다는 말인가?

이날 회의에서는 유족들의 요구 중 합동분향소 설치와 추모비 건립, 장례절차 지원 등을 추진하고 이를 위한 장례위원회를 구성키로 하고, 별도로 유족들이 추천한 인사가 참가하는 사고조사위원회를 구성하고 조속히 활동하기로 하였다. 최문순 도지사는 책임주체인 춘천시와 협의하여 추진하겠다는 약속을 하고 떠났다. 도지사가 다녀가고도 춘천시장은 얼굴조차 비치지 않았다. 유족들은 서서히 열이 오르고 있었다. 슬픔과 비통함은 분노로 변하고 그 대상은 이광준 춘천시장이었다. 아니 참사가 난지 이틀이 다 지났는데 어떻게 얼굴도 안 보이는지 유족들은 불만을 공개적으로 표출하기 시작하였다. 옆에 있던 춘천시 직원은 산사태 현장이 많아 참사 현장에서 진두지휘 하시느라 늦는 것이라고 해명하였다. 그러나 그날 저녁 강원대병원에 나타난 이광준 시장은 말끔한 머리에 정장 차림의 모습이었다. 유족들은 어이가 없었다. 이광준 시장이 나타나기 직전에 민박집 주인 김○웅이 아버지 김○동씨의 손에 끌려 병원에 들어왔다. 누구냐고 하자 민박집 주인이라고 하고 아버지인 노인네가 사죄의 말을 하였다. 유족들은 참사 42시간이 지나고 처음 저녁을 먹고 있었다. 잘 넘어가지도 않는 저녁을 삼키고 있는데, 민박집 주인이라는 이야기에 입구에 있던 사람들이 쳐다보는데 입구가 시끄러웠다.

"아니, 이제 와서 어딜 들어와?"

"당신 뭐야? 뭔데 막아? 나 춘천시장이야!" 이광준은 제지하는 인척을 밀고 들어오려고 하였다.

"유족들 저녁식사 중이니 기다리라는데 어디를 밀고 들어와."

"당신 뭐야? 나 춘천시장이야."

"야, 춘천시장이라는 게 이제까지 뭘 하다가 나타나서 행패야?"

"너 뭐야? 당신이 뭔데 시장인 나를 막냐고?"

"아니, 춘천시장? 손들고 서 있어도 시원찮을 사람이 기다리라는데 어딜 밀어?"

강원대병원에 나타난 춘천시장과 유족들

큰 싸움이 날 상황이었다. 유족들이 저녁식사 중이라고 막는 유라의 작은아버지에게 이광준 시장이 행패를 부린 것이다. 사람들이 나와서 말렸지만 유족들의 분노는 쌓여만 갔다. 이광준 시장이 들어오고 이야기가 시작되었지만 대화가 안 되었다. 유족들이 할 말이 너무 많았던 것이다. 이광준 시장이 대표와의 대화를 제의하였다. 병원 2층에 회의실을 마련하고 유족들의 회의가 열렸다. 역시 중구난방이었다. 학생들의 유족대표 3인에 일반인 사망자 이은영씨의 남동생인 이종구가 대표로 추가되었다. 건설 쪽 일을 하는 이종구는 산사태의 원인에 대해 전문가였으며 이 산사태가 인재임을 MBC기자와 마적산 정상에 올라가 방송에서 입증한 사람이었다. 4명의 대표는 사람들의 의견을 수렴하여 요구사항을 다시 정리하고 시장과의 협의에 들어갔다.

이광준 시장은 만만한 사람이 아니었다. 먼저 유족들의 요구가 무엇인지 물었다. 유족대표들이 머뭇거리자 아주 구체적인 요구를 재촉하였다. 유족대표단이 추모비 건립을 이야기 하면 이광준 시장은 '사고 현장에요? 아니면 봉사활동 하던 상천초등학교에요?' 라고 구체적인 사항을 물었다. 조사위원회 구성을 요구하는 유족들에게 '결국 보상 아닙니까? 액수를 이야기 하세요.' 라고 밀어붙였다. 망설이다가 미리 논의 중에 나왔던 인당 5억 원 이야기가 나왔다. 공식적인 부분은 아니었지만 이광준 시장은 이 답변을 유도하고선 이후에 계속 유족이 돈부터 요구했다고 악선전을 했다. 그리고 그 논의 과정에서 유족들은 우군을 잃었다. 이광준 시장이 일반인 사망자와 학생 사망자를 분리시키려 하였고, 거기서 이종구씨와 학생 유족대표 간의 간극이 벌어졌다. 어찌되었든 논의 끝에 시장은 답변을 주겠다고 하고 갔다. 유족대표들은 춘천시청의 담당국장에게 요구사항을 정리해서 팩스로 넣었다, 그러나 연락이 없었다. 합동 분향소에 대한 답변도 없었다. 유족들은 다시 모였다. 어떻게 할 것인가?

"그냥 인천으로 갑시다."

"아니, 어떻게 이렇게 그냥 간단 말입니까?"

"춘천시에 가서 깽판이라도 한판 치고 갑시다."

"아니 그게 무슨 의미가 있습니까?"

"그냥 빨리 장례라도 치릅시다."

"이광준 시장 못 봤습니까? 그냥은 못갑니다. 혼이라도 내 줘야죠!"

"이렇게는 안 되니까 시청에서 제가 단식이라도 할 테니 함께 해 주세요."

춘천시장실 점거1_ 연합뉴스

"그냥은 못가요…."

28일 밤을 넘겨 토론을 했지만 어떤 결론도 낼 수 없었고, 의견은 사분오열 되었다. 아침이 되어도 시청에서는 연락이 없었고 유족들은 술렁이기 시작하였다. 누구랄 것도 없이 시청으로 가자고 모이기 시작했다. 그렇지만 행동은 쉽지 않았다. 김현수 대표가 앞장섰다. "갑시다." 한마디에 버스에 올라타기 시작하였다. 50여 명이 넘었다. 춘천시에 도착하여 시장실로 가니 시청 직원들이 막았다. 시장이 아직 출근하지 않았다는 것이다. 밀고 들어가니 분노한 유족들을 어쩌지 못하고 들어오게 하였다. 이광준 시장은 뻔뻔하였다. 견과류를 먹으며 유족들의 폭력성을 질타하였다. 어이없는 상황에서 유족들이 흥분하기 시작하였다. 그럼 그렇지 하면서 집기를 들어서 던지려고 하였다. 김성규(재현이 아버지)가 나서서 말렸다. "자, 앉아서 대화를 해 봅시다.” 무엇을 기대한 것은 아니다. 그래도 이렇게 가는 것은 아닌 것 같아서였다. 시장의 지시로 시 직원이 유족들의 요구를 다섯 가지로 정리하였다. 추모비(상천초등학교) 건립, 사고조사(유족: 춘천시=3:3)위원회, 보상금 선 지급, 의사자 신청, 장례비 지원이었다. 조사위원회 구성을 합의한 순간 보상과 책임자 처벌은 조사결과 이후로 넘길 수 있음을 시장은 잘 알고 있었다. 그럼에도 유족들의 불만을 무마하려고 되지도 않는 ‘보상금 선 지급 검토’를 합의사항에 남겼다. 유족들을 우롱하는 처사였다. 유족들은 문서로 줄 것을 요구하였다. 믿을 수 없었기 때

춘천시장실 점거2

춘천시 공문

“희망이 강물처럼 흐르는 도시, 춘천”

춘 천 시

수신자 신북산사태관련 유족
(경유)
제목 신북 산사태 관련 유족건의사항 처리계획 통보

1. 신북산사태 관련 유족건의사항 처리계획을 아래와 같이 통보하오니 양지하여 주시기 바랍니다.

2. 아래의 유족건의 사항에 대하여 1주일단위로 진행사항을 유족대표등에게 통보하여 드리겠습니다.

아 래

유족건의사항	시조치사항	비고
1. 추모비건립	•추모비건립 추진 -장소 : 상천초등학교 협의	•추모비 디자인 및 조각가선정 인하대학교 학생대표와 협의
2. 사고조사 위원회구성	• 8월5일한 구성 -전문가3명, 유족대표3명,	
3. 보상 : 선지급보상 요구	• 인천시 사례수집 등 별도 연구노력	
4. 의사자신청	• 8월12일한 신청	
5. 장례비 지원	•우심지역 선정시(중앙재해대책본부 조사후 결정) -재난관련법 근거에 따라 지급 (1백만원 - 5백만원 이내)	

춘 천 시

★주민생활지원담당 오동선 복지과장 이태현 주민생활지원국장 고순룡 시장 07/29 이광준

시행 복지과-34929 (2011.07.29.) 접수 ( )
우 200-708 강원도 춘천시 시청길 7(옥천동111) / 춘천시청 복지과
전화 033-250-3280 /전송 033-250-3315 / ohds58@korea.kr / 공개

노제(상천초등학교 / 춘천시청 본관 앞)

문이다. 시장은 자신이 언론 앞에서 이야기 했으니 된 것 아니냐고 했지만 유족들은 그를 믿을 수가 없었다. 이광준 시장은 유족과의 합의사항을 '유족건의사항'이라는 표현으로 공문을 줘서 자신의 책임을 회피하는 꼼수를 부렸다.

유족들은 점심을 먹고 춘천시청과 상천초등학교에서 노제를 지낸 후 사고현장을 거쳐 인하대병원으로 향했다. 사고 현장을 지날 때 아이들의 소지품이 있다는 소리에 몇몇 아버지들이 차에서 내렸다. 마치 아이들이 살아 소리치는 것 같았다. 그러나 산사태로 그 곳의 흙은 늪처럼 빠지는 상황이었다. 재현이 아버지 김성규는 아들의 가방을 찾다가 발을 헛디뎌 손목이 부러지는 부상을 입었다. 시장과의 합의도, 노제도 유족들의 한을 풀 수는 없었다.

5. 장례

8명의 유가족들이 춘천시장실에 항의방문을 간 시간 인천시 중구 인하대병원 장례식장에서는 희생 학생 중 고 성명준의 장례식이 치러졌다. 가족장으로 조용히 장례를 치른 후 화장하여 인천가족공원으로 옮겨졌다.

한편 28일 06시에 춘천 강원대병원을 출발하여 일산병원 장례식장에 도착한 민하네는 일가친지들의 도움으로 장례준비에 들어갔다. 27일에 운명했지만 하루를 강원도에서 보내고 왔기에 4일장을 치르기로 했고, 젊은 아이를 가둬두지 말라는 외할머니의 의견을 들어 화장하고 유골은 뿌리기로 하였다. 인하대학교 교직원과 학생들이 장례식장에 교대로 와서 일손을 도왔다. 27일 언론을 통해 소식을 들었던 사람들이 황당함과 믿을 수 없는 현실에 오열하며 장례식장으로 몰려들었다. 모두 '어떻게 된 일이냐?'고 묻고 싶었지만 물어볼 수 없는 상황이었다. 넋이 반 나가 있는 부모에게 무엇을 물을 수 있었겠는가? 양가가 대가족이어서 친척들도 많았지만 민하의 어머니가 노동운동을 하는 사람이라 노동운동 단체의 조화와 조문객이 장례식장을 가득 메웠다. 인하대에서도 긴장하기 시작하였다. 조화를 보낸 사람들을 적고, 전화 통화를 하는 인하대 직원들의 모습이 눈에 띄기도 했다.

28일, 밤이 깊었지만 슬픔에 젖어 있는 유족들에게 어떤 이야기도 할 수 없었다. 다들 앉아서 말없이 술잔만 기울이고 있었다. 조문객들의 발길이 뜸해진 새벽 2시가 조금 넘어 민하의 부모인 최영도와 정경원이 조문객들이 모여 있는 자리로 왔다. 모두들 놀라서 입을 못 열었다. 말문을 연 것은 정경원이었다.

"이제 어떻게 해야 하는 거지?"

아무도 대꾸가 없었다. "어떻게 해야 하는 거냐고?"

두 사람이 이 자리에 오기 전 몇 명의 운동가들과 이런 문제는 장례를 치르지 말고 현장에서 해결해야 한다는 이야기를 했지만 이미 주변 사람들이 주의를 주고 그런 이야기는 하지 말라고 했기에 모두들 눈치만 보고 있었다. 정경원은 같은 사무실에서 일하는 동료에게 대답을 재촉했다.

"일단 사실관계부터 파악해 보고, 이후 대책을 세우는 게 좋을 것 같은데…."

말끝을 흐리는 동료에게 또렷한 목소리로 정경원은 이야기 했다.

"그럼 사무실 가서 그렇게 해줘요. 여기 있어봐야 도움이 안 되니까."

"……."

정경원이 무엇을 요구하는 지 깨달은 동료들은 술이 확 깨는 느낌이었다. 그날 새벽 이승원과 정용재는 영등포 사무실로 가서 작업에 돌입하였다.

일단 사실 여부 조사를 위해서 언론 기사를 모두 모으고, 관련 자료들을 수집 분석하기 시작하였다. 학생들이 왜 거기에 가게 되었나? 이동 수단은? 인하대의 책임관계는? 산사태는 왜 일어났나? 경보는? 대피 방법은 없었나? 강원도, 춘천시의 책임은? 발명캠프의 주체와 지원은? 발명진흥회의 관련은? 자료를 모으고 분석하는데 오전이 다 지나고 있었다. 그 순간 춘천시장과 유족들의 합의 소식이 떴다. 그 중 조사위원회 구성 소식은 절망적이었다. 아무리 좋은 사람들로 위원을 구성해도 관청 주도의 조사위원회에서 유족들의 손을 들어주기는 힘든 것이었다. 그리고 그 조사결과 이후로 모든 것을 미룰 것이 뻔했기 때문이다. 전화로 상황을 이야기 하고 작업을 더 하기로 하였다. 일단 합의안이 나왔기에 이후 대책도 거기에서 출발해야 한다. 일단은 조사위원회를 잘 구성하고 적극 대처하는 것이 우선이었다.

그 시각 일산 장례식장에는 조문객 중 사회운동을 하는 상지대학교의 홍성태 교수가 있었다. 정경원은 친분도 있고 고 김진균 선생(서울대 사회학과 교수로 민주노총 지도위원 등 사회 운동을 주도하셨던 분)의 제자이자 환경운동을 하는 홍성태 교수와 상의하는 것이 좋겠다고 생각했다. 그래서 조사위원 관련하여 이야기를 하니 그렇지 않아도 강원도 지역의 난개발은 큰 문제라며 유족들이 원한다면 자기도 맡고 기술 쪽 전문가인 박창근 교수와 다른 사람들도 소개해주겠다며, 일단 아이를 잘 보내라고 했다. 민하 아버지가 최영찬(용규 아버지) 대표와 통화하고 동의를 구한 후 홍 교수에게 부탁하였다. 장례를 치르는 과정에서도 사실 확인을 위한 작업들은 진행되었다. 아이디어뱅크에 대한 조사를 비롯하여 대책까지 민하네 유족들에게 전달되었다.

30일 아침 발인을 하여 벽제 승화원에서 화장을 한 후, 서울 홍은동의 백련사로 향했다. 백련사에서 제를 지낸 후, 백련사 뒷산에 유골을 뿌리고 영정은 백련사에 모셨다. 몸도 마음도 지쳤지만 최영도는 쉴 수가 없었다. 다른 유족들을 만나야 했기 때문이었다. 다음날 합동 영결식을 할 다른 유족들을 만나러 인하대학교로 가야만 했다.

29일 춘천시장 항의 방문 후 합의를 하고 노제 후 인하대병원으로 온 유족들은 인하대병원 장례식장에서 학교장으로 합동장례를 치렀다. 영안실이 좁아 두 집이 한 곳에서 장례를 치르게 되었다. 인하대학교의 배려로 불편한 것은 없었다. 합동 분향소가 차려지고 유족별

개별 조문소도 차려졌다. 장례비용은 앞서 장례를 치른 두 가족의 비용을 포함하여 인하대학교에서 부담하였다. 심지어 한 어머니가 "영정만 놓기에는 너무 초라해 보여 안 되겠어요. 내 돈을 들여서라도 꽃으로 장식할래요."라며 꽃을 주문하고 계산한 금액도 인하대에서 돌려주었다. 인하대학교 직원들이 동원되어 장례를 치러주니 고맙기도 했지만 사실 아무 생각도 없었다. 그냥 오라면 오고 가라면 가는 행태였다. 장례에 대한 절차도 합의된 것이 없었다. 예견한 죽음이 아니었기에 장지 문제부터 어떻게 할지에 대해 고민이 없었다. 인하대병원 영안실에 들어오니 어떻게 해야 할지 망막하였다. 경철이 아버지 이상섭은 유라 아버지인 김용주에게 물어보았다. 유라와 경철이가 한림대병원에 같이 있었기에 그래도 친밀감이 더 있었다.

"유라 아빠, 애를 어떻게 할 거야?"

"나도 어떻게 해야 할지 모르겠네요." 그래서 그 다음에 대표인 최영찬에게 물었다.

"용규 삼촌이 그러는데 인천 납골당이 있는데 저는 납골당에 했으면 합니다."

경철이 아버지는 내심 소양강에 뿌려야겠다고 생각하고 있었는데 아이들이 같이 있는 것도 좋겠다는 생각을 하게 되었다. 그래서 유족들이 모여서 협의해 보니 재현이네는 집이 경주이니 화장하고 데리고 가겠다는 입장이었고 나머지는 같이 있게 하는 것이 좋겠다는 의견이었다. 그러나 문제가 있었다. 조례상 그 지역 사람이 아닌 사람들이 들어 올 때에는 시의회의 동의가 있어야 했다. 송영길 인천시장이 나섰다. 의회의 절차는 시장이 책임지고 나중에 받는 것으로

인하대장례식

하고, 아이들을 인천가족공원 납골당에 안치하도록 배려해 주었다. 또한 아이들을 나란히 좋은 자리에 안치하기 위해서 편법이지만 순서를 기다리지 않도록 해주었다. 인천시장의 배려로 아이들을 인천가족공원의 좋은 자리에 함께 안치하였다. 춘천시의 냉대와 멸시에 치떨었던 유족들은 인하대학교와 인천시에 너무나도 고마운 마음뿐이었다.

슬픔은 여전했지만 강원도에서 보다는 조금 여유 있는 생각을 하게 되었고, 여덟 가족이 같이 있으니 서로 협의하여 정리하며 쉽게 일이 풀리는 듯했다. 민하네서 온 전화 내용을 전해 들으며 아 그쪽에서는 뭔가 진행을 하고 있구나 하는 안도감이 들기도 했다. 정작 장례를 치르기 시작하자 아무런 정신도 없었고, 밀려드는 조문객 맞기도 버거웠다.

31일 합동 영결식 날이 밝았다. 인하대학교 대운동장에서 아침 9시부터 시작된 합동영결식에는 유가족을 비롯하여 장례위원장인 이본수 인하대총장, 송영길 인천시장과 황우여 한나라당 원내대표, 이응칠 인하대 총동창회장 등 1,500여 명이 참석하였다. 어린 학생들을 보내는 것이 못내 안타까운 듯 영결식 내내 비가 내렸고 유가족들은 또다시 오열하였다. 아이들의 사망 원인이 폭우로 인한 산사태여서 인지 빗줄기는 점점 굵어져만 갔다.

장례위원장인 이본수 인하대 총장은 영결사를 통해 영영 돌아올 수 없는 길을 떠나는 제자들 생각에 목이 메었다고 했다.

> "폭우가 쏟아지던 지난 27일 새벽 청천벽력의 사고 소식을 접하고, 하늘이 원망스러웠습니다. 산천도 원망스러웠습니다. 암흑 속에서 고통과 두려움에 떨었을 우리 학생들을 떠올리며 온 몸이 산산조각 나는 아픔을 견딜 수 없었습니다."

이어 유가족 대표로 유신이의 작은아버지 김현수씨가 영결사를 했다.

> "내 것만을 챙기기 바쁜 이 세대에서 칭송받아 마땅한 숭고한 영혼들. 너희들은 춘천 상천초등학교 학생들의 영원한 선생님이다. 우리도 너희들이 가르쳐준 대로 그렇게 살아갈 것을 약속하며 다시 만날 때까지 편히 쉬거라."

김현수씨가 영결사 말미에 떠나가는 학생들의 이름을 하나씩 부르자 "유신아, 민성아, 정희야, 유라야……" 영결식장은 흐느낌에서 통곡으로 변했다. 청운의 꿈을 안고 상아탑의 문에 들어서 자신의 꿈을 펼쳐 보지도 못한 채 떠나간 어린 학생들의 비극, 자신에게

인하대합동영결식

쏟아야 할 시간도 부족한 학생들이 과학지식을 소외된 학생들에게 나눠주려 춘천까지 달려갔다가 변을 당했으니 얼마나 원통한 일인지 참여한 모든 사람들은 애도의 마음으로 마지막 길에 함께 하였다. 인하대학교는 떠나는 학생들에게 명예로운 인하인 증서를 수여하여 자랑스러운 인하인의 표본으로 삼았다. 영결식이 끝난 뒤 학생들이 인천가족공원까지 고인들을 운구하여 화장해 한 줌의 재로 안장되었다. 김성규는 재현이를 데리고 고향인 경주 감포로 가서 고조할아버지 옆에 묻어 주었다. 김성규는 재현이를 그 곳에 안치한 이유에 대해 이렇게 말하였다.

"바닷가이고 늘 나도 가는 데고. 얼마 멀지 않습니다. 문무왕릉 근처인데 어려서부터 내가 바닷가에서 컸고, 얘는 지가 해양 전공을 하면서 선박에 대해서 관심도 있고 이런 걸 좋아하고. 내가 늘 배 타는 게 소원이었다고 해서 재현이가 한번 만들어 줄게 그래서 뭐 이런 식으로. 내가 바다를 막연하게 동경했고 지가 바다가 보이는 곳이 안 맞겠나 싶어서. 거기 마침 할아버지 계신 데가 바다가 다 보이는 데라 묻어준 겁니다."

김성규는 재현이를 감포에 묻은 후 집에도 가기 싫어 참사 현장에서 다친 팔을 핑계로 입원하고 한동안 사람도 만나지 않았다. 강원도도 물론이고 서울 쪽으로는 쳐다보기도 싫었다.

창졸간에 당한 일이기도 했고 너무 정신없이 장례를 치르고 나니 유족 모두 허탈해 했다. 아니 실감이 나지 않았다. 지금이라도 "엄마" 하고 뛰어 들어올 것 같은 자식이 이미 이 세상 사람이 아니라니 믿을 수가 없었다. 그것은 세상의 연륜으로도, 종교적 힘으로도 극복할 수 없는 것이었다. 그러나 슬퍼할 수만은 없는 것이 너무 억울했다. 이렇게 끝나는 것인가? 이러한 유족들에게 가장 큰 힘은 인하대학교였다.

6. 인하대의 대응

27일 새벽 참사가 터지자 인하대학교는 학교 차원의 사고대책본부를 구성하였다. 인하대가 사고를 인지한 시각은 27일 새벽 2시10분 경 당직실을 통해 연락을 받았고, 2시40분경 학생지원처 직원들이 학교에 도착하였다. 총장 주재의 비상회의가 소집되었고 회의에서 사고대책본부를 구성하고, 부총장을 단장으로 사고 현장에 교직원을 파견하였다. 사고현장 방문, 유가족 조문, 입원자 방문 등을 진행하고 강원대병원에서부터 학교 직원들을 상주시켜 차량 및 숙소 지원, 유가족 편의 제공 등을 추진했으며, 부총장이 유족들에게 직접 학교에서 최대한 지원할 것을 약속하였다. 장례도 학교장을 제안하였고 구체적으로는 언론을 통해 학교의 입장을 다음과 같이 발표하였다.

▲ 부상 학생 18명 전원에 대한 치료비 전액 지급 ▲ 사망학생 일정 금액 장례비 지원 ▲ 명예졸업장 수여 ▲ 총동문회, 학과 교수, 교직원 모금 독려 등이었다.

인하대학교 측은 자신들의 책임을 도의적 · 도덕적 책임과 역할 정도만으로 국한하고 자신들도 피해자로서 학부모들이 불만이 없도록 최선을 다한다는 입장이었다. 이러한 학교의 발빠른 움직임은 객지에서 죽은 자식들 때문에 어찌할 줄 몰라 슬픔에만 잠겨 있던 부모들을 감동시키기에 충분하였고, 장례과정에서 보여 준 교직원과 학생들의 모습은 유족들에게 감사한 마음을 우러나게 하였다.

그러나 학생 지도 관리와 관련한 법적 · 행정적 책임에 대해 학교는 '책임 없음'을 분명히 하였다. 학생들의 희생에 대한 배상 문제에 있어서도 그럴 대상이 아님을 분명히 하고 애초에 모금의 방식을 선택하고 공지한 상태였다. 학교에 대한 입장은 이후 투쟁에 있어 유족들을 분열하게 하는 가장 큰 요소로 등장했다. 인하대학교는 이후 언론에서 보험 등의 문제 제기와 학생지도 책임 문제, 봉사활동에 대한 장려 문제 등의 문제제기에도 '동아리활동은 학생들의 자치활동이며, 지도교수 제도는 의무사항이 아니며, 학교는 책임이 없다'고 공식적인 답변을 하였다. 그리고 봉사학점제 등 사실관계까지 부인하는 문제를 나타냈다.

대처법 1

이런 종류의 참사에 대한 경험자는 없다. 모인 사람들의 신분부터 정확히 파악해야 한다. 절망적인 슬픔에 젖어 있는 유족들이 모여 통성명이나 할 정도로 여유롭지는 않지만 친부모 보다는 각 가족을 대표할 사람들을 정하고 정확한 신분을 서로 확인하는 것이 좋다. 이런 사건이 터지면 정보계통, 시 · 도 관계자 등 이해 관계자들이 개입하여 대단히 혼란스럽고 가뜩이나 넋이 나간 유족들의 판단력을 흐리게 하기 때문이다. 차라리 유족들은 최후 결정주체로 남고 다른 사람들이 협의를 진행하는 것이 바람직할 수 있다. 인하대에서 합동장례식이 치러지기 전까지 희생자의 부모끼리도 서로 잘못 알고 있는 경우도 있었다.

대처법 2

공조직과의 합의에서 진상조사 요구는 패배를 전제하는 것이다. 진상조사를 요구하는 것은 그 결과가 나오기 전에는 누구에게도 책임을 물을 수 없다는 것을 의미한다. 유족들이 춘천시장과 한 합의의 첫 번째인 조사위원회 동수 구성은 민주적인 합의로 보이나 결국 춘천시에 면죄부를 준 것과 다름없다. 또한 조사위원회가 민주적으로 운영되었다고 하여도 동수 구성은 결론 없이 끝날 가능성이 높은 것이다. 이 경우에는 죽음이란 결과에 대한 책임과 보상을 요구해야 했다.

대처법 3

인하대학교의 대응을 배워라. 만일 이런 문제가 발생했을 때 관계 기관이라면 인하대의 대응을 배워야 한다. 만일 피해자 측이라면 인하대와 같은 대응에 냉정해야 한다. 섣부른 감동과 의지는 근본적인 문제해결에 도움이 안된다. 인하대는 사건이 발생하자 대책팀을 꾸리고 현장에 사람들을 파견하는 등 발빠르게 대응하였다. 학생 지도를 책임지는 학교가 학부모에게 통보는 하지 않고 직접 사태 수습에 나섰고, 정신없는 유족들에게 편의를 제공하고 한 편임을 강조하며 자신들의 책임을 도덕적인 부분으로 한정했음에도 장례비, 치료비 등을 알아서 책임지는 모습을 보였다. 책임 주체 중 가장 훌륭한 모습이었다.

제 2 장

아이디어뱅크와 발명캠프

1. 아이디어뱅크 연혁 및 활동

인하대학교 발명동아리 아이디어뱅크는 발명지식 함양을 위해 1987년 10월3일 기계공학과 소모임으로 출발하였다. 창립 당시 대표는 조원진으로 현재 자동차회사에 근무하고 있다. 2011년 현재 23번째 기수로 졸업생을 포함 490여명으로 이루어진 인하대학교 중앙동아리이다. 회원 수는 80명 정도이며 적극적인 활동을 하는 회원은 60여 명 정도이다.

창립 이후부터 재능기부의 일환으로 과학지식을 초등학생과 소외계층에 나누는 활동으로 해마다 다른 지역에 있는 작은 초등학교에서 발명캠프를 개최하였다. 이를 통해 발명에 관심이 있는 아이들에게 '아이디어 구상법' 같은 기초적인 내용을 가르쳐주고, '달걀 낙하 실험', '물로켓 발사 실험' 등 과학 연계 실험을 하면서 호기심을 자극하여 아이들이 발명에 좀 더 쉽게 다가갈 수 있게 도와주고 있다. 대학발명전, 대한민국학생발명전 수상작 전시회, 대학발명워크숍 참여 등 활발한 활동을 했다.

또한 아이디어뱅크는 1994년 대한민국 학생발명전시회에서 대통령상을 수상하고 대학창의발명대회(전 전국대학발명경진대회) 국무총리상, 특허청상 등을 포함하여 해마다 2~3회 이상의 상을 수상하고 최우수동아리상 및 우수동아리상을 수상하였으며, 인천지방중소기업청에서 주최한 창업아이템 경진대회에서 최우수상 및 장려상을 수상하였다. 특히 2011년 대학창의발명대회에서는 인하대생의 아이템이 19개 선정되었는데, 그 중 18개가 아이디어뱅크 회원들의 것이었다. 아이디어뱅크는 인하대학교를 대표하는 발명동아리로 자리매김한 것이다.

아이디어뱅크 운영은 집행부 중심으로 되어 있는데 대학생 동아리라는 특성 때문에 2학년들이 집행부를 맡는다. 남학생의 경우 2학년이 되면 군대에 가는 경우가 많아 집행부를 2학년 여학생이 중심이 되어 꾸리게 된다. 사실 스무 살 남짓의 대학 2학년이 2011년 참사 같은 일을 당하게 되면 감당하기 어려운 것은 분명하다. 그래서 대학사회의 동아리 활동이 자치활동이라 할지라도 학과 못지않은 학교의 지원과 배려가 요구되는 사항이며, 학교의 지도가 필요한 활동인 것이다. 2011년 아이디어뱅크 집행부도 회장에 신소재공학과 2학년 정진아, 부회장에 같은 과 2학년 한새미, 서기에 생활과학부 2학년 곽진, 총무에 생명화학공학부 2학년 최용규 였다. 일상적인 부분에서는 대학 2학년으로 보람 있게 잘 할 수 있는 일이었지만 참사에 대한 대처나 문제 해결은 어른들도 감당하기 어려운 부분이었다.

2. 2011년 발명캠프 기획 및 준비

발명캠프는 1994년부터 특별한 사정이 없는 한 계속된 행사로 일년 중 아이디어뱅크의 가장 큰 행사이다. 예년에는 재원을 개인 갹출, 주점, 후원을 통해 했으나 최근에는 발명진흥회가 지원하여 행사를 하였다. 반면에 2010년에는 특허청이 해당 예산을 삭감하여 아이디어뱅크 회원 부담과 기업체 후원으로 충당하여 행사를 진행하였다.

2011년도는 전국발명동아리연합회에서 주도하여 발명진흥회에 산하 동아리들의 후원을 요청하여 발명진흥회의 지원을 받게 되었다. 참가한 대학동아리는 서울과학기술대학, 숭실대, 성균관대, 숙명여대, 금오공대, 인하대학교였다. 발명진흥회는 발명캠프 예산이 2011년에도 없어, 한국과학창의재단의 예산을 지원받아 학생들 발명캠프를 지원하였다. 아이디어뱅크에 발명진흥회가 지원한 것은 봉사활동 참여자의 식비 4,000원/식,인 총 160만원, 단체티(인당 3장, 64만원), 대회 현수막(27만원),

X밴드(18만원) 등 총 269만원이었다. 숙박비는 지원대상이 아니었으며 대상학교 선정은 각 동아리가 알아서 하였다.

아이디어뱅크의 경우 2011년 4월부터 전국 20여 개 학교에 전화를 걸어 발명캠프 개최에 대한 의사를 타진하였다. 강원도지역 상천초등학교에서 연락이 왔고, 아이디어뱅크에 공문을 보내 줄 것을 요청하였다. 공문을 보낸 적이 없는 아이디어뱅크 집행부는 인터넷으로 직장생활을 하는 선배들의 도움을 받아 공문을 보냈고, 지도교수의 확인 도장을 찍어 발송하였다. 그래서 2011년은 상천초등학교를 발명캠프 학교로 선정한 것이다.

■ 타 대학 동아리 발명캠프 진행사항

대 학	서울과학기술대	숭실대	성균관대 · 숙명여대	금오공대
동아리명	발명개발연구회	바람개비	기상천외 엉뚱한사람들	거북선 신화
지역	경기도 양평	충북 영동	제부도	경북 경주
대상학교	양동초교	황간초교	경기 지역아동센터	초등학교
인원	50명	50명	60명	60명
숙박	학교	학교	펜션	학교

3. 재원 조달 및 재정 사용

재정은 발명진흥회로부터 지원받은 160만원과 참여회원(인당 15,000원, 총액 525,000원) 회비로 충당하였다. 발명진흥회가 단체티, 대회 현수막 등을 제공하였고, 학교가 버스를 지원해줘, 원래 계획대로 라면과 실험용 기자재 구입비만 있으면 되었다. 그러나 상천초등학교에 숙박가능 여부를 타진한 결과 보안이 세콤으로 되어있어, 학생들이 숙박할 경우 당직 교사 등 비용이 발생한다며 거절하였다고 한다.

상천초등학교 전경

"5시, 5시 30분 되면 모든 직원이 가고 학교는 세콤 하고 CCTV 켜고 문을 다 닫아요. 그렇기 때문에 여기 누가 와서 3박4일 있으면 학교 기사나 관리자가 숙박을 해야잖아요. 학교는 대학생이라도 아이들만 체육관이나 교실에 둘 수는 없거든요. 그러니까 예년에도 우리 주위에는 민박할 수 있는 곳이 많다 그러니까 민박을 하는 게 어떻겠냐고, 우리 학교는 개방이 안 됩니다 했습니다. 저도 그렇게 얘기했고 담당자도." 「그 당시 상천초등학교 교장」

상천초등학교에서 세콤으로 보안을 바꾼 것은 강원도 교육청의 방침이었다고 한다. 세콤 해제 시 당직교사를 두어야 하는데 당직비 예산을 조달할 수 없었다는 것이다. 아이디어뱅크 집행부는 고민에 빠질 수밖에 없었다. 위의 표에서 보듯이 지역을 대상으로 한 성균관대·숙명여대 연합 캠프를 제외하고는 다른 대학들은 모두 학교에서 숙박을 하였고, 학교에서 자는 것이 기본이었기에 발명진흥회도 숙박비는 지원 대상에서 제외했기 때문이었다. 그래서 숙박비 조달을 위해 회비를 걷었고, 숙박 장소를 알아보게 되었다. 인터넷으로 숙박 장소를 찾던 중 춘천민박을 알게 되었고, 상천초등학교 담당교사도 춘천민박을 소개해주어 가게 되었다.

> "숙소는 초등학교 발명선생님께서 학부모가 아는 곳으로 소개해 주셨고 저희가 인터넷에서 알아 본 곳도 같은 곳이었습니다. 비용은 회비와 지원액으로 충당하였습니다. 조건은 건물 하나를 전부 사용하는 것이었습니다." 「아이디어뱅크 회장 정진아」

문제는 발명진흥회 지원금은 숙박비로 사용할 수 없게 되어 있었다는 점이다. 영수증을 챙기기 위해서는 협조할 곳이 필요했다. 숙박비를 함께 계산해 줄 식당이 필요했다. 사전 답사를 간 회장 이하 간부들이 음식점에 의사 타진을 하였다. 한군데서 거절당하고 '먹촌식당' 에서 민박집 비용과 함께 정산하여 영수증을 주겠다고 했다. 큰 고민이 해결된 것이다. 아침과 점심은 한솥도시락에서 시켜먹고, 저녁은 먹촌에서 먹는 것으로 하고, 마지막 저녁인 28일은 고기를 구워먹는 것으로 계획하였다. 한솥도시락에 33만 원, 먹촌에 130만 원(두 끼 저녁과 28일 고기값 61만 원, 민박 69만 원)을 지불하고 나머지는 실험기자재 구입에 사용하였다. 비용이 초과되어 참사가 없었으면 한 사람당 5천 원씩을 추가로 걷을 계획이었다.

학생들이 이용했던 먹촌식당

계산은 발명진흥회 담당 계장과 전국발명동아리연합회 회장이 26일 저녁에 와서 한솥도시락과 먹촌식당에서 카드로 결제해 주었다. 두 사람은 다른 발명캠프에 가서 계산하고 저녁때 춘천 인하대 아이디어뱅크 캠프에 들러서 계산을 하고 다음 장소로 이동하였다.

인하대학교 버스는 중앙동아리가 동아리연합회에 지원신청을 하면 동아리연합회에서 학교에 공문을 보내고, 학교에서 승인하는 절차를 거쳐 지원받았다. 학교 측 수신인은 학생지원처장이며 학생지원팀을 통해 공문이 전달되었다. 학생지원처에서 사업내용과 차량지원 타당성 등을 검토하여 지원 여부를 결정하면 총무팀에서 지원방법 등을 협의, 결정하게 되어 있었다.

4. 발명캠프 참여 현황 및 동기, 참사대응

발명캠프 참가자들은 1학년이 14명, 2학년 5명, 3학년 이상 · 휴학자 등이 16명이었다. 고학년들은 캠프에 자발적으로 참석하였다. 1학년의 경우는 선배들의 권유와 초등학생을 가르치는 경험을 할 수 있다는 것이 좋아서 참여한 경우가 많았으며, 생활과학부의 경우 학점과 직결되어 이왕이면 좋은 일도 하고 학점도 따겠다는 생각도 있었다. 발명캠프 봉사활동에 참여하면 대상초등학교에서 '봉사활동 시간 인증서' 를 발급하여 준다. 2010년 수원보육시설에서는 32시간의 봉사활동 시간을 받았으며, 금년에는 상천초등학교에서 20시간을 줄 계획이었다.

아이디어뱅크 동아리는 내부적으로 비상대책위를 꾸려 임원을 선임하였고, 졸업생들까지 참여하여 수습 방안들을 고민하고 만들었다. 이번 참사 뒷수습에 졸업생들이 한 사람당 10만원씩 내서 후배들의 활동비를 지원하기로 하였고, 졸업생 기수별 책임자를 선정하고 참사 현장 방문, 사망자 장례식장 지원, 부상자 병문안에 재학생들이 최선을 다하였다. 그러나 활동회원 60여 명의 동아리에서 10명의 사망과 20명이 부상을 당한 상황에서는 졸업한 선배들이 아무리 돕는다고 해도 한계 상황이었다. 또한 선배들의 입장도 이후 동아리의 존속이 문제였기에 생존자들의 단결과 이후 진로에 더 큰 관심이 있을 수밖에 없었다.

5. 인하대학교 동아리 현황 및 지원제도

인하대학교 동아리 현황 및 동아리연합회

인하대학교 중앙동아리는 2011년 현재 10개 분과 99개로 공연분과가 16개로 가장 많고 다음 종교 13개, 봉사 12개, 연구 10개 순이다. 아이디어뱅크는 연구분과에 속해 있고, 그 외 직할 동아리 2개, 8개 단과대 풍물패 8개가 활동하고 있다. 중앙동아리 99개가 동아리연합회로 조직되어 있으며, 동아리연합회는 총학생회, 총대의원회, 졸업준비학생회, 생활도서관과 함께 5대 학생자치기구로 활동 중이다. 동아리연합회는 중앙동아리들의 연합체로 독자적인 활동을 하고 있으나, 회칙 상 회원은 동아리가 아니라 동아리에 속한 전 회원을 대상으로 하고 있다. 인하대학교와 동아리와의 관계에서 동아리들의 창구역할을 하며, 동아리 활동을 지원하고 있다.

동아리 등록 절차

동아리는 등록 또는 재등록 시 동아리소개서(활동내역과 목적), 20인 이상 서명한 회원 명단(단 3개 단과대학 이상), 동아리 회칙, 동아리 1년 사업계획서(평가서 포함)를 구비하여 학교 측에 1부, 동아리연합회에 1부를 제출한다. 동아리연합회는 확대운영위원회에서 등록요건을 심의하여 분과를 배정하고 가등록 동아리로 상정 후 최소 1년 유예기간을 거친 후 심의하여 정식등록 동아리로 인준한다.

재등록 신청서에는 지도교수를 명시하도록 되어 있다. 물론 지도교수는 필수사항은 아니나 아이디어뱅크의 경우 각종 발명대회에 참여하려면 지도교수의 확인서가 반드시 필요하여 지도교수 없이는 동아리 운영이 어렵다.

동아리 활동 지원

동아리연합회는 2004년 동아리발전협약서를 체결한 후, 2007년 이후 매년 학교와 동아리발전협약서를 체결하였다. 동아리발전협약서는 동아리연합회와 학생지원처장(학교측)이 협약의 주체가 되며, 동아리 지원에 관한 제반 사항을 다룬다. 동아리에 대한 재정 지원은 학생자치회비에서 중앙동아리당 한 학기에 20만 원을 지원하고, 동아리회장 장학금(학기당 20만 원)을 주는데, 수혜인원이 적어 격년으로 받고 있다. 액수가 적어 받으면 다 동아리기금으로 사용하는 형편이다. 세 번째가 동아리발전기금인데 학교가 교비로 지원하는 것이다. 학교에서 매 학기 500만 원씩 동연에 지원하면 동연은 각 중앙동아리로부터 사업계획서를 받아 지원하는 제도이다. 2011년 2학기부터 800만 원으로 증액되었으나, 1학기까지는 500만 원으로 사업 당 15만 원을 상한선으로 하여 운영하고 있었다.

아이디어뱅크의 경우 2010년에 발전기금에서 발명캠프 명목으로 10만 원을 지원받았고, 올해에는 일단 1학기에 5만 원만 지원받고 2학기에 증액되면 추가로 받아 전체 20만 원 정도를 지원받는 것으로 되어 있었다.

이외에 동아리방, 시설 등을 지원하나, 아이디어뱅크의 경우 집기와 시설물을 학생들이 직접 만들어 쓰는 상황이었으며, 대단히 열악한 형편이었다.

제 3 장

대책위원회 구성과 사건조사위원회 대응

1. 허망함과 재회

장례를 치르고 나니 실감이 나지 않았다. 어찌된 일인지도 모르겠고 왜 나에게 이런 일이 닥쳤는지도 이해할 수가 없었다. 술을 할 줄 아는 사람들에게는 유일한 해소책이 술이었다. 사람을 만나는 것도 싫었고 대책도 없었다. 무엇을 하고자 해도 허망한 일이었다, 죽은 자식이 살아 돌아오지 않는 한 그 무엇도 지금의 상태를 해결해 줄 수는 없었다. 생각조차 하기 싫은 일이었다. 하지만 억울하게 죽은 아이들을 위해 부모로서 해야 할 일이 있을 것이라는 생각이 들었다. 한없이 까부러지는 몸을 추스르고 유족들은 다시 모였다.

합동장례식과 가족장을 치르고 모두 다시 모였다. 희생된 학생들이 가장 많이 모여 있는 인천가족공원 납골당에서 8월 2일 오후 1시경에 모였다. 슬픔도 슬픔이었지만 분한 마음을 진정할 수 없었다. 이후 대책에 대해 냉정한 판단이 필요했다. 이렇게 많은 사람들이 모여서 이야기 할 부분이 아니었다. 이미 춘천에서 결론 없는 중구난방 회의를 수차례 경험한 상황이었다. 이미 대표로 뽑은 최영찬, 김현수 공동대표와 함께 장례를 치르지는 않았지만 조사위원 추천 등 많은 고민을 해 온 최영도(민하 아버지)에게 모든 것을 위임하고 따르기로 결정한다.

이후 대책에 대해 위임받은 3인은 8월 7일(일) 20시 경 서울 모처에서 회동한다. 이미 전화로 상황을 공유했던 세 사람은 만나서 핵심적인 사항들을 정리한다. 이후 활동할 조직의 (가)명칭, 학교와 춘천시에 대한 대응, 유족 총회 등 중요사항들의 방향을 결정하고 구체적인 것은 8월 13일 총회에서 결정하기로 하였다. 3인이 결정한 주요 방향은 다음과 같았다.

▲ 명칭 : 춘천봉사활동 인하대학교 희생자 가족대책위원회(약칭 대책위)
▲ 연락사무소 : 서울 영등포구 영등포동2가 94-141 동아빌딩 302호
▲ 간사 : 정용재(연락처 : 010-8632-1***), 팩스:02-2038-21**
▲ 학교에 부드러운 문구로 질의서를 작성하여 보내기로 함.
▲ 초기비용을 각자 50만 원 정도 준비하거나 합동조문금을 학교로 부터 받아 사용할 것을 이야기 함.
▲ 8월 13일 오후 7시 위 사무소에서 전체 모임을 갖기로 함.

3인 회동에 대한 결과를 듣고 이제 뭔가 되겠구나 하는 안도감도 들었지만, 답답하기도 하였다. 어떻게 하겠다는 것이 없으니 기다리는 것도 쉽지 않았다. 그런데 춘천시가 서두르는 것 같았다. 조사위원회를 구성한다고 하더니 유족 측에서 조사위원을 추천하자 바로 간담회를 연다고 연락이 왔다. 8월 9일 오후 2시였다. 유족들이 가봐야 했지만 참사와 장례에 이제 생업은 어찌할 것이며, 가면 무엇을 해야 하는지 감도 안 잡혔다. 유족들에게는 쉴 틈 없이 진행되어온 강행군이었고, 슬픔을 극복할 만한 여유도 없었지만 주변의 상황은 급박하게 흘러가고 있었다. 인하대학교는 유족의 뜻과 관계없이 모금을 진행하고 있었고, 춘천시는 조사위원회를 구성하여 진행을

시작했으며 언론도 잠잠해지고 모든 것들이 일상으로 돌아가고 있었다.

'이러다가 그냥 흐지부지 되는 것 아냐?' 유족들의 마음속에는 불안감이 엄습했지만 그렇다고 무엇을 하자고 할 상황도 아니었다. 위임받은 3인이 결정하여 최영찬 대표와 최영도가 초안을 잡아 일단 인하대학교에 질의서를 보내고 총장 면담을 추진하고 있었으며, 춘천시에는 유족 측 조사위원을 추천하여 대응하고 있었기 때문이었다. 일단 춘천시의 문제는 조사위원들에게 맡기기로 하고 총장 면담에 많은 사람들이 가기로 하였다. 총장 면담은 빠르게 추진되었다. 8월 10일에 질의서와 함께 총장 면담을 요청하여 8월 11일 15시에 만나게 되었다. 유가족들이 인하대학교에 보낸 질의서의 내용은 다음과 같다.

질의서

1. 발명캠프 행사의 계획서가 중앙동아리연합회에 제출되었는지, 학교는 그것을 승인하였는지, 승인하였다면 그 계획서를 보고 싶습니다.
2. 발명캠프를 진행하기 위한 초등학교 선정은 어떤 과정으로 이루어졌고 초등학교에 보낸 공문은 누구 명의로 발송되었는지 알고 싶습니다.
3. 발명캠프를 마치면 '봉사활동시간 인증서류'를 초등학교로부터 받는다고 들었습니다. 본 행사는 몇 시간의 봉사활동 시간을 인정받을 수 있었는지 알고 싶습니다. 그리고 봉사활동 몇 시간을 해야 학점을 인정받을 수 있는지 학교의 규정을 알려주시길 바랍니다.
4. 본 행사에 참여한 아이디어뱅크 회원명단을 자세히 알고 싶습니다.
5. 학교의 동아리 관리규정과 학교버스 이용 또는 학교로부터 버스를 지원 받는 것은 어떤 경우에 가능한지 학교의 관련 규정을 알고 싶습니다.
6. 학교는 학생들 안전에 대한 책임보험을 들었는지 알고 싶습니다. 대부분의 학교

들이 매년 보험에 가입하는 것으로 알고 있고, 인하대와 같은 큰 학교도 당연히 들었을 것이라 생각되오며 학생들을 위한 책임보험 관련 학교의 규정과 2011년도 보험가입 현황을 알고 싶습니다.

7. 사고 당일, 동아리 활동 시간대 별로 있었던 현장의 일들을 자세히 알고 싶습니다.
8. 더불어 이 시간 이후의 학교측의 유족 및 부상자에 대한 구체적 계획은 무엇인지 알고 싶습니다.
9. 합동분향소 조문금은 언제, 어떻게 유족들에게 전달하실 생각이신지 알고 싶습니다.

이본수 총장과 유족 8인의 면담은 계획된 대로 진행되었다. 이본수 총장은 학교의 입장을 최대한 예의를 갖추어 설명했으나 본질적인 문제에 있어서는 학교의 책임을 피해 나갔다. 유족들은 서면 답변을 요구하였고, 모금에 대해서 언제까지 어떻게 할 것이냐는 질문을 하였고 총장은 "조의금 및 성금은 8월 말이나 늦어도 추석 전에 전달하겠다"고 답변하였다.

서면으로 온 답변은 발명캠프는 동아리 자체 행사였고, 학교는 단지 버스 지원을 한 것밖에 없다는 설명으로 일관하고 있었다. 그리고 지도교수의 공문 날인에 대해서도 지도교수 제도가 의무적인 것은 아니며 형식적인 것이었다고 변명하고 있었다. 전반적으로 설명은 되었으나, 근거 규정이 제시되지 않거나 관련 규정들을 보내주지 않았다. 그리고 모금 등에 대해서는 사용원칙이 정해지면 공개하겠다고만 답변이 왔다. 이는 지난 11일 총장 면담 시 약속과는 다른 내용이었다. 학교의 답변서를 살펴본 후 유가족들은 2차 질의서를 학교에 다음과 같이 보낸다.

수 신 : 인하대학교총장
참 조 : 총무팀장
발 신 : 춘천봉사활동 인하대학교 희생자 가족대책위원회

총장님 이하 이번 참사로 유가족들을 위해 애쓰신 교직원 여러분의 노고에 진심으로 감사드립니다. 보내 주신 답변서는 잘 받아보았습니다. 짧은 시간이었음에도 성의 있는 답변에 감사드립니다. 지난 번 질의서에도 말씀드렸지만 저희 유족들은 어떤 일이 있었는지 사실을 알고 싶은 심정입니다. 그리고 다시는 이 사회에서 이러한 일이 일어나지 않기를 간절히 바랄 뿐입니다.

학교는 답변서에서 (8번 항목) '자원봉사 동아리에 대한 지원과 활성화 방안을 모색하겠다' 고 하셨습니다. 저희도 같은 마음입니다. 어린 자식들의 죽음이 헛된 죽음이 되지 않도록 재발방지와 동아리 활동에 가졌던 자식들의 생각이 친구와 후배들을 통해 실현되기를 바라며 최선을 다하고자 합니다.

이런 차원에서 학교의 답변에 부연하여 다음과 같이 몇 가지 추가적인 질의와 자료 요청을 드리는 바입니다. 여러 가지로 바쁘시겠지만 협조해 주시면 감사하겠습니다.

- 다 음 -

1. 지난번 질의서에 7번입니다. 일정표가 아니라, 사고 전일과 사고 당일 활동 시간대별로 어떤 일이 있었는지를 알고 싶습니다.
2. 학교가 참사를 인지한 시간부터 27, 28일 양일간 학교에서 진행되었던 일들을 시간대별로 정리하여 알려 주시면 감사하겠습니다.
3. 학교가 승인하지 않았다고 하셨지만 동아리연합회가 요청한 차량지원 요청서에 첨부된 계획서를 가지고 계신 것으로 답변하셨습니다. 그 계획서를 저희에게 보내주시기 바랍니다.
4. 학교에서 말씀하신 관련 규정들을 보고 싶습니다. 큰 문제가 없다면 다음의 규정과 내용들을 보내주시기 바랍니다.
   - 아이디어뱅크 지도교수 명의의 공문(행사 초등학교에 보냈던)
   - 동아리 등록/재등록 신청서식 및 절차가 명시된 규정
   - 동아리연합회 회칙
   - 2007년 동아리발전협약서
   - 2010년, 2011년 동아리 지원 현황과 발전기금 집행 내역

- 학생들 안전과 관련된 보험관련 규정
- 2011년 보험가입 대상 선정 근거 및 그에 관련된 자료
- 학교버스 운영 규정 및 신청 절차
- 동아리연합회가 보낸 아이디어뱅크 차량지원 요청 서류
- '졸업인증제' 에 대한 규정
- 2009년, 2010년도 '봉사인증' 을 받은 졸업생 현황(과별로 몇 명 정도인지)
- 사회봉사활동 관련 교무처에서 지정한 공인자원봉사

2. 사건조사위원회 구성과 대응

지난 7월 29일 50여 명의 유가족들이 춘천시장실을 항의 방문하여 이광준 춘천시장에게 참사 원인에 대한 규명을 촉구하였고 당시 사고 원인 규명을 위한 사고조사위원회 구성을 합의하였다. 사고조사위원회는 객관성과 공정성을 기하기 위해 유족 측 추천인사 3명, 시청 측 추천인사 3명으로 8월 5일 구성하여 독립적으로 운영하기로 하고 춘천시는 전폭적인 지원을 약속하였다.

춘천시와 유족 측의 합의와 달리 전문가 6인을 한자리에 모으는 것은 쉬운 일이 아니었다. 조사위원은 춘천시가 유남재(강원대 토목공학과 교수), 박상덕(강릉원주대학교 토목공학과 교수), 안준호(변호사)를 추천하였고, 유족 측은 홍성태(상지대 사회학과 교수), 박창근(관동대 토목공학과 교수), 박태현(강원대 법학과 교수)를 추천하였다. 이런 일이 준비된 상황은 아니지만 민하의 장례식장에 홍성태 교수가 조문을 오면서 급작스럽게 추천된 것이라 사전에 협의할 상황도 안 되었고, 유족 측 추천위원들도 만날 틈이 없었다.

8월 9일 춘천시의 조사위원회 구성 간담회 통보를 받고서야 시간이 촉박함을 깨달았다. 지금으로서는 조사위원회를 최대한 공정하게 하도록 해서 이후 문제에 대처하는 것이 최선이었다. 8월9일 춘천시에서 조사위원회 간담회가 열리기 전 유족 측 조사위원들과 유족 측을 대표하여 정경원(민하 어머니)이 참석하여 사전 회의를 진행하였다. 이 자리에는 홍성태 교수의 주선으로 유성철 강원지역 시민단체의 사무국장이 함께 참석하여 이후 연대 방안에 대한 논의도 진행하였다. 정경원은 원래 사전에 조사위원들을 만나서 유족들의 부탁을 전하고 돌아올 생각이었으나 조사위원회를 이번 참사의 주무 책임자인 춘천시 건설도시국장이 주재하려고 하고, 첫 회의니 만큼 유족들이 압력을 가해야 한다는 의견이 있어 회의에 참관한다. 회의장에 들어가 보니 가관이었다. 조사결과에 따라 책임을 져야 할지도 모를 춘천시 공무원들이 회의실 중앙에 딱 포진되어 앉아 있었고, 그 앞에 시측과 유족 측 조사위원 6명이 서로 마주보게 자리가 배치되어 있었다. 유족 측 자리는 배정도 되어 있지 않았고 국장이란 사람은 기자와 시민단체는 나가라고 했다. 정경원이 항의하자 그제야 유성철 사무국장과 유족들에게 자리를 내어주었다. 춘천시 직원들이 모여서 논의를 하였다. 조사위원회는 명칭부터 문제가 되었다. 춘천시는 산사태사건조사위원회 라는 명칭으로 천재로 몰아가려고 하였다. 홍성태 교수는 산사태의 문제가 아니라 이로 인해 사람이 죽는 참사가 발생했고 이에 대한 인재여부를 따져야 하므로 참사라는 용어가 꼭 들어가야 한다고 주장하였다. 정경원은 발언권을 얻어 조사위원회가 공정하게 이루어지기 위해서는 춘천시가 지원만 해야지 개입해서는 안 되며 조사위원들이 독립적인 조사를 할 수 있도록 최대한 보장해야 함을 강조하고 다음과 같이 발언하였다.

"사고, 아니 산사태는 날 수 있어요. 그렇다고 모두 사람이 죽지는 않습니다. 건축허가를 왜 내줍니까? 피해를 최소화 할 수 있는 한에서 행정 처리를 해야 하는 것 아닙니까? 책임의 주체인 춘천시가 이 조사위원회에 개입해서는 안 됩니다. 성역 없는 조사가 이루어지도록 조사위원회의 독립성을 최대한 보장해야 합니다. 여기 유족들의 요구가 있습니다. 조사위원분들께 전달하겠습니다. 춘천시에서 위촉하신 조사위원분들께 부탁드립니다. 자식을 잃은 부모의 마음을 헤아려 주시기 바랍니다."

그리고 아래의 요구를 춘천시 관계자와 조사위원들에게 전달하였다. 그 내용은 추모비와 조사위원회 구성에 관한 사항이었다. 예상치 못한 상황 때문이었는지 춘천시의 반발은 없었다. 물론 이광준 시장이 없었기 때문이기도 했겠지만 가득 메운 기자들 앞에서 공정하게 하자는 유족의 외침에 반박할 수 없었을 것이다.

춘천시에 대한 유가족 요구사항

2011. 8. 9.

1. 추모비 건립 관련

- 추모비 내용에 대해 유족과 사전 합의할 것.
- 희생의 원인과 책임을 분명히 명기할 것.
- 희생자들의 유족은 넋이나 위로하는 추모비를 원하는 것이 아님. 추모비의 디자인이나 형식 등은 아무 상관이 없으나 중요한 것은 사고의 원인과 책임을 분

명히 밝히고 역사에 남겨, 희생자들의 한을 풀고 이후로는 이러한 억울한 죽음이 없기를 바라는 것임.

2. 사고조사위원회의 공정성 보장

1) 책임 당사자인 춘천시 건설 관계자 배제
- 자료제공 외의 어떠한 개입도 불가(증인으로 올 경우를 제외하고는 회의 참석도 불가)
- 조사위원회 실무지원도 춘천시 공무원이 아닌 제3자 선정
- 춘천시는 재정지원 및 자료제공으로 역할 한정

2) 조사위원회 목표 기한 설정 및 회의내용 공개
- 1차 시한을 8월말로 잡고, 집중적인 조사 진행
- 주 1회 조사위원회를 개최하고 회의결과는 물론이고, 발언록을 공개하거나 유족대표 참관 보장[공개의 원칙]

3) 자문위원회 운영
- 기술적인 전문가 자문의 경우 전문가 또는 전문가 집단은 유족의 동의를 구해야 함.
- 동수 구성의 특성을 살리도록 춘천시와 유족 측 추천 위원별 대표를 선임하고 의장 없이 합의제로 운영
- 미합의 쟁점사항에 대해서는 주장 위원의 실명제로 운영

4) 성역 없는 조사 실시
- 조사위원회의 조사 범위는 제한 없이 하고, 조사위원 3인 이상이 찬성하면 안건으로 채택하도록 함
- 참고인 또는 전문가 증인 채택의 보장
- 조사위원의 요청 자료는 반드시 제공하고, 시 공무원이 자료 제공을 거부할 경우에는 미공개 사유를 분명하게 적시하고 책임자가 서명하여 제출

5) 기간 연장 시 사전 합의
- 기간의 연장이 필요한 경우 유족대표와 사전 합의함
- 구체적이고 명확한 사유를 제시해야 기간 연장 가능

유족들의 요구대로 회의는 순조롭게 진행되었다. 춘천시 추천 조사위원들도 기술 쪽 분들은 합리적이었다. 부모의 입장에서 최대한 공정하게 하겠다는 발언도 하면서 학자의 양심대로 처리하고자 하였다. 이 날 회의에서는 춘천시 측 조사위원인 유남재 위원이 "이 조사위원회의 공정성이 인정되려면 유족 측 추천위원이 조사위원회 위원장을 하는 것이 맞다"고 양보안을 제시하여 유족들이 요구한 공동위원장 합의제보다 진보한 안이 채택되었다. 이런 분위기는 유족들의 요구를 대부분 수용하게 되었다. 조사위원회 관련 이날 간담회에서 결정된 사항은 다음과 같다.

(1) 조사위원회 구성
- 조사위원장 : 박창근 교수
- 기술분과위 : 위원장 유남재, 위원 : 박창근 박상덕
- 행정 · 제도분과위 : 위원장 박태현, 위원 : 안준호 홍성태

(2) 회의 공개여부 : 공개의 원칙(의사록 작성 및 공개, 참관도 허용)
(3) 의사 결정 : 합의제 방식
(4) 진행 방식 : 기술과 행정 두 부분으로 나누어 동시에 진행
(5) 조사 기간 : 1.5개월(9월중 보고서 완료 목표)
(6) 과업선정 및 예산 : 과업은 간담회에서 두 개 팀으로 나누어 선정되었고, 예산은 시와 도가 협의하여 지원키로 함.
- 기술부분 ▲현장조사(도로 · 건물 · 배수로 기타) ▲산사태 지역 현황측량 ▲강우 및 유출분석 ▲산사태 지역 지형 · 지질 조사 ▲토석류 분석 ▲지하수 분석 ▲사면안정해석 등의 기술 부분 조사.
- 행정부분 ▲산림청 지정 산사태 1등급 지역에 대한 관리 체계 ▲농어촌 숙박업소 허가 · 운영 규정 ▲사고 발생 건물 건축 허가 서류 ▲건물 주변 경사면 관리 규정 ▲사고건물 주변 배수로와 사방시설 현황자료 ▲과거 해당지역 인근 산사태 발생 현황 등

(7) 추가 요구사항은 언제라도 제기하면 조사하는 것으로 되었음.
(8) 보고서 작성 전 유족의 동의절차를 밟을 것임.

간담회의 결과로 조사위원회가 가동되고 조사는 철저하게 진행하겠으나 비가 많이 내린 것은 사실이고, 산사태의 가능성은 항시 있는 것이기 때문에 기술적인 부분에 있어 '인재' 판별은 쉽지 않다는 것이 기술 쪽의 대부분 중론이었다. 물론 행정 · 제도 부분에서 인허가 상의 문제와 관리 감독의 행정책임 등을 물을 수 있으면 다행이었지만 쉬운 문제는 아니었다. 유족 측 조사위원들은 춘천과 강원지역의 시민단체들과 공동대책위를 꾸려 난개발 문제를 부각시키는 것을 제안하였다. 대책위의 적극적인 활동과 역할이 필요하였다.

조사요청사항[유족이 조사위원께]

조사위원분들께서 알아서 하시겠지만, 유족 입장에서 이제까지 언론을 통해 유포되었던 내용들의 확인과 의문점 중심으로 생각나는 대로 적어 보내드리니 참조하시기 바랍니다.

1. 마적산 군부대 주둔 내용과 이전 · 후 방치 내용들
2. 연도별 그 지역 건설 현황. 어떻게 개발이 되었는지에 대한 분석 필요.
3. 과거 유사 산사태 발생에 대한 주장이 제기되고 있음. 만일 있었다면 그 당시 조치 사항은? 인명사고가 없어 그냥 넘어갔나?
4. 춘천민박(펜션)의 인 · 허가 관련 서류(사진 자료 포함)
5. 절개지의 경사도는 몇 도였나?
6. 사고 민박(펜션) 옆에는 과거 건축한 펜션(2002년으로 추정)도 있는데 각각의 건축시기 확인이 필요함. 지난 10년간의 항공사진, 지적도, 건축허가 전후의 사진촬영 자료 등의 자료제공 요청
7. 절개지와 건축물과의 거리, 민박 뒤 쌓여 있던 토사의 확인. 왜? 얼마큼?
8. 배수로 변경에 대한 확인 필요. 누가? 왜? 변경 시켰으며 언제? 어떻게 했는지? 춘천시와의 관계는? 배수로에 대한 관리감독은 누가 하나?
9. 건축 허가가 '농어촌 숙박업소' 로 되었다는데, 규모의 적합성과 펜션으로 영업할 수 있는지의 여부 확인?
10. 주민들의 증언에 의하면 침몰된 펜션이 조립식건물(무허가라는 표현도 있었

음)이라는데, 절개지 밑에 그러한 허술한 조립식 건물로 영업행위를 할 수 있는 것인지? (법과 규정이 아니라 담당 공무원들의 상식적인 판단이 필요한 사항)

11. 산림청 공지 산사태 1등급 지역에 대한 지자체의 관리 규정과 산림청과 달리 그리 위험하지 않다고 판단한 근거? 실제로 현장 조사 내용이 존재하는지?
12. 사고 전날(7월26일) 저녁 9시경 산림청에서 산사태 1등급 지역 경고 문자를 받은 사람은 누구이며 어떤 조치를 했는가? 만일 담당자가 위험하다고 판단하지 않았다면 그 날 현장에 가서 안전 유무를 확인했는가?
13. 7월 26일 밤 11시경 침수 신고를 받은 곳은 어디이고, 어떤 조치가 있었는가?
14. 사고 당일 1,2차 산사태가 있었던 것으로 언론에 나왔는데, 사실 여부와 1차 산사태 이후 경보, 대피 발령 등 조치는?
15. 폭우가 쏟아지던 26일 밤과 27일 사고 시간대에 춘천시 공무원들의 비상출동 및 근무일지 제출. 확인필요(출근부 등)
16. 춘천시와 관할 경찰서는 그 날 상천초등학교에서 발명캠프가 진행된다는 사실을 인지하고 있었나? 인지했다면 학생들의 숙소, 프로그램 등을 파악하고 있었나?
17. 만일 관할 경찰과 춘천시가 행사를 알고 있었다면 인천에서 35명의 봉사자가 왔는데 이에 대한 안전을 신경 썼어야 하는 것 아닌가? 했다면 어떤 조치가 있었는가?

정경원은 조사위원들에게 부탁을 하러 왔지만 상황이 조사위원들에게 맡겨서 될 문제가 아니었다. 대책위 활동에 대한 고민이 심각해졌다. 아직 대책위를 꾸렸다고 할 수도 없는 상황에서 일이 점점 커지고 있었다. 조사위원에게 준비한 질의사항을 전달하고 돌아서려니 마음이 너무 무거웠다. 일부러 춘천시 추천 조사위원 모두에게 한 명씩 인사를 하며 잘 부탁한다고 하였다.

3. 유가족 총회 및 대책위 구성

유가족 총회를 준비하며 법률적인 검토가 필요했다. 조사위원을 담당한 홍성태 교수가 이상훈 변호사를 소개해 주어서 사전에 만나 조언을 구하고, 총회에 직접 참석해 주기도 하였다. 2011년 8월 13일 토요일 19시에 영등포 동아빌딩 4층에서 희생학생 9인 유족(경주가 집인 재현이네 불참), 일반인 유족 1인(고 이은영씨 남편), 부상자 현빈이 아버지 김문호, 조사위원 홍성태 교수, 이상훈 변호사, 정용재 간사 등이 참석하여 총회가 개최되었다. 정용재 간사의 주도로 이제까지의 참사경위 및 경과, 춘천시와의 합의 사항 분석 및 이후 대책 등 논의가 필요한 안건들이 준비되었으나, 예상치 못한 돌발 상황에 직면하여 총회가 매끄럽게 진행되지 못했다.

경향신문의 기사가 문제가 되어 회의진행이 어려웠던 것이다. 사실 유가족들이 참사 이후 처음으로 모이는 것이라, 서로의 입장에 대한 확인이 안 된 상태였기에 쉬운 회의는 아니었다. 하지만 위임받은 3인의 노력과 학교와 춘천시에 대한 대응 등을 통해 완전한 입장통일은 아니더라도 주요한 방향은 결정할 수 있을 것으로 예상했지만 회의는 생각대로 되지 않았다.

가장 큰 차이는 학교에 대한 입장이었다. 인하대학교의 책임론에 대해서 크게 엇나가 있었다. 합동장례식을 학교장으로 치른 유족들 중에는 학교에 대해 우호적인 사람들이 있었다. 특히 대표단을 구성하고 있는 사람들의 입장은 분명하였다. 인하대학교는 고마운 존재였고 책임을 물을 수 없다는 입장이었다. 그 밑바탕에는 아이들이 다니던 학교를 욕할 수 없다는 점과 참사 이후 가장 고마운 조직이었다는 것이다. 반면에 일부는 학생들의 지도책임이 있는 인하대학교가 이 부분에서 자유로울 수 없다는 점과 고마운 것과 책임은 별개의 문제라는 것을 들어 학교의 책임을 물을 것은 물어야 한다는 입장이었다.

그런데 언론의 초점은 산사태 이후 학교와 유족간의 관계에 맞추어져 있었다. 산사태는 진정 상태로 접어들었고 우면산과 달리 춘천의 희생자가 봉사활동 중인 대학생들이었고 그 소속된 대학이 봉사활동을 가는 학생들에게 보험을 들어 주지 않았다는 것만으로도 충분히 분쟁의 상황이 예측되었고 언론의 관심거리였다. 그리고 유족들이 인하대학교에 공개적인 질의서를 보낸 것은 뭔가 행동이 있을 거라는 느낌을 주었다. 보험 문제 등 학교의 책임 문제에 대한 집중적인 취재가 시작되었다. 기사화 된 것은 경향신문과 세계일보였는데 세계일보의 기사는 보험 미가입 등 사실적인 문제 제기만으로 그친 반면에 경향신문은 추측성 기사 내용이 문제가 되었다. 대책위 공동대표 중 직계 유족이 아닌 방계가 맡고 있으며 그가 마치 학교와 우호적인 사람인 것 같다는 추측성 보도였던 것이다. 그리고 확인되지 않은 사실을 기사화 한 것이다. 회의 시작 전 기사 수정을 경향신문에 요청하였고 인터넷 판은 일부 수정을 했지만 경향신문도 모든 것을 수용할 수는 없다는 입장이었다.

총회를 시작해야 했지만 이 문제가 제기되어 정리가 되지 않았다. 언론이 우리가 원한다고 다 들어주는 것도 아니고, 결정해야 할 문제가 많은 상황에서 이 문제로 모든 것을 뒤로 미룰 수는 없는 입장이었다. 그러나 의장을 맡아야 할 공동대표 두 사람의 문제제기가 강해 정리할 수 없었다. 언론에 대한 대응은 언론중재위를 통하든지 소송을 진행할 수밖에 없고 아니면 언론사와 협상을 해야 하는데 '기사 삭제' 와 '사과문 게재' 는 협의조차 어려운 내용이었다. 공동 대표들은 경향신문 기사와 관련하여 부정적인 입장들을 표명했다. 최영찬 대표는 회사에서의 입장 등을 내세워 대표를 그만 두겠다고 하였고, 김현수 대표는 언론에서 방계 운운해서 대표성에 흠집을 내었으니 이걸 해결하지 않으면 대표직을 할 수 없음을 분명히 하였다. 최영찬 대표의 문제제기는 본인의 개인적인 문제이니 누구도 말할 수 있는 입장이 안 되었다. 김현수 대표의 건은 사실 아무 문제가 안 되는 것이었다. 대책위는 임의 기구인데 직계만 대표를 맡으라는 법은 없다. 오히려 인하대학교와 학생들, 관련자들이 함께 모여야 더 크게 싸울 수 있는 것이다. 아무리 설명을 하여도 받아들여지지 않았다. 누군가 조언하길 김현수 대표가 위임을 받으면 대표를 하는데 문제가 없다고 했다며 위임서명을 요구하였다. 논란이 있었지만 모두 권한 위임 서명을 해서 일단락이 되었다.

대표와 기사 문제로 2시간 가까이 논란을 벌이다 회의를 시작하였다. 회의 자료가 잘 정리되어 있어 '사건 경위보고, 장례 및 협상 진행 경과, 각 단위 동향 등' 은 자료를 참고하기로 하였다. 춘천시가 조치하는 유족요구사항의 의미와 진행사항은 설명하고 서로 공유하였다. 춘천시와 합의(춘천시는 유족 건의사항으로 왜곡시킴)사항 중 조사위원회 구성을 제외한 네 가지 사항에 대한 검토의견은 다음과 같았다.

① 추모비 건립 :

[춘천시 입장] 상천초등학교로 장소를 결정하고 학교 정비 사업이 끝난 후 건립하겠다고 함. 디자인 및 조각가 선정을 인하대학교 학생과 협의. ⇒ [검토 의견] 추모비는 어떤 글이 들어가느냐가 핵심임. 유족의 문제제기가 없으면 '숭고한 봉사 정신' 과 '어쩔 수 없는 산사태' 때문에 사고 난 것으로 정리될 것임. 그래서 추모비 사업은 참사에 대한 책임 문제가 규명되고 모든 것이 정리된 이후에 해도 문제는 없을 것임. 추모비에 들어갈 문구에 대해 유족이 입장을 가져야 함.

② 조사위원회 구성

③ 보상(선 지급 요구)

- 인천시 사례는 작년(2010년) 연평도 포격사건 시 군부대 건설현장에서 일하다 사망한 민간인 2인에 대한 보상 처리 결과였음.
- 인천시 사례 결과 중 보상금액은 천안함 사태 시 민간구조활동을 벌이다 사망한 금양98호 선원들의 보상금 수준인 것으로 확인됨.

※천안함 사태 시 사망한 금양98호 선원들에 대한 국가보상금 지급 사례.

"관련 법적 근거가 없는 상황에서 사회복지공동모금회에서 국민성금을 모아 개인별로 적격여부 심사를 거쳐 과거 보상 사례(부산사격장 보상, 임진강 참사 보상 등)을 감안하여 수협중앙회를 통해 지급함. 희생자 위령탑 건립과 제막식 및 추모식 거행 비용 전액(1억 8천만 원)은 국민성금에서 지급. 희생자 전원에 대해 보국포장 추서, 장례비용 전액 국가에서 지급"

- 결과적으로 국가와 지자체 차원의 보상금 지급 지원은 없었고 성금 모금액의 관리 및 분배 책임을 진 것임. 인천시는 선지급 등의 행정권한을 발휘한 것임.

④ 의사자 신청

- 춘천시는 8월 12일 강원도를 거쳐 복지부에 의사자 신청을 한 상황임.
- '의사상자 지원 및 예우에 관한 법률'에 따르면 직무외의 행위로서 타인의 생명, 신체 또는 재산의 급박한 위해를 구제하다가 사망한 자(의사자)의 유족과 부상한 자(의상자)는 국가에 의해 국가유공자에 준하는 보호를 받게 됨. 법률에 의한 의사상자 인정 범위는 아래와 같음.
  1. 타인의 생명, 신체 또는 재산을 보호하기 위하여 강도, 절도, 폭행, 납치등 범죄행위를 제지하거나 그 범인을 체포하다가 의상자 또는 의사자가 된 때
  2. 자동차, 열차, 기타 승용물의 사고 또는 기타의 이유로 위해에 처하여진 타인

의 생명 또는 신체를 구하다가 의상자 또는 의사자가 된 때
3. 천재지변 기타 수난, 화재, 건물의 도괴, 축대나 제방의 붕괴등으로 인하여 위해에 처하여진 타인의 생명 또는 신체를 구하다가 의상자 또는 의사자가 된 때
4. 천재지변 기타 수난, 화재, 건물의 도괴, 축대나 제방의 붕괴등으로 인하여 일어날 수 있는 불특정다수인의 위해를 방지하기 위하여 긴급한 조치를 하다가 의상자 또는 의사자가 된 때
5. 야생의 동물 또는 광견등의 공격으로 인하여 위해에 처하여진 타인의 생명 또는 신체를 구하다가 의상자 또는 의사자가 된 때

- 의사자 신청은 복지부 의사상자심의위원회의 의결을 거쳐 의사자(의상자)로 인정하여 국가유공자에 준하여 유족보상, 의료비 보상, 자녀에 대한 교육보호, 취업보호 그리고 최근에는 국립묘지에의 안치가 가능함.
- 최근 2010년 천안함 사태 당시 민간 구조활동을 벌이다 사망한 금양 98호 선원과 연평도 포격사태 당시 민간인 희생자들이 복지부를 상대로 의사자 신청을 한 바 있으나 정부는 법률조항의 적용 대상이 아니라는 이유로 의사자 선정이 되지 않은 상황임.
- 이에 대한 대중적인 여론이 악화되자 지난 7월 1일 관련 법률이 개정되어 의사상자의 인정범위가 확대(국가나 지자체의 요청으로 구조행위를 하다 대통령령으로 정한 경로나 방법으로 이동 중 사망하거나 부상을 당한 경우)된 상황임.
- 한편 지자체에서는 관련 법률의 내용을 중심으로 '의사상자 등 예우 및 지원에 대한 조례'를 제정해 별도 지원을 하고 있으나 춘천시에는 해당 조례가 없음.

⑤ 장례비 지원
- 춘천시는 중앙재해대책본부 조사 후 검토하겠다는 입장을 밝혔음.
- 한편 춘천시가 지난 10일 호우 피해 관련 특별재난지역으로 선포됨. 중앙재난안전대책본부(본부장 행안부장관)는 지난 8일부터 춘천시 피해 보고에 대해 중앙합동조사를 실시한 결과 이같이 결정함.
- 이에 따라 해당 지자체에서 개별 신청 처리하는 것으로 종료
(사망자 1인당 세대주 1,000만 원, 비세대주 500만 원)

결론적으로 춘천시와의 합의 사항 중 제대로 될 것은 없었다. 크게 기대하지는 않았으나 이렇게 허무할 수가 없었다. 홍성태 조사위

원과 이상훈 변호사의 이야기를 들으며 점차 현실적이 될 수밖에 없었다. 홍성태 교수는 조사위원회 진행상황을 보고하며, 대외 활동 등 대책위의 체계 구축을 제안하였다. 이상훈 변호사는 이런 소송의 경우 조사위원회의 기술적인 조사가 이후 소송비용을 줄일 수 있음을 설명했으며 소송을 하게 되면 국가(국방부), 강원도, 춘천시, 인하대학교 등 책임 주체 모두에게 제기해야 함을 설명하였다. 학교에 대해서도 해야 한다는 설명에 일부는 혼란을 일으키기도 했다.

총회에서 대책위는 최영찬, 김현수를 공동대표로, 대변인 겸 총무로 최영도를 선출하고 연서명 하였다. 위임 받은 3인이 선임하였던 정용재 간사를 인준하였고, 인하대학교 문제는 8월 17일 이후 학교의 답변을 보고 결정하기로 하였다. 발명진흥회 건은 추후 논의하기로 하였다. 춘천시에 대한 대응방안은 조사위원회에 힘을 싣기로 하고 기본적으로 조사위 회의를 참관하기로 하였다. 회의 때 전원이 가도록 노력한다고 결정한 것이다. 그 외 춘천시 대응 방안에 대해서는 대표단에서 결정해서 알려주기로 하였다. 대책위 전체 회의는 정기적으로 매주 토요일 16시에 하기로 했다. 다만, 특별히 논의할 안건이 없는 경우에는 대표들이 결정해 개최하지 않을 수도 있도록 하였다. 경향신문 기사 문제는 경향신문 기자가 제안한대로 인터넷 기사를 내리는 것으로 결정하였다.

가장 중요한 결정이 이루어졌다. 이는 '춘천봉사활동 인하대학교 희생자 가족대책위원회' 의 활동 방향을 결정하는 것이었다. 회의 자료에 나와 있는 대책위 활동의 핵심적인 요구는 '참사에 대한 진실

규명, 재발 방지, 희생자 보상' 으로 결정되었다. 의외로 이견이 없었다. 또한 변수가 있겠지만 대책위의 잠정적인 활동 시한을 사십구재와 조사위원회의 활동 종료 시점인 9월말경으로 예상하였다. 그 이후에도 해결되지 않으면 장기(법률 소송 등)적으로 갈 수밖에 없는 상황이었다. 따라서 9월말까지를 1차 시기로 보고 이후 대책을 마련하였다.

이날 11시가 다 되어서야 끝난 총회는 여러 가지 여운을 남겼다. 대학생 사망자 문제 못지않게 안타까운 일반인의 사망문제와 부상자의 문제도 쉬운 문제는 아니었다. 일반인 사망자 고 이은영씨의 남편이 참석하고 부상자 현빈이의 아버지 김문호가 참석했지만 말 한마디 못하고, 김현수 공동대표를 기다려 따로 만나고 돌아갔다. 학생들의 유족들에게 아직 살아있는 부상자의 문제나 일반인의 죽음은 안중에도 없는 상황이었고, 그들과 함께 하는 것이 왜 중요한지를 생각도 못할 상황이었다. 이는 춘천에서부터 인하대 사망자들로 축소하여 분리 · 고립시키려는 춘천시의 노력이 주효한 것이었다. 이 날 대책위는 이 문제를 사회적인 문제로 부각시키고 대상자들을 확대시키지 못했다. 우리 문제만 해결하면 쉬울 것이라는 생각과 인하대학교가 많은 부분을 해결해 줄 수 있을 것이라는 생각에 전체적인 부분을 조망하지 못한 것이다. 이 부분은 이후에도 계속 문제가 되어 내부 충돌의 원인이 되었지만 결국 마지막 해결 시에는 일반인과 부상자도 위로금 지급에 포함되었다.

4. 춘천시와의 조사위 공방

과업지시서 제출

총회 이후 8월 19일(금) 조사를 위한 전문용역업체 선정과 관련하여 기술부문 조사위원들의 합의로 과업지시서(과업 및 예산)를 작성하여 춘천시에 제출하자, 춘천시는 '예산이 없다'는 이유로 지원할 수 없다는 입장을 밝혔다. 춘천시의 본심이 서서히 드러나자 대책위는 가만히 있을 수가 없었다. 또한 조사위원들의 요청으로 대책위도 활동을 지원하게 되었다. 내용의 공정성과 객관성 확보를 위해 조사위원회 기술부문에서 작성한 과업지시서 전문을 싣는다.

춘천시 천전리 산사태 발생원인분석 및 방지대책수립

과 업 소 개 서

1. 과업의 목적 : 본 과업은 2011년 7월 호우로 인하여 발생한 춘천시 천전리 지역의 산사태에 대하여 발생 원인분석과 향후 복구방안 및 항구적 산사태 방지대책을 수립함에 있다.

2. 과업의 범위 : 본 과업은 춘천시 천전리 산사태 지역에 산사태 지역 현황조사 및 발생원인 분석과 향후 산사태 방지대책 수립으로서 산사태발생 개소 및 연장은 다음과 같다.

- 발 생 개 소 : 2개소 (춘천시 천전리)
- 산사태 연장 : 약 1km (500m × 2개소)

3. 과업의 내용

3.1 조 사

3.1.1 산사태 지역 현장조사 : 과업수행사와 자문위원으로 구성된 현장조사팀은 산사태 발생지역의 지형, 지반상태, 주변시설물 배치, 지하수 및 표층수 분

포 현황 등을 육안 및 지형도에 근거하여 분석한다. 과거 지형변화 및 비탈면 붕락 및 절취이력을 조사한다.

• 조사방법

- 현장 육안조사 - 탐문을 통한 이력 조사

3.1.2 산사태 현황 측량 : 지형도 및 수치지도를 근거로 과거 지형과 원래 지형간의 변화를 파악하고, 현황 측량자료를 통해 지형변화 및 방출된 토사량 등을 평가하고, 향후 복원될 안정적 지형 및 비탈면 현황을 계획한다.

• 조사방법 및 대상

- 지 형 측 량	산사태(비탈면 슬라이딩) 총 1km (500m 2개소)
- 구조물 측량	도로 500m 이내, 반경 400m 이내 파손 가옥, 배수구조물 및 측구

3.1.3 지형 및 지질조사 : 산사태 발생의 사면 경사도를 포함한 지형 및 지반상태를 조사하여, 산사태가 발생한 지반공학적 · 수문학적 원인을 규명한다. 산사태 발생 원인으로 추정되는 집중 강우에 따른 지반포화도 및 지하수위 상승에 따른 지반의 유효강도 감소와 시추조사를 통한 사면파괴면을 결정하여 역해석을 통한 산사태 발생 원인을 규명하기 위한 기본자료로 이용한다.

산사태가 발생한 지역은 기반암이 편암으로 추정되며, 편암의 풍화퇴적과 붕적에 따른 지반이 조성되었을 것을 감안하여 아래와 같은 조사항목과 수량을 산정하였다. 또한 상부 토사층은 붕적에 따른 토사특성을, 하부 토층은 기반암의 풍화에 따른 퇴적특성을 보일 것으로 판단되며, 산사태 당시 하부 지층으로의 지하수 유출이 나타났다는 관측의견을 고려하여 시험조사 내용을 지층별로 이원화하였다.

• 조사항목 및 수량 (내역서 참조)

지형 및 지질조사	· 조사지점의 강우 유출 방향 및 지질 형성구조 파악 (붕적지층 혹은 퇴적지층, 기반암 특성 등)
시추조사	· 3공 (산사태 발생 2개소, 미발생 지역 1개소) · 상부토층과 기반암 상층부 토사의 다짐도 및 입도분포 특성파악 → 상 · 하부층 지층조성 차이에 따른 배수 및 함수율 보유 특성 파악
직접전단시험	· 교란 시료 채취를 통한 직접전단시험 : 3회 (공당 2회) → 화강풍화암(사질토)의 상대밀도를 고려한 지반강도정수 산정
불포화토 특성시험	· 2회 (상부토층과 하부토층의 불포화토 침투 특성)
기타 기본 물성시험	

3.2 산사태 발생 원인 분석

3.2.1 강우강도 및 유출분석 : 산사태 발생시 강우강도와 지역의 표층현황과 배수구조물의 용량을 고려한 유출분석을 통하여 대상 지반으로 유입되는 강우량을 평가한다. 또한, 집중 강우 이전의 지하수위에 대한 자료가 없으므로, 조사시 측정 지하수위와 그간의 강우 기록을 통하여 산사태 발생 이전의 지하수위를 유추하도록 한다.

• 분석항목

- 기상 측량자료 조사 및 통계를 통한 강우강도 분석
- 수치해석 및 이론적 방법을 이용한 유출량 및 지반 유입량 평가
- 측정지하수위와 이전 기상자료를 이용한 산사태 이전 지하수위 추정

3.2.2 토석류 분석 : 산사태 발생 지역의 지반 현황과 지형을 고려하여 토석류 발생 가능성을 평가하고 향후 발생가능지역에 대한 예비 안정성 평가를 수행한다.

• 분석항목

- 사면의 길이와 경사, 마찰계수, 토피고, 입자의 크기 등에 따른 토석류의 이동거리 분석등을 고려한 수치해석 및 사면안정성 분석
- 산사태 발생 지역의 지반 입도분포 분석 및 2차 발생지역 지형 · 지질 특성 평가

3.2.3 침투 및 사면 안정 해석 : 강우 강도와 지하수 분포 현황을 고려하여 강우에 따른 시간별 지반 포화도를 평가하고 이에 따른 지반 침투안정성을 평가한다. 3차원 정상류 침투 해석을 통해 과도한 침투가 발생하는 단면에 대하여 시간당 강우 강도와 지반 포화도를 고려할 수 있는 2차원 부정류해석을 수행한다. 침투 안정이후 지반포화도를 고려한 사면안정해석을 수행하고 현장에서 시추조사를 통해 측정한 실 파괴면과 해석상 파괴면을 비교하고, 실 파괴면이 발생할 때 안전율을 역으로 평가한다.

• 분석항목

- 불포화토 침투 특성 분석 (상 · 하부 지층에 대하여)
- 3차원 침투 해석을 통한 지하수위 유동 평가
- 강우강도에 따른 지반포화도 변화를 고려한 침투 안정해석
- 지반포화도와 침투에 따른 변화된 지하수위를 고려한 사면안정해석
- 실 발생 파괴면과 해석 파괴면의 비교 분석 및 역해석

※집중 강우시 지하수위 상승과 불포화토 침투특성을 파악하기 위해서는 집중강우 이전의 지하수위 설정이 중요한데, 이는 현 조사를 통해 파악한 지하수위와 기상 기록을 이용하여 합리적으로 추정하고, 시행착오법에 의한 침투 및 사면 안정해석을 통해서 접근토록 한다.

3.3 항구적 산사태 방지 방안

목표한 설계강우강도 발생에도 사면 안정성을 확보할 수 있는 토목공학적 대책 수립 및 재해 위험도 증가 시 대민 경보 대책 수립

• 제안 항목

- 산사태 발생 지역에 적합한 사면보강 및 안정 대책 수립
- 설계 강우 강도 발생시 보강 사면의 안정성 평가
- 목표 설계 강우 강도이상의 발생시 대민 경보장치 제언

4. 과업수행 기간 : 과업기간은 착수일로부터 1.5개월(45일)로 하고 다음의 경우에 발주자의 승인을 받아 과업기간을 연장할 수 있다.

가. 천재지변으로 과업수행의 차질이 있을 때

나. 발주자의 계획변경 방침에 따라 과업수행의 중단 또는 과업내용의 현저한 변경이나 증감이 있을 때

다. 과업시행 중 예기치 못하였던 사항의 발생으로 변경이 불가피할 때

5. 성과품 제출

• 보 고 서 20 부
• 보고서 부록 20 부
• 측량성과(CD제출) 1 식
• 토질 및 지질조사 성과(CD제출) 1 식

6. 설계변경 조건 : 과업 수행 중 다음과 같은 경우 설계 변경할 수 있다.

가. 과업개소 및 연장에 증감이 발생되었을 경우

나. 과업수행 중 직접경비 항목에 대한 추가가 필요한 경우

다. 경비 등 각종 비목에 계상된 금액을 사후 정산함이 타당하다고 판단되는 경우

라. 기타 발주자의 사정에 의해 과업변경이 필요한 경우

7. 예 정 공 정 표

구 분	사 업 기 간									
	1일	5일	10일	15일	20일	25일	30일	35일	40일	45일
1. 조사										
가. 현장조사										
나. 현황측량										
다. 지형 및 지질조사										
2. 분석 및 해석										
가. 강우강도 및 유출분석										
나. 토석류 분석										
다. 침투 및 사면안정해석										
3. 항구적 산사태 방지방안										
가. 산사태 방지방안 수립										
4. 보고서 인쇄										

대책위 대응 및 기자회견

대책위는 회의를 개최하여 1) 조사위원회 활동 지원 2) 부상자 및 학생 외 사망자 대책 수립 3) 기획, 총괄 대책 수립에 대한 대책을 논의하였다. 조사위원회 활동지원은 기본적으로 조사위원회에 참관하는 것으로 하고 조사위원 활동을 지원하기 위한 조사팀을 이건학(민성이 아버지)을 팀장으로 구성하여 활동하기로 했다. 실제 유라 아버지인 김용주, 슬기 아버지 신현범, 민하 어머니 정경원 등이 마적산 정상을 오르는 등 참사 지역 주민, 아이디어뱅크 동아리 회장, 동아리 회원, 천전리 주민, 발명진흥회 등 참사 당시 목격자를 중심으로 실질적인 조사활동을 벌였다. 또한 조사팀은 유족 측 조사위원들의 요청에 따라 진상 규명을 위한 증언 확보, 증거 자료 수집과 분석 등을 담당하였다.

부상자 및 학생 외 사망자 대책은 정희 아버지인 이상규가 맡아 부상자 병문안 등을 하며 현황 정리 및 지원 방안을 마련하는 한편 부상자 현빈이 아버지인 김문호와 채널을 형성하여 진행하였다. 기획 · 총괄 부문은 정용재 간사를 팀장으로 선임하고 전문적인 체계를 갖추었다.

실제적인 행동으로는 춘천시가 예산 배정을 핑계로 조사위원회 지원을 거부한 바, 이에 대한 규탄과 입장 철회를 요구해야 했다. 이를 위해 8월 23일(수) 오전 11시 춘천시청에서 대책위원회 차원의 기자회견과 항의면담을 갖도록 계획하였다. 기자회견에 맞추어 유족 측 조사위원들이 2차 조사위원회 개최를 추진 중에 있었다. 이날 개최가 되면 기자회견과 시장 항의면담 후 조사위를 참관할 계획이었다. 사전에 유가족들이 시청 항의 전화 걸기(시장실 : 033-250-32×1, 부시장실 : 033-250-32×4, 건설도시국장 033-250-33×7)를 의무적으로 한 통화씩 하였고, 기자회견은 '강원도와 춘천시의 난개발 문제 비판, 예산 지원에 비협조적인 춘천시 규탄, 공정한 조사위원회 활동을 위한 시 · 도 차원의 행정 지원 촉구' 등을 주요 내용으로 하여 진행하기로 하였다. 이를 위해 언론사 보도자료 작성 및 배포(기자 연락), 기자회견문 작성 및 배포, 플래카드 작성 등 실무 활동의 역할을 분담했다.

2차 조사위원회 회의가 2011년 8월 24일 10시 춘천시청 대회의실

8월24일_기자회견_연합뉴스

에서 개최되었다. 대책위는 09시 30분부터 시청 본관 정문 앞에서 기자회견을 하였다. 기자회견의 제목은 '7.27 신북읍 산사태 참사에 대한 조속한 원인 규명 및 재발방지를 위한 모든 대책을 촉구하며 춘천시의 사후 해결 방관을 규탄한다' 였다. 참사가 난 지 한 달이 되어 가는데도 조사위원회를 답보 상태로 만들고 예산 타령이나 하는 춘천시의 행태를 규탄하고, 이광준 시장이 유족과의 약속을 지켜줄 것을 촉구하는 내용이었다. 기자회견을 통해 유가족들은 다음의 사항을 요구하였다.

- 조사위원회는 신속하고 공정한 조사를 위해 모든 노력을 기울일 것.
- 춘천시는 조사위원회 활동과 관련 예산과 인력 등 모든 행정 조치를 즉시 취하라.
- 춘천시는 조사위원회와 별도로 재발방지를 위한 각종 계획을 조속히 수립하라.

기자회견 후 유족들은 대회의실에서 개최되고 있는 사고조사위원회 2차 회의에 몇 명이 참관하고, 대부분은 시장 면담을 요구하며 농성에 돌입하였다. 조사위원회는 조사위원 6인의 전원 참석으로 진행되었다. 이 날 회의에서 춘천시는 이전까지와는 다른 태도를 보였다. 장례 이전 합의 당시에는 예산 등 전폭적인 지원을 약속했던 춘천시 직원들이 예산 문제로 곤란하다는 말만 되풀이 하고 있었다. 또한 유족들은 2차 회의가 진행되도록 아직 위원들이 위촉장도 못 받았다는 사실을 알게 되었다.

조사위원회에서 위원들에게 아직 위촉장이 전달되지 않은 것에 대해 질의하자 춘천시는 시장과 유족이 합의해서 조직된 위원회라고 확언하며 위촉장이 없어도 춘천시는 위원회의 결정을 그대로 따를 것이라고 하였다. 조사위원회의 조사위원 간에는 문제가 없었다. 과업지시서에 따른 작업이 진행되어야 위원 간에 토론과 협의가 진행될 것인데 기술분과가 작성한 과업지시서를 춘천시에 제출했으나, 춘천시가 예산 부족으로 용역업체를 선정할 수 없다고 답변한 상태라 더 이상 진행이 안 되는 상황이었다. 사용가능 예산에 대해 위원이 질의하자 춘천시는 처음에 1,200만 원을 확보했으며 추가로 2,000만 원을 더 확보할 수 있다고 답변하였다. 기술조사 액수로는 터무니없이 부족했다. 춘천시의 태도는 같은 날 벌어진 우면산 사태에 대응하는 서울시의 태도와는 너무 큰 차이가 있었다. 젊은 대학생 10명을 포함한 13명의 목숨을 앗아간 사태에 대한 대응으로는 너무 미온적인 것이 아닌가? 참관하던 유족들이 술렁이기 시작했다. 조사위원회는 계속 진행되었다. 조사위원회의 결과는 유족들에게 바로 전달되었다.

조사위는 기술 조사의 내용을 최소한으로 줄여서 수정 과업지시서를 춘천시에 다시 제출하기로 결정하고 세부내용은 기술분과에 위임하였다. 춘천시에 1주일 후인 8월 31일까지 기술분과에서 제출한 과업지시서에 따른 용역 수행 여부를 결정해 줄 것을 요청하는 것으로 회의를 마무리하였다.

시장과의 설전

유족들은 모두 시장실 앞으로 모였다. 이미 아침부터 한바탕 하고 난 후였다. 유족들이 왔을 때 시장은 없고 춘천시 직원들 20~30명이 앞을 막아섰다.

"아니, 이것들이 뭐야? 시장 어디 있어?" 막아서는 시 직원들에게 말했다.

"이러시면 안 됩니다." 앞에 선 시 직원이 말했다.

"뭐가 안 된다는 거야! 시장 어디 갔냐니까?"

"지금 자리에 안계십니다."

"어디 갔냐고?" 아무도 답변이 없었다.

"도망갔군…." 9시 전부터 본관 정문 밖에서 기다리다가 이리로 왔는데 시장이 도망갈 곳은 없었다. 유족들이 오는 줄 알고 출근도 안한 것이다. 춘천시 직원들은 유족들을 폭도로 몰아가며 시장실 출입을 막고 있었다. 흥분한 정희 아버지와 유라 아버지가 막아 선 사람들을 밀고 시장실의 문고리를 잡았다. 밀고 당기는 통에 문고리가 떨어져 나갔다. 억울했지만 더 이상 사태를 악화시키지 않기 위해 그 자리에 주저앉았다. 춘천시장이 올 때까지 한 발짝도 물러설 수 없었다. 자식을 잃은 충격이 채 가시지도 않은 몸이었다. 시멘트 바닥에 양반다리를 하고 앉아 있으려니 다리에 마비가 오고 엉덩이가 배겨서 앉아 있을 수가 없었다. 누군가 소리쳤다.

"아니, 우리가 왜 여기 이리 쭈그리고 앉아 있어야 해. 들어가자고 시장실로 들어가자고." 모두들 생각하니 그게 좋겠다는 생각이 들었다. 모두 일어서려는데 이광준이 나타났다. 유족들은 쳐다보지도 않고 자기 방으로 들어가며 춘천시 직원을 향해 소리쳤다.

"누가 문고리를 부셨어? 찾아내서 사법처리 해!"

"뭐라고?" 내가 그랬다고 당장 쫓아가서 멱살이라도 잡고 싶었지만 참아야 했다. 이광준의 일성은 유족들을 흥분시키기에 충분하였다. 이광준 시장과 시장실에 들어 간 유족들은 김현수 대표의 선창으로 구호를 외치며 원탁에 둘러앉았다. 춘천시장과 유족들, 그리고 둘러싸고 서 있는 춘천시 직원들… 모두 긴장감이 팽팽하게 감돌고 있었다. 김현수 대표가 정적을 깼다.

"인하대생 35명이 춘천 상천초교에서 봉사활동을 하다가 10명이 사망하는 사고가 일어났고, 사고처리과정에서 춘천시장이 산사태에 대한 조사를 실시하겠다고 한 지 한 달 여가 지났습니다. 우리 유족들은…." 설움이 복받쳐 말을 맺을 수가 없었다.

최영도(민하 아버지)가 말을 이었다.

"산사태 원인규명에 대한 일정이 계속 지연되고, 조사위 회의가 연기되는 과정에서 먼저 말씀드리고 싶은 것은 사고 원인에 대한 조사와 규명에 대해 생각이 있으신지 듣고 싶습니다. 조사위에서 전문용역업체 비용이 5천만 원 소요된다고 한 걸로 알고 있는데, 춘천시 측에서 예산이 부족하다고 하는 근거, 예산지원의 의지와 시가 생각하는 조사비용이 얼마인지 정확히 알고 싶습니다." 이광준 춘천시장이 답변하였다.

"조사위원회를 하는 목적은 과연 이 사태에 대해 춘천시가 책임을 질만한 입장인가 아닌가를 판단하기 위한 거죠. 그런데 여러분들은 문상 간 시장에게 꿇어 엎드리라고 했습니다. 여러분은 30만의 춘천 시민 대표를 우습게 봤어요. 여러분 아이들이 잘못된 건 잘못된 것이지만 춘천시장이 왜 꿇어 엎드립니까? 그리고 문상 늦게 왔다고 트집을 잡아요. 여러분들은 가정에 문상 늦게 온 사람들에게 그런 식으로 트집을 잡고 대합니까?" 장황한 이야기를 시작했지만 조사위원회는 춘천시의 책임 유무만 따지면 된다는 내용과 한 달 전 처음 대면시의 이야기를 있지도 않은 이야기까지 만들어가며 유족들을 몰아붙였다. 어이가 없었다. 이건 시장이 아니라 양아치였다. 너무 어이가 없어 대꾸할 말이 없었다. 누가 누구를 무릎 꿇렸단 말인가? 유족들이 어안이 벙벙해 있는 사이에 춘천시장이 말을 이었다.

"나도 법을 따지고 싶지 않았는데, 여러분들이 그렇게 나오니까 법대로 해봅시다. 과연 춘천시가 잘못해서 이 아이들이 잘못된 건지 천재지변으로 인해 잘못된 건지 따져 봅시다. 조사위원회의 설치 목적은 춘천시가 책임을 질만한 것인지 아닌지를 조사하기 위해 만든 겁니다. 지금 조사위원회에서 용역업체를 선정한 것은 정확하게 과학적으로 물리학적으로 어떻게 산사태가 일어났는지 조사하기 위한 겁니다. 우리는 그런 거 필요 없어요. 우리가 조사해야 하는 건 건축허가 할 때 이 산사태가 날 수 있는 예견을 할 수 있었음에도 허가를 내줬느냐, 그래서 아이들이 죽고 다쳤느냐 이것만 판단해주면 되는 겁니다. 그 다음에 보상 문제는 춘천시 책임이 있다고 하면 책임지면 되는 겁니다. 그런데 조사위원회는 학술논문에나 실릴만한 조사를 원하는 겁니다. 여러분도 아시겠지만 춘천시의 예산은 우리가 1년간 쓸 돈을 의회의 승인을 얻어 미리 확보합니다. 2억 원이란 돈은 감당을 못합니다. 내년에 예산 신청을 해서 의회가 승인을 해주고 통과를 해야만 확보가 가능합니다. 지금 위원 중의 토목공학자들과 법률전문가들의 현지 조사만으로도 충분합니다. 이 정도만으로도 춘천시 공무원들이 산사태가 날 수 있을지의 예견을 할 수 있었는지 없었는지를 설명할 수 있습니다. 우리 생각은 그렇습니다. 또 하나의 문제는 입찰입니다." 거의 연설에 가까운 발언이었다. 15분에 가까운 발언의 핵심은 안 된다는 것이었다. 김현수 대표가 말을 받았다.

"춘천시장께서 조사위원회의 성격을 어떻게 보든지 간에 시와 유족의 지명으로 구성된 정식기구이며, 춘천시는 특별재난지역으로 선포된 지역이므로 적정한 조사를 요구합니다. 병원에서 조문 시 유족을 밀친 것에 대한 해명과 사과 바랍니다." 시장이 강원대병원에서의 문제를 호도하자 시장의 병원에서의 행동을 문제 삼았다.

"내가 밀친 것을 봤나요? 그 사람이 내가 들어오니까 밀고 반말하면서 먼저 날 밀어서 얘기하기에 내가 밀었어요. 아이들이 잘못된 것에 대해서는 저도 유감이지만… 그리고 내가 왜 그런 대접을 받아야 합니까? 내가 미는 것을 보지 못했으면서 그런 말을 함부로 하지 마세요." 이건 막무가내였다. 본인 입으로 먼저 밀어서 나도 밀었다고 하면서 자신이 미는 것 보았냐고 억지를 부렸다. 다시 시장이 발언하였다.

"조사위가 뭔데, 이는 아이들의 사고에 대해 춘천시의 잘못 여부를 가리기 위한 것이지 여러분을 위해 구성한 게 아닙니다. 산사태 난 지역은 별도로 산림청과 국토해양부에서 전문가들이 내려와서 조사하고 있어요."

"조사위는 춘천시와 합의한 겁니다. 조사위 활동범위에는 기술적 조사와 행정적인 조사가 있습니다. 조사위가 활동할 수 있도록 최대한 지원하겠다는 약속은 누가 했나요?" 최영도의 날카로운 지적이었다. 시장의 궁색한 답변이 이어졌다.

"우리가 비용을 대겠다, 내 입으로 얘기한 적은 없지만, 상식적으로 판단하면 이는 시장이 내는 게 맞아요. 허나 그것도 우리가 감당할 수 있는 범위 내에서 하는 겁니다. 그리고 춘천시의 잘못을 규명하기 위해 기술적 조사가 필요한 것을 본인도 인정합니다. 조사 범위나 방법도 그 범위 내에서는 인정이 되는 겁니다. 근데 우리가 봤을 때는 이 정도는 아니라고 봅니다."

최영도가 말했다.

"저희는 2~3억 원 얘기를 처음 들었고, 5천만 원 정도의 얘기를 들었어요. 서울시는 지질자원연구소에 조사결과를 의뢰했습니다. 현재 춘천시에서는 어느 정도의 비용을 감당할 수 있는지 알고 싶습니다."

"서울의 우면산의 경우는 우리와 다릅니다. 내가 알기로는 우면산은 여러 가지 공사로 산사태가 예견되어 있었던 지역이라 방재사업을 할 필요가 있었던 모양입니다. 그리고 예산이 있었던 모양입니다. 우리의 경우는 아시겠지만 산사태는 위에서부터 발생해 쓸려 내려왔고, 우리가 건축한건 맨 밑에 있었어요. 그런 산에서 산사태가 날지 모르니까, 건축허가를 안 해 준다는 것은 현실적으로 실현가능성이 없어요."

지루한 논쟁이 계속되었다. 반복되는 이야기였고, 결국 춘천시는 책임이 없는데 조사에 그 많은 돈을 왜 투여하느냐이다. 심지어 이렇게 돈이 많이 들어가는 줄 알았으면 합의하지 않았을 거란 이야기를 서슴없이 하였다.

보다 못해 김성규(재현이 아버지)가 나섰다.

"지사님 등은 다 왔지만, 시장님은 42시간 만에 왔습니다. 우린 책임문제를 묻는 게 아니라 도의적인 문제를 거론하는 거고, 물이나 편의시설 하나 제공받은 적 없었어요. 이 부분을 얘기하는 겁니다. 자식 잃은 부모의 입장을 이해해 줘야지, 처음 왔을 때 합의서를 작성했는데, 시장이 감정적으로 나 몰라라 하면 안 되는 것 아닙니까?"

"내가 여러분들의 심정을 이해하는데, 조사위원회의 목적은 시장의 책임 여부를 판단하는 거고, 토목전문가들은 눈으로 보면 다 알고, 이 정도면 건축 허가 시 산사태 걱정해야 하나 안해야 하나를 알 수 있어요. 우린 법을 기준으로 조건만 맞으면 허가를 내줘야 합니다." 반복된 이야기였다.

"우린 조사위서 '시청이 비협조적이다. 왜 일어났는지 조사하려면 객관적 조사가 필요하다. 학자의 양심적 판단을 위해 필요한 금액이다' 라고 들었어요. 합의서를 썼으니 그대로 해야죠. 행정전문가의 각서는 중요합니다."

"여러분들이 조사위에 왔고, 시장은 의논 상대입니다. 요청을 해야죠. 우리 마음이 이러니 시장님이 약속을 지켜달라고 얘기를 해야지… 여러분의 태도는 지금 그게 아니잖아요. 아닌 것처럼 느껴져요." 이제는 협박이다. 너희가 사정을 해야지 시장을 기분 나쁘게 하면 되느냐는 것이었다. 적반하장이었다.

"우리가 왔을 때 시장님을 만나려고 했는데, 어디 갔는지 아무도 얘기 안하고, 문 잠가버리고 나가니까 물리적인 상황이 벌어진 거예요. 원인을 분명히 하세요." 유족들의 인내심이 한계에 도달하였다. 1시간 30분에 달하는 면담이 결과가 없었다. 그래서 어쩌자는 것인지, 유족들끼리 눈짓을 주고받았다. 더 이상 이야기 해봐야 소용없으니 가지 말고 끝장을 보자는 것이었다. 이광준은 약은 사람이다. 분위기를 보니 결코 자신에게 좋을 일이 없다고 판단했는지 이렇게 말하며 면담을 마무리하고자 했다.

"오늘 보고를 받겠습니다. 돈의 감당여부를 판단하지요. 의회승인 여부도 판단하겠습니다. 빨리 매듭짓고 싶어요. 내가 위원들 회유한다고 할까봐 난 위원들 만나지 않았어요. 학자의 양심 얘기와 별도로 재발 방지를 위해 다른 이들도 노력하고 있습니다. 참여할 일은 아니고 단지 춘천시의 책임여부만 거론하면 됩니다. 여러분들이 그렇게 얘기하니 내가 조사위원들을 만나보겠습니다. 그리고 내 입장도 얘기하겠습니다."

김성규가 덧붙였다.

"유족들이 요구하는 게 가장 객관적인 추진입니다. 이를 위해 조사위의 의견을 듣고 추진해야 합니다."

"아직 조사위를 만나지 못했지만, 만나서 얘기하겠습니다. 조사위에 맡긴 이상 나와 조사위가 얘기하도록 그냥 두세요. 그리고 때마다 이런 식으로 나서려면 차라리 소송으로 하는 게 좋습니다." 유족들이 이렇게 난입하는 것에 대한 부담을 느낀 시장은 협박을 잊지 않았다. 유족들이 제일 힘들어 할 소송으로 유도하는 것이다. 이런 소송은 재판이 열리면 원고 측의 부담으로 기술부분 조사를 실시해야 한다. 유족이 소송을 제기하면 지금 논쟁이 되고 있는 기술부분의 조사는 고스란히 유족들의 부담이 되는 것이다. 이를 알고 있는 춘천시장은 유족에게 그럼 소송하자고 협박하는 것이다. 시장의 말 한마디가 마무리 될 것 같은 면담을 다시 촉발시켰다. 시장의 생각이 확고한 상황에서 조사위와 만난다고 해서 해결될 문제가 아니었다. 합의서를 이행할 것을 촉구하며, 조사위의 요구대로 지원할 것을 강하게 권하였다.

춘천시장은 계속 같은 논리로 주장하고, 결국 대책위의 기자회견을 문제 삼았다. 자기를 자극하면 하고 싶어도 안한다고 했다. 계속 지켜만 보던 이건학(민성이 아버지)이 발언하였다.

"조사위의 요구 수준이 깊지 않다면 조사할 필요가 없지 않나요. 자신들은 책임과 의무, 명예 등을 위해 최선을 다해 조사합니다. 다른 사람들이 보기에 잘못된 조사라는 생각을 갖게 하지 않기 위해 하는 겁니다."

"진실규명이 필요는 하지만, 진실규명이 돼야 책임이 있는지 없는지 판단을 하는 건 저도 이해가 되지만, 조사 절차의 정도가 필요 이상으로 심합니다."

"그건 시장의 생각입니다. 조사위원들이 제시한 규정대로 조사를 해야 규명할 수 있습니다."

"그건 조사위원회가 할 일이지 여러분이 나설 일이 아닙니다. 여러분이 나설 거면 조사위를 뭐 하러 만들었나요. 그럴 거면 소송으로 합시다." 또 소송 이야기를 꺼냈다.

"그런 말씀은 하지 마시고, 너무 본인의 주관적 입장에서 말씀하시는데 조사위원의 조사가 이뤄질 수 있도록 해주세요. 근본적 원인을 파악해야죠. 특별재난지역으로 선포된 만큼 시장께서 깊이 고려해 주시길 바랍니다." 김현수 대표가 말했다.

"얘기 끝냅시다. 조사위원 만나보고, 책임규명을 위한 조사내용이 어떤 내용이냐를 물어보고 경비 등을 위해 조사위원을 만나볼 겁니다." 시장은 정리하고 싶었지만, 이광준을 신뢰하지 못하는 유족들은 끝낼 수가 없었다. 이후에도 1시간 넘게 공방이 계속되었고 시간이 갈수록 이광준 시장은 궁지에 몰리고 있었다. 말을 할수록 손해였다. 시장이 입을 열면 유족들을 자극하는 말 뿐이었다. 춘천시의 책임이 있느냐에 대해서는 돈을 댈 수 있지만, 학생들이 왜 죽었냐는 조사에 내가 왜 돈을 대느냐는 발언까지 했다. 유족들의 눈에 핏발이 서기 시작하였다. '저게 인간인가?' 신현범(슬기 아버지)의 머릿속이 복잡해지기 시작했다. 유족들의 집중 공격으로 시장은 조사위원 만나서 협의하겠다고 누차 약속한다. 언제 만날 것이냐에 대해서는 대답을 회피한 가운데 자기도 아이 키우는 사람이니 믿어달라는 말만 되풀이하였다. 빠른 시간 안에 조사위와 만나서 방안을 만들어 보겠다는 약속을 받고 유족들은 17시경 시장실을 나왔다. 믿을 수는 없었지만 싸울 단초는 마련하였다.

면담 이후 진행사항

춘천시장은 유족들을 만나서 조사위원들을 만나 조속한 시일 내에 기술 조사에 관해 협의하고 결정하겠다고 했으나, 면담 후 11일 뒤인 9월 5일에나 조사위원들에게 간담회를 하자고 연락하였다. 고의적인 시간끌기와 회피로 밖에는 볼 수 없었다.

한편 조사위원회 2차가 끝난 후, 유남재 교수와 박창근 교수가 과업지시서를 재작성하였다. 과제 내용을 축소하여 재작성된 과업지시서를 8월 31일 춘천시에 전달하고 9월 5일(월)까지 조사위에서 요청한 기술 조사의 수용 여부를 결정해 주도록 요청하였다. 약속한 9월 5일 춘천시는 수용 여부를 통보한 것이 아니라 다시 9월 8일(목)에 춘천시장과의 간담회를 제안하였다. 이에 대해 홍성태 위원은 조사위가 요청한 기술 조사의 수용 여부를 밝혀야 하는 시한이 된 날에 그것을 밝히지 않고 시장과의 간담회를 재요청하는 것은 잘못이라고 지적하고 거부하였다. 박창근 위원장은 수정안으로 9월 6일(화)에 간담회를 하자고 요구하였다. 춘천시 산림과장이 9월 6일 오후에 춘천시장의 외부일정으로 간담회가 불가하다고 하자 박창근 위원장은 9월 8일 오전 10시 30분에 간담회를 하기로 춘천시 산림과장과 잠정합의하였다. 그러나 박창근 위원장이 확인한 결과 9월 6일 오후에 춘천시장의 외부 일정은 없었다. 박창근 위원장은 유남재 위원과 전화로 상의해서 조사위에서 결정한 과업지시서에 따른 용역 수행 여부를 춘천시장에게 직접 확인할 필요성이 있다고 합의하고 박창근 위원장이 조사위 대표로 9월 6일(화) 오후에 춘천시장 면담을 하기로 하였다.

춘천시장과 조사위원장의 면담은 2011년 9월 6일 오후 2시 20분부터 4시까지 진행되었다. 만나자 마자 춘천시장은 이렇게 이야기하였다.

"산사태 사고에 대하여 춘천시장이 사과할 내용은 아닙니다. 위원회에서 항구 복구계획을 수립하는 것도 아니고 위원회의 목적은 산사태 위험 여부 검토에 있습니다." 라고 말했다. 이에 박창근 위원장은 "위원회가 제시한 과업지시서를 바탕으로 춘천시장이 용역을 수행할 의지가 있는지를 확인하러 왔습니다. 만약 그럴 의사가 없다면 위원회의 존재 의미는 없습니다."

춘천시장은 직설적으로 조사비용에 대해 언급하였다. "조사비용 2천만 원 이상은 사실상 어렵습니다. 그 이상의 용역비를 지출하려면 춘천시의회의 승인이 필요한데 의회는 부정적입니다. 필요시 유가족과 공동으로 용역비를 마련하는 것도 검토할 수 있다고 생각합니다." 마지막 이야기는 유족과의 2시간 30분에 걸친 간담회에서도 전혀 언급하지 않은 즉흥적인 발언이었다. 비용을 유족과 공동으로 마련한다니 합의정신을 위배하는 발언이었다.

이어서 시장은 강원대에 수의계약으로 용역을 주는 것을 제안했으나 그 당사자인 강원대 유남재 교수가 이미 조사위원으로 참여하여 거부의사를 수차례에 걸쳐 밝힌 바 있으며, 관련 학회에 수의계약의 문제도 용역단가 문제를 안고 있는 상황이었다. 춘천시장은 과업내용을 쪼개서 진행하자고 하였으며, 배석한 산림과장이 강우 분석은 이미 소방방재청에서 했기 때문에 과업내용에서 빠져야 된다고 하였다. 그러나 강우 분석과정을 살펴보지 않고 그대로 받아들이기는 어렵다고 박위원장이 주장하자, 춘천시장은 공기관에서 분석한 내용을 부정하는 것은 적절하지 못하다고 반박하였다. 그러나 이런 부분은 춘천시가 계약과정에서 조절할 수 있는 사항이었다.

결론 없이 문제만 제기하던 춘천시장은 춘천시 추천 조사위 위원인 안준호 변호사가 과업지시서에 대하여 작성한 서류를 보여주면서 과업의 범위가 너무 넓기 때문에 과업을 축소하는 것이 바람직하다고 주장하였다. 이에 대해 박창근 위원장은 과업지시서 작성은 조사위가 기술분과에 위임한 사항이고, 또한 과업지시서는 기술적인 문제이지 행정적인 문제가 아니므로 그에 대한 안 위원의 논의는 부적절하다고 반박하였다. 춘천시 건설국장과 유남재 위원장은 과업지시서를 작성할 때 박창근 위원장이 주도적으로 할 것을 요구하였다. 과업지시서 초안을 박창근 위원장과 유남재 위원이 상호 합의하여 최종 결정하였으며, 박창근 위원장은 민간 용역업체의 도움으로 과업지시서 초안을 작성하였다. 유남재 위원과 박창근 위원장이 최종 합의한 과업지시서를 용역업체에서 팩스로 춘천시에 보냈다.(당시 박창근 위원장은 4대강 문제로 낙동강 현장조사 중이었기 때문에 용역업체에게 팩스 송부를 요청하였다. 춘천시와 이메일 소통에서 계속 에러가 발생하였기 때문에 춘천시 산림과장 이현호가 팩스로 송부해줄 것을 요청하였다.) 춘천시 산림과장이 용역업체에게 개략 용역비의 산정을 요청하였고 춘천시장과의 면담 과정에서 춘천시 산림과장이 춘천시장에게 제출한 서류는 용역업체에서 춘천시에 제출한 팩스표지, 과업지시서와 개략용역비 등이었는데, 춘천시장이 박창근 위원장에게 용역비를 산정하였는지를 물어보았다. 용역비 산정을 박창근 위원장이 하지 않았고 과업지시서는 용역업체에게 부탁하여 춘천시로 송부할 것을 요청하였다고 답하자, 이에 춘천시장은 관련 서류를 산림과장 쪽으로 던지면서 '허위서류이므로 찢어 버리라' 고 지시하였다. 그 후 국장이 개략 용역비가 1.1억 원인데, 이는 박창근 위원장이 얘기한 금액과 비슷하므로 혹시 박창근 위원장이 용역비 산정에 관여했는지 의혹을 제기하였다. 이에 박창근 위원장이 언성을 높여 '매우 위험한 발언' 이라고 항의하면서, 춘천시장이 서류를 던진 것에 대해서도 부적절하다고 항의하였다. 입찰을 한다면 경쟁을 통해 용역회사가 결정될 것이고, 조사위에서 과제수행 절차에 대하여 엄격하게 관리할 것임을 분명히 하였다. 결론은 없었다.

춘천시장은 춘천시 추천 조사위 위원인 안준호 변호사가 과업의 범위를 축소하는 것이 바람직하다는 의견을 제시했다고 하면서 9월 8일에 위원 6명이 모인 상태에서 간담회를 하자고 했다. 산림과장이 6인 모두 9월 8일 회의에 참석할 것이라고 춘천시장에게 보고하였다. 춘천시장이 박창근 위원장에게 그날 참석하여 최종 결정을 하자고 하였고, 박창근 위원장은 위원회에서 기술 조사를 기술분과에 위임하였고, 유남재 교수와 상의한 결과에 따라 춘천시장을 면담하여 기술 조사의 수행 여부를 확인하러 왔기 때문에 여기서 결정할 것을 요구하였다. 시장은 이에 대한 명확한 답변 없이 계속 9월 8일 전체 회의만을 주장하였다. 박창근 위원장은 만약 춘천시장이 용역을 수행할 의사가 없다면 더 이상 위원회를 유지할 명분이 없다고 통보하자, 춘천시장은 언성을 높였고 서로 고성이 오가다가 박창근 위원장은 "오늘 면담에서 춘천시장은 진정성이 없고 상호 신뢰가 무너졌기 때문에 더 이상 위원회를 할 수 없음을 확인하였다"고 얘기하고 일어섰다. 이에 춘천시장은 "조사위원회를 임명한 사실이 없다"고 마지막 발언을 하였다. 위촉장을 안 준 것이 고의적인 것이었음이 명백한 것이었다. 이는 위원회를 형식적으로 운영할 생각이었다는 것이다.

9월 8일 간담회는 춘천시 추천 위원들만의 자리로 만들어졌다. 춘천시 산림과장의 보고와는 달리 박태현 위원은 오전에 수업이 있었고, 홍성태 위원은 기술분과 위원들이 처리할 문제이기에 참석하지 않겠다고 통보한 상태였다. 11시부터 시작된 간담회에서 춘천시장은 과업지시서의 항목 조정과 삭제를 전제로 조사 예산을 지원하겠다는 것과 2,000만 원 이상 예산에 대해서는 의회 협조를 구하기 위해 노력하겠다는 입장을 밝혔다. 사고조사위원회가 개최되어 이 같은 춘천시의 입장이 수용되기를 조사위원들에게 요구하였다. 기술 쪽 위원들은 시의 입장을 확인한 결과 조사위원회가 계속 진행되기는 어려운 것 아니냐는 입장을 제기하고 유족 측 조사위원들이 참석하지 않은 이유를 물었다. 시청측은 유족 측 조사위원들이 이유 없이 참가하지 않아 사고조사위원회가 열리지 못하고 간담회로 대체했다는 거짓말을 하였다. 이렇듯이 이광준 시장은 유족들에게나 유족 측 추천위원들에게는 고압적인 자세로 일관하면서 자신이 추천한 위원들에게는 사정하고 부탁하는 방법으로 회유하고자 하였다. 그러나 그런 방법이 통하지 않는다는 것은 3차 조사위원회에서 여실히 밝혀졌다.

5. 대책위 활동 및 인하대 등에 대한 대응

대책위가 대응해야 할 곳은 춘천시만이 아니었다. 생업을 하는 유족들에게 가장 부담스러운 것은 시간의 문제였다. 그리고 부족한 일손이었다. 자체적인 활동에 있어서 가장 중요한 것은 이 참사에 대한 진상을 밝혀내는 것이다. 춘천시와의 합의로 조사위원회를 구성했지만 사실 관계 조사와 전반적인 내용파악은 기대하기 어려운 상황이었다. 조사위원들에 대한 지원을 위해서 만든 조사팀이었지만 대책위를 위해서도 조사팀의 역할은 아주 중요한 것이었다. 조사팀과 부상자 대책팀, 기획 총괄팀의 일이 점차 늘어만 갔다. 여기에 언론에 대한 대응도 쉽지 않은 일이었다. 조사팀은 자체 조사위원회의 역할로 점차 발전되어갔다. 아이디어뱅크 회원들, 지역 주민들, 인하대학교 관련 사항과 발명캠프 관계자 등 조사의 폭이 넓어졌으며, 기술적인 부분의 조사도 병행하게 되었다. 이 부분에 있어서는 엔지니어링업계 토목 전문가들의 도움을 받아 진행하기도 하였다. 단순한 조사 뿐 아니라 녹취 작업을 진행하고 자료를 분석하고, 유족들 인터뷰도 진행하였다. 지역에 대한 조사는 춘천시 해고자인 홍성호와 전 도의회의원 최원자 등이 적극 지원하였다. 부상자 대책팀에서는 인하대병원에 입원해 있는 학생들을 대상으로 지속적인 병문안과 면담을 진행하고 학교와의 협의지원 등을 통해 서로 연대하는 계기를 만들었으며, 기획 총괄팀은 언론, 기자회견 및 시위 준비 기획 업무, 대외 단체와의 연대, 재정 등 대책 마련에 정신이 없었다.

대책위 차원에서 전략적인 목표 설정이 필요하였다. 핵심 요구는 ▲진상규명 ▲재발 방지 ▲사상사 보상으로 설정하였다. 이에 따라 각 단위에 핵심 요구를 정식으로 전달하고 수용을 촉구하기로 하였다. 이 참사에 관련된 곳들은 춘천시, 강원도, 국방부(나중에 설명하겠지만 산사태의 일차적인 원인은 국방부가 제공한 것임), 행정안전부(자원봉사 관련), 인하대학교, 발명진흥회, 전국발명동아리연합회, 아이디어뱅크 등이었다. 물론 모두 가해자인 것은 아니다. 그렇다고 모두 우호적인 사람들도 아니었다. 대책위원회는 1차적으로 춘천시, 인하대학교, 발명진흥회에 대해 대응하기로 하였다. 춘천시에 대해서는 조사위원회를 중심으로 총력을 다해 대응하기로 하였으며, 발명진흥회는 공세적 대응을 하려면 너무 대책위 힘이 분산된다는 입장이 강해 '공개 사과와 유사 행사에 대한 재발대책 수립'을 요구하기로 하였다. 공문 또는 항의 방문을 통해 주최 측의 책임 문제를 제기하고 공개 사과, 이후 유사 행사에 대한 개선(재정 지원 확대 및 사후 책임과 감독 강화) 등을 요구하기로 결정하였다. 발명진흥회가 거부한다면 성명서 등을 통해 발명진흥회의 무책임을 질타하고, 여론전을 통해 사회적으로 문제제기하는 것으로 방향을 잡았다. 발명진흥회와의 면담은 9월 6일(화) 16시로 잡혔다. 발명진흥회 측에서는 발명진흥회 직무대행(부회장), 경영기획본부장, 발명진흥팀장, 발명진흥팀 계장이 참석하였고, 대책위에서는 김현수 공동대표, 현빈이 아버지 김문호, 정용재 총괄기획팀장이 참석하였다.

발명진흥회에서는 참사 사전 사후 발명진흥회 관련 사실관계 확인 및 해명을 하였고, 대책위에서는 준비한 질의사항을 중심으로 주최 문제, 향후 재발방지 대책 등을 요구하였다. 직무대행은 차후 진흥회 차원에서 보험 가입 등 구체적인 대책 마련을 할 것이라는 내용을 중심으로 추가 답변하였다. 대책위에서 준비한 질의서를 전달하였고 면담 과정에서 해명하거나 답변했던 내용을 문서로 답해줄 것을 요청하고 진흥회 측에서 문서 답변을 약속하면서 면담을 마무리 하였다. 발명진흥회는 9월 8일 약속대로 답변서를 보내 주최 문제에 대한 해명과 향후 예산 확보를 통해 보험 가입 등 안전 예방 조치 수립에 노력하겠다는 것 등을 명시하였다.

인하대학교와의 관계는 2차에 걸친 질의서에 대한 답변을 보고 대응 방안을 결정하기로 했는데, 학교의 답변서에는 문제가 있었다. 자신들의 학생지도 책임에 대한 회피가 명백하였다. 그러나 학교에 대해서는 학교가 자발적으로 나서서 지원하고 모금까지 추진하는 것을 감안하여 자원봉사 동아리에 대한 지원과 활성화 방안을 모색하고 재발방지를 위한 제도화 등을 요구하는 것으로 결정하였다. 물론 주변의 법조인들은 이 문제에서 소송을 하려면 학교를 빼면 안 된다는 입장이었다. 하지만 유족들 중 다수의 정서를 무시할 수는 없었다. 참석자들이 동의하는 가운데 어떤 요구를 할 것인가? 요구서를 어떤 취지와 내용으로 보낼 것인가에 대한 많은 논의가 있었다. 회의를 통해 다섯 가지의 요구를 결정하였다. 1) 유족에 대한 학생지도 책임기관으로서의 유감 표명 2) 전체 인하대학교 학생에 대한 단체보험 가입 3) 동아리 활동지원(사회봉사장학금의 증액「현행 15만원」 동아리회장 장학금「현행 20만원」 증액 및 대상 확대, 동아리발전기금 확대 : 동아리사업이 실질적으로 가능하도록 지원) 4) 춘천시와의 대응에 있어 인하대의 지원 5) 부상자들의 후유증 치료와 치료(외래포함)기간 특별장학금 지급이었다.

인하대학교는 성금 모금한 것을 분배하며 9월 20일 합동 분향소 철거에 유가족들이 함께 참여하여 성금 전달식을 하자고 제안하였다. 알아본 결과 그날 재단 이사장이 와서 유족들에게 성금 전달식을 한다는 것이었다. 두 가지의 문제의식이 있었다. 하나는 전 국민의 성금을 인하대 재단 이사장이 전달하는 것은 생색내기라는 것이었다. 둘째 학교가 설치한 합동분향소를 유족에게 같이 치우자는 것은 무슨 경우인가? 장례식장을 유족에게 치우라는 것인가? 불가한 이유를 적시하여 김현수 대표가 학교에 직접 전달하는 것으로 하였다.

대책위의 요구는 대부분 동아리 활동과 부상자들의 문제였다. 그래도 그들은 살아 있는 것 아니냐는 문제 제기도 있었지만 그래도 우리가 함께 해줘야 한다고 설득하여 추진해 나갔다.

6. 이광준 시장의 약속 파기와 조사위원회 해체

조사위원장과 춘천시장과의 면담은 조사위원회의 해체를 의미하였다. 이광준 시장은 노골적으로 조사위원회를 유지하고 싶지 않음을 분명히 하였다. 사실 유족의 입장에서 조사위원회는 잘못 끼워진 단추와 같았다. 조사위원회의 기술 검토에서 인재로 밝혀지기에는 아주 적은 확률이었다. 그러나 처음에 잘 모르고 대응하다가 이광준 시장이 제안한 것을 받는 바람에 여기까지 끌려오게 되었다. 다만 시청이 추천한 기술쪽 교수 두 분도 학자적인 양심이 있는 훌륭한 분들을 만나 혹시나 하는 기대가 있었던 것이지 내심 걱정하고 있었던 부분이었다. 그러나 시장이 약속을 지키지 않는 것에 대해서는 대단히 불쾌하였다. 대책위는 한편으로는 조사위원들께 유족들을 생각해서 다시 조사위원회를 해 줄 것을 부탁하고, 한편으로는 춘천시와는 도저히 안 되겠어서 강원도와의 접촉을 준비하고 있었다. 아쉬운 것은 없었다. 이광준 시장이 깬다면 유족으로서는 명분이 충분히 있는 것이었다. 이광준 시장의 이해할 수 없는 행동은 계속되었다. 이해할 수는 없었지만 평상시의 언행이 제 정신은 아닌 것 같았다. 깨져도 할 수 없으니 강력하게 나가기로 하였다. 9월 8일 목요일에 춘천시청으로 모두 갔다. 시청 민원실에 모여 있는데, 시청 본관 앞부터 장난이 아니었다. 본관 정문을 막고 시청 직원들이 서 있는 것이었다. 세 겹으로 막아서 시청 직원들을 뚫을 수는 없었다. 오후 1시 30분경 유가족들에게 춘천시청 공무원들이 '사고조사위원회 예산 지원이 된다' 며 기자회견을 하지 말 것을 요구하였다. 유가족들은 구체적인 내용에 대한 문서 제출을 요구하며, 기존 춘천시의 행태에 대해 강하게 항의하고 기자회견을 예정대로 강행하였다. 국장과 과장급들이 나와서 유족과 비유족을 구분하고, 외지인들이 와서 난리라고 시비를 걸었다. 충돌이 있었다. 하지만 경험 많은 정용재 팀장이 지혜롭게 넘기며 충돌을 최소화하였다. 기자회견은 오후 2시가 넘어서 춘천시청 본관 앞에서 유가족들과 인하대학교 총학생회장, 동아리 학생들이 참석한 가운데 진행되었다. 춘천시 직원들이 배경이 되어 주니 모양은 좋았다. '7.27 춘천 참사 사고조사위원회 활동 정지 사태에 대한 입장 발표 기자회견'을 개최하였다. 기자회견에서 유족 측 조사위원들의 입장도 함께 발표하였다. 기자회견에 두건을 쓰고 참여하였던 유족들은 바로 춘천시청 본관 앞에서 항의 농성 및 피케팅에 돌입하였다. 시청 본관 입구를 춘천시 직원들이 막고 있어 건물 안으로는 진입할 수가 없었다. 몇몇 유족들과 춘천시 간부들과의 말다툼이 있었다.

"이광준이 뭐가 겁나서 직원들을 동원해서 이 지랄이냐?"

"아니, 춘천 사람도 아닌 사람들이 여길 이렇게 무단 점거하면 어떻게 해?"

그렇게 이야기 하는 춘천시 건설국장의 뒤에는 '아름다운 호반의 도시 춘천'이라는 플래카드가 걸려 있었다.

"아름다운 것 좋아하네, 관광으로 먹고 산다는 놈들이 외지인을 이렇게 대접해?"

"불쌍하다, 시킨다고 공무원이 여기 이렇게 나와 서 있니?"

"들어가서 일들 해. 세금이 아깝다."

유족들의 공세에 서 있던 시청직원들은 고개를 들지 못했다. 이광준 시장의 수하들만 설치고 다녔다. 춘천시 건설국장 이하 간부들의

농성_연합뉴스

몰상식한 언어 폭력에 유족들은 열을 받다가 못해 기가 막혔다. 조용히 앉아 있던 전온순(경철이 어머니)이 옆에 앉아 있던 정경원(민하 어머니)에게 한마디 하였다.

"저것들이 우리를 우습게 보는 거죠?"

"그러게 말이에요. 우린 뵈는 게 없는 사람들인데 뭘 믿고 까부는지."

농성을 시작하자 시청 측에서 오전 춘천시장과 시측 조사위원들의 간담회에서 예산확보 방안이 수립되었으므로 농성을 정리할 것을 종용하였다. 대책위는 구체적인 내용을 수록한 공문을 요청하였고 공문을 현장에서 작성해 주기로 하였으나 결국 공문은 오지 않았다. 거짓말이었다. 본관 앞에는 농성대오를 유지하면서 시청정문 앞 일인시위와 유인물 배포 등의 선전활동을 교대로 진행하였다.

어둠이 밀려오기 시작하였다. 저녁은 시켜 먹기로 하였다. 저녁이 되자 대치 국면이 조금 느슨해졌다. 전성원 인하대 총학생회장이 직접 저녁 주문을 챙기고, 자리도 정리하였다. 9시가 넘어 왕래하는 사람도 없어지자, 대책위는 잠자리를 깔며 들고 있던 플래카드를 본관 앞 기둥에 묶었다. 그러자 시청 직원들이 다시 분주하게 움직이기 시작하였다. 시청 직원 몇 명이 본관 기둥에 걸려 있는 플래카드를 잡더니 한 명이 가위로 끊어버린 것이다. 순식간의 일이었다. 누워 있거나 앉아 있던 사람들이 모두 일어났다. 제일 흥분한 사람은 최영찬 공동대표였다. 유가족 중 가장 점잖다고 평가되고 교회 장로였는데 그도 더이상은 참을 수 없었던 것이다.

플래카드

"내가 참으려고 했는데 이제 못 참아! 이 플래카드의 줄을 끊은 건 내 목을 자른 거와 같아. 어서 그 자식 잡아와서 사과하지 않으면 가만 안 있겠어!" 버럭 지르는 소리에 모두 놀랐다. 시청 직원들은 물론이고 대책위도 놀랐다. 저런 면이 있었구나…. 그냥 넘어갈 수는 없었다. 유족들이 앞장섰다. 쳐들어갈 태세였다. 지난번에 시장실에 쳐들어간 것 때문에 출입을 막은 것 같은데 더 큰 문제가 발생한 것이다. 당직을 서는 계장이 쩔쩔매며 그 친구는 집에 갔다고 둘러대며 대신 사과하겠다고 했다. 통할 수 없는 문제였다. 30분의 시간을 주었다. 이제 다시 시장실로 올라갈 판이었다. 집에 갔다는 시청 직원이 왔고, 공개적인 사과를 하였다. 일단락되는 듯하였다. 이 때 화장실을 다녀오던 김성규(재현이 아버지)가 시청 직원들에게 일갈하였다.

"우리 아들이 산이나 바다에서 놀다가 죽은 게 아니라 집에서 자다가 죽었단 말이요. 어떻게 집에서, 그것도 숙박업소에서 자다가 죽는단 말이요? 이게 말이 됩니까?"

그렇다. 말이 안 되는 것이다. 학생들이 묵었던 곳은 일반 집이 아니라 숙박업소인 민박집이 아닌가? 아들 때문에 참사 현장에서 다친 팔에 깁스를 하고 있던 김성규는 그 팔을 들어 올리며 외치고 있었다. 한탄과 함께 외치는 김성규의 눈에서 눈물이 흐르고 있었다.

춘천의 9월 밤은 벌써 추웠다. 그러나 유족들의 가슴에는 얼음덩이를 안고 있었다. 아침에 다시 전열을 가다듬고 농성을 계속했다. 9일 아침이 밝자 분주해진 시청에서 연락이 왔다. 11시에 3차 조사위원회가 열린다는 것이다. 그래도 농성의 효과가 있었다. 춘천시장과 조사위원 6인이 참여하는 조사위원회가 열렸다.

조사위원회가 시작되고 박창근 위원장은 시장 면담까지의 경과를 설명하고, 박상덕 위원은 9월 8일 오전 진행된 시측 조사위원과 시장과의 면담 결과를 설명하였다. 박상덕 위원은 과업지시서가 전체회의에서 통과된 것이 아니라는 시장의 문제제기가 있었음을 설명하였다. 논의에 들어가기에 앞서 춘천시장의 신상발언이 있었다. 신상발언의 주요 내용은 '항목 조정이 필수적이며 조사위원회에서 항목조정이 되면 예산지원에 협조하겠다. 박창근 위원장이 거짓말을 하고 있다' 등이었으며 회의 시작 이전에 사고조사위원회의 권위와 위상을 부정하는 발언을 하여 사고조사위원회의 해산을 유도하였다.

"조사위 구성 목적은 산사태의 춘천시 책임 여부를 따지는 것이다. 시장이 사과하고 보상할 만큼 책임이 있는지 필요한 내용을 법률가가 판단하여 작성해야 하는데 순전히 토목기술적으로 작성되었다. 현장에 가봐야 하는데 현장에 안 가본 사람이 작성하였다. 조사위 전체 회의에서 결정해야 한다. 2천만 원 이상이면 의회에 제출, 안 되면 관동대, 강원대에 요구하자고 제안했지만 박창근 위원장이 그 자리에서 거절하였다. 인하대나 발명진흥회에 하자는 제안도 거절하고 1억 원 안 만들어 주면 위원장 사퇴하겠다고 했다."

박창근 위원장은 "의혹 부분은 위원들이 원하면 해명하겠다"고 하였다.

유남재 위원이 발끈하였다. "현장 안 갔다 온 사람이 썼다는 얘기는 잘못되었다. 현장 4번 다녀왔다. 과업지시서 몇 차례 수정한 것이고 비전문가가 쓴 것 아니다"라며 자신의 입장을 밝혔다.

"처음 구성부터 쉽지 않겠다고 생각했다. 시는 천재, 유족들은 인재라 생각한다. 가능하면 객관적으로 하기 위해 노력했다. 비가 많이 와서 산사태가 났다. 지형지물 등을 고려하여 분석해야 한다. 결국 법리적으로 판단해야 한다. 객관적으로 판단할 수 있는 방법이 무엇인지? 제3자인 학회에 맡기자. 위원회 존속 의미가 없다."

이어 시측의 박상덕 위원이 발언을 했다.

"유남재 교수님 말씀과 대동소이하다. 자연재해가 발생하고 전문가가 참여하여 갈등을 해결하는데 조사위가 필요하다. 위원회와 시가 대립하는 게 아쉽다. 이 시점에서 할 수 있는 부분은 다했다. 위원회 역할은 끝났다."

"시장 발언과 태도에 문제가 있다. 몰상식하다. 언론 앞에서 대놓고 거짓말을 한다. 화요일에 박창근 교수를 만난 자리에서 위원회 인정한 적이 없다고 말하지 않았나? 참사 해결 의지가 있는지 의심스럽다. 수정 과업지시서 8월 31일, 9월 5일까지도 안 정해줬다. 위원회 핵심 내용은 기술조사였고, 두 분 전문가에게 과업지시서 작성을 위임했다. 시에서 못 받겠다고 했다. 행정차원의 조사는 어느 정도 마무리 되었다. 춘천시의 책임이다. 마적산 방공호 관리 부실, 배수로 관리 부실, 건물의 문제, 시에서 조사위 거부했다는 것이 결론이다."「홍성태 위원」

"조사위는 독립적으로 운영되어야 한다. 구성은 잘 됐다. 법리적 근거를 이끌어 내려고 노력했다. 자연재해가 늘 사고로 이어지지는 않는다. 인재적 성격을 밝히기 위해 위원회를 구성한 것이다. 기술적 판단은 법리적 판단의 기초자료가 된다. 위원회에서 전문가에게 위임한 사항이다. 제3자가 얘기하는 것은 부적절하다. 제 의사와 상관없이 위원회는 존속이 불가능하다."「박태현 위원」

"자치단체의 책임을 묻는 구조는 2개이다. 공무원의 과실, 공공의 영조물에 대한 책임. 어떤 사례가 있을까 찾아보았다. 공공의 영조물이 아닌 경우 알고 있었는지, 요구를 했는데 묵살했는지가 중요한 기준이다. 전체 회의에서 이런 점을 고려하여 정리하고 다시 해보자는 의견이다. 하지만 기술분과에서 어렵다고 판단하니 위원회 활동은 어렵다고 본다." 「안준호 위원」

몇 가지 의견이 더 오갔지만 여섯 명의 위원 의견이 다 나온 상태이므로 박창근 위원장이 정리하였다. "위원 전체가 위원회 활동이 어렵다고 판단하고 있다. 춘천시가 위원회를 인정하지 않고 있으므로 위원회는 해소한다."

대책위원회는 사고조사위원회 해산 결정 직후 기자회견을 통해 사고조사위원회 해체에 대한 책임은 전적으로 이광준 춘천시장과 춘천시에 있음을 밝힌다. 그리고 유족과의 약속을 파기한 책임을 이광준 시장은 분명히 져야 할 것이며, 이제는 춘천시 뿐 아니라 강원도, 행정안전부, 청와대 등 모든 행정기관에 참사의 원인 규명을 요구할 것이며 이를 위해 끝까지 투쟁할 것임을 선언하였다.

대처법 4

대책위원회의 구성은 폭넓게 하고 실무 능력을 확보하라. 이번 대책위의 대상은 인하대 사망자 10명, 일반인 사망자 3명, 부상자 20여 명이었다. 대책위는 최대한 넓게 구성해야 한다. 사회적인 파장이나 힘을 위해서는 필수적이다. 자신의 문제가 가장 힘든 상황임을 생각해서 축소하면 결국 입지가 좁아질 수밖에 없다. 개별적인 특징은 대책위 내에 협의회를 구성하여 특화시키면 된다. 또한 작은 차이는 쟁점화하지 말고 실무 능력을 확보해라. 조직을 결성한다는 것은 개인의 능력이 아닌 조직적인 힘으로 일을 하겠다는 것인데 그에 걸맞는 체계와 말이 아닌 행동으로 실천할 힘을 갖추어라.

대처법 5

잘못된 합의라도 성실한 대응을 통해 해결책을 찾아라. 조사위 합의는 분명 대책위 입장에서는 잘못된 것이다. 하지만 절대 먼저 깨지 말고 성실하게 임하라. 결론도 불리해지란 법은 없다. 최대한의 명분을 축적하는 것이다.

제 4 장

자체 진상조사 및 투쟁 돌입

1. 자체 진상조사 및 투쟁준비

1박 2일의 농성이었지만 유족들의 몸 상태는 말이 아니었다. 한데서 날밤을 새웠으니 온전할 리가 없었다. 참사 이후 계속된 투쟁에 몸은 지치고, 이광준 시장의 약속 파기로 조사위원회가 해체되자 지난 40여 일의 노력이 수포로 돌아가는 것 같았다. 국면 전환이 필요했다. 춘천시와의 싸움은 지속해야겠지만 이후 가능성 있는 방안을 찾아봐야 했다. 조사위원회가 끝나자 바로 입장을 발표하는 기자회견을 하고 농성을 정리하였다. 9월 12일이 추석이었다. 토요일인 10일부터 추석 연휴가 시작되고, 추석 다음날인 13일이 아이들의 사십구재였다. 유족들에게 휴식도 필요했다. 유족들의 무너져 내리는 마음을 비웃기라도 하듯이 춘천시청 공무원 중 귀향길에 오르는 사람들이 눈에 띄었다. 명절은 그냥 지나칠 수 있어도 아이들 사십구재는 지내야 했다. 대책위 차원에서는 별도의 행사를 안하고 유가족들이 개별적으로 하기로 하였다. 명절을 쉬고 사십구재 지내고 9월 17일에 다시 모이기로 하였다.

그러나 9월 17일까지 놀 수는 없었다. 이미 농성장에서부터 이후 투쟁에 대한 이야기가 오갔다. 유족들 간에 차이는 있었지만 강력한 투쟁이 필요하다는 것에는 모두 동의하고 있었다. 김용주(유라 아버지)가 상여시위를 제안하였다. 본인이 직접 상여 제작업체를 알아보고 적극적으로 제안을 했다. 실무적인 준비를 하는 사람들의 입장에서는 난감했지만 대부분 유족들이 동의하는 내용이라 추진되었다. 문제는 상여시위를 하려면 최소한의 인원이 필요했다. 영정을 들고, 상여를 멜 사람들, 만장을 들 사람 등 쉬운 문제는 아니었다. 그냥 걸어갈 수는 없으니 플래카드와 선전물도 만들어야 했고 준비할 것도 많았다. 상여시위는 선전전과 함께 9월 24일에 하는 것으로 하고 준비에 들어갔다.

그러나 투쟁계획 보다도 더 중요한 것이 있었다. 첫째, 원래 9월 말을 목표로 했던 투쟁이 이광준 시장의 비협조로 장기화 될 조짐이 보였다. 무조건 왔는데 이제는 유족들의 마음가짐부터 결의가 안 되면 쉽지 않을 것이며, 투쟁 방향에 대한 공유가 필요했다. 둘째로는 조사위원회가 해체되었으니 참사 경위와 문제에 대해 어떻게 할 것인가의 문제였다. 셋째로는 인하대학교, 강원도 등 다른 책임주체들에 대한 대응이었다. 그리고 조사위원회가 해체되고 추석 이후 참사 현장 복구 이야기가 떠돌았다. 현장 보전에 대한 것도 고민이었다. 무엇보다 중요한 것은 조사위원회에서 했어야 하는 결과 발표를 어떻게 할 것인가에 대한 고민이었다. 조사위원들에 대한 지원을 위해 만들어진 조사팀이 맡을 수밖에 없었다. 조사팀은 8월부터 현장 탐문을 시작으로 마적산 조사, 아이디어뱅크 회원들 면담, 천전리 마을 주민 면담 등 꾸준한 활동을 진행해왔고, 조사위원회 유족 측 조사위원들에게 조사결과를 제공해 왔다. 진상조사 결과에 대한 공개가 조사팀원으로 조사팀을 지원하던 이승원에게 맡겨졌다. 진상조사보고서 초안을 17일까지 내기로 한 것이다. 그동안 조사팀장인 이건학(민성이 아버지)과 팀원들이 적극적으로 협조하여 많은 부분이 조사되었고, 법률적 · 기술적인 전문가들의 검토만 된다면 공식적으로 사회에 발표해도 문제는 없을 것이라 판단하였다. 추석 연휴를 반납하고 보고서 작업에 들어갔다. 법률적으로는 민변 등의 지원을 받아 별로 큰 문제가 아니었지만 기술적인 문제는 우리나라 토목학회의 구조상 쉽지 않았다. 서울시립대 이수곤 교수와 우리 측 조사위원을 해주신 박창근 교수 정도가 인재를 이야기하지 학연, 프로젝트 수주 등에 얽혀서 토목학회의 회원들 중 양심적으로 나서 줄 사람들이 없었다. 접촉 해 본 사람들은 비공개라면 자문해 줄 수 있다는 정도였다. 일단 보고서를 작성하는 것이 급선무였다. 17일 날 대책위 차원에서 발표하고 의견을 수렴하기로 하였다.

그리고 9월 17일 대책위 차원의 교육을 배치하기로 하였다. 교육은 이승원 조사위원이 맡기로 하였고, 9월 17일 안정적인 장소에서 이후 방향에 대해 정리하기로 하였다. 9월 17일은 토요일이었다. 16시에 여의도 미원빌딩 8층 최영도(민하 아버지)의 회사 회의실에서 모였다. 유가족들과 인하대 학생들이 참여한 가운데 교육이 있었다. 내용은 '이번 참사로 인한 죽음의 의미와 투쟁을 통해 무엇을 얻을 것인가?' 였다. 사례와 실제적인 이야기를 통해 유족들이 마음의 결의를 해줄 것을 요구하는 것이었다. 이어서 진상조사보고서 설명이 있었다. 아직 법률적인 검토와 기술적인 검토가 완료되지 않았음을 전제로 설명이 되었다. 피상적으로만 생각했던 문제들이 구체적으로 제시되자 유족들 중에는 충격으로 받아들이는 사람들도 있었다. 이런 문제들 때문에 내 아이가 죽었고 아무도 책임지는 사람이 없는 현실을 생각하니 답답하기만 하였다.

이후의 대책위 활동방향 및 주요 전술에 대해 정용재 팀장이 발제하고 유족들의 의견을 수렴하여 결정하였다. 9월 말까지의 총체적이고 세부적인 계획까지 수립하여 이후 쟁점 없이 실천이 가능한 구조를 만들었다.

대책위 활동방향 및 주요 전술

- **핵심 방향** : 사고조사위원회 해체와 관련해 진상 규명에 대해 의지 없는 춘천시를 적극적으로 규탄하고 춘천시 뿐만 아니라 강원도를 대상으로 국정감사 등을 최대한 활용하여 참사 해결을 촉구하도록 한다. 대책위원회의 향후 활동방향에 대한 토론 및 주요 요구사항을 재정리하여 각 단위에 해결을 촉구하기로 한다.

[현재 상황에 대한 인식]

조사위가 해체된 상황에서 '천재' 냐 '인재' 냐에 대한 원인 규명을 계속해서 요구하는 것은 별다른 의미가 없다. 이미 행정당국의 태도와 입장으로 확인되고 대책위 조사보고서를 통해서도 확인되듯이 참사는 명백한 '인재' 임을 우리 스스로 확신하고 이제는 원인 규명에 대한 요구에 집중하기보다 '재발방지와 책임자 처벌, 보상' 을 주요하게 요구해야 한다.

[각 단위에 제기할 주요 요구안]

1) 춘천시 : 참사의 원인 규명에 대해 행정당국의 의지가 없음을 확인하였으므로 대책위가 확보한 증거 자료들을 토대로 '인재'임을 확인한다. 춘천시에 대해서는 '사고조사위원회 해체' 를 중심으로 그에 대한 책임을 집중적으로 묻고 주요 요구로 '춘천시장과 춘천시 공개 사과, 유가족 합의사항 파기 책임 촉구, 재발방지대책 수립과 집행' 으로 한다.

2) 강원도 : '재발방지대책 수립, 춘천참사 진상규명 노력 좌절에 대한 책임자 처벌, 유가족 보상' 을 주요하게 요구한다.

[각 대응 방향과 계획]

1) 춘천시 : 다음 주부터 강력한 규탄 행동에 들어가도록 함

- 9월 24일 : 항의집회(상여시위) 및 선전전(청량리역에서부터 춘천까지)
- 일인시위와 선전전 : 요일별로 2가족씩 지정하여 9월 20일부터 진행. 일단 9월 말까지

2) 강원도

- 강원도지사 면담 요청 공문과 대책위 요구안 발송 : 9월 20일(화)
- 면담 시기는 9월 27일(화)로 요청함.
- 면담시 강원도 국정감사일(9월 30일)을 앞두고 있기 때문에 강력한 항의행동을 준비하도록 함

3) 국정감사 대응

- 국회 행정안전위원회의 강원도 국정감사 일정 : 9월 30일 10시
- 국회 행정안전위원회 의원 현황
  - 위원장 : 이인기 의원(한나라당)
  - 한나라당 : 안효대 의원(간사) 외 11명
  - 민주당 : 백원우 의원(간사) 외 6명
  - 비교섭단체 : 4명
- 국정감사 대책위 요구서 작성 : 진상보고서를 가공하여 9월 19일(월)까지
- 행정안전위원장과 간사 의원 면담추진
  요구사항 : 참사 진상 규명과 재발방지 대책 관련해 강원도 감사시 감사 의제로 채택할 것. 이광준 춘천시장과 담당 공무원 증인, 참고인 조사 실시
- 행안위 정책보좌관 합동회의
- 대책위 자료 제출 및 브리핑 준비

4) 언론 대응

- 현재까지 춘천 강원지역 언론 기사화는 꾸준히 되고 있으나 전국적 차원에서 춘천 참사 이후 상황 등이 제대로 알려지지 않는다는 문제의식 아래 강원도지사 면담과 국정감사를 앞두고 대책위 차원의 기자회견을 진행토록 함
  - 일시 : 2011년 9월 26일(월) 오전 11시
  - 장소 : 프레스센타
  - 제목 : 춘천 산사태 참사 진상 결과 발표 및 유가족대책위 입장 발표 기자회견

종합적인 계획이 수립되었다. 과연 짧은 시간에 이 어마어마한 일을 할 수 있느냐가 문제였다. 진상조사보고서에 대한 부분은 이승원이 책임지고 프레스센터 기자회견까지 맡아서 하기로 하였고 항의집회 및 투쟁준비는 정용재 팀장이, 국정감사 대응은 최영도(민하 아버지)가, 자료 정리는 이승원이 하기로 하였다. 일인시위용 피켓 준비에는 정경원(민하 어머니)과 아이디어뱅크 학생들이 참여하였다. 최영도는 직장이 여의도라 국정감사 준비 기간에는 거의 국회에 상주하다시피 했으며, 정용재 팀장은 춘천경찰서 집회신고, 각종 준비, 언론 홍보 등으로 동분서주 하였다.

다른 유족들도 가만히 있을 수가 없었다. 김용주(유라 아버지)는 추석 명절인 9월 12일에 자발적으로 유가족들의 호소글을 포털사이트에 게시하고 '다음(Daum) 아고라 이슈 청원'에 올렸다. 원래 목표를 3,000명으로 올렸는데 9월 16일 현재 3,314명이 서명해 4일 만에 목표를 초과하였다. 서명 뿐만 아니라 수십 건의 의견 게시글이 올라왔다. 한편 명백히 춘천시청 공무원으로 추정되는 아이디로 게시판 곳곳에 허위사실과 사실관계를 왜곡하는 글이 올라와 이에 대한 댓글을 올리고 내용 검토와 법률 자문 등을 통해 사이버 수사 의뢰를 검토하였다.

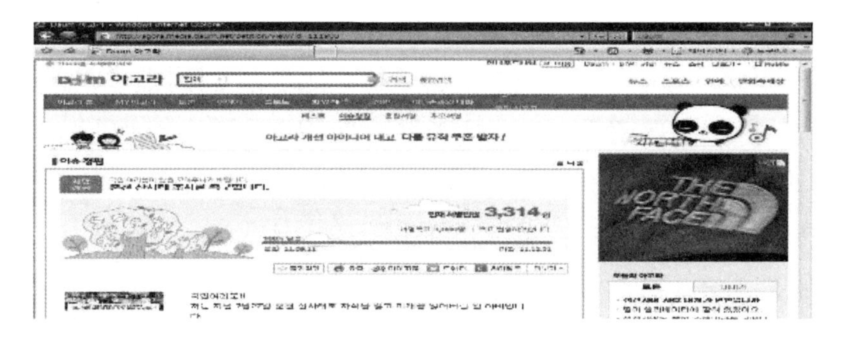

아고라 청원 서명은 결과를 통해 확인할 수 있듯이 참사 이후 유가족들의 노력과 해결에 대한 국민들의 관심과 응원의 분위기를 확인할 수 있었다. 김용주(유라 아버지)는 서명 결과를 언론사, 각 정당에 알리고 전달하였다. 이렇듯이 대책위의 공식적인 활동 외에도 유가족들은 다음 카페를 활용한 의견 교환 및 대외 홍보, 탄원서 작업들을 알아서 진행하였다.

앞서 언급한대로 조사위원회가 해체되고 언론을 통해 추석 이후 춘천시에서 현장을 복구할 계획이 있음이 알려졌고, 실제 진행될 수 있는 충분한 가능성이 있어 현장을 보전해야 할 필요성이 제기되었다. 최영도 대변인이 이상훈 변호사에게 의뢰하여 법적 방안을 검토하였다. 증거보전은 민사소송을 전제로 할 수밖에 없는 사안이었다. 증거보전 신청은 제기하면 통상 7~10일 정도 소요되는데 감정대상을 구체적으로 제시해야 보전신청이 받아들여질 수 있는 것이다. 검토 결과 증거보전 신청을 한다고 해서 바로 복구를 못하게 할 수는 없고 판사가 필요한 곳을 복구할 수 없게 진행할 수도 없는 것이었다. 어쩔 수 없이 감정인은 현장이 보전될 때 필요한 부분을 우선 진행하고, 나머지는 시뮬레이션을 할 수밖에 없는 것이었다. 결론적으로 증거보전 신청만으로 모든 현장 증거들이 보전될 수 있는 것은 아니었다. 더 큰 문제는 증거보전 신청을 하면, 감정신청을 해야 하고, 감정비용을 감정 업체에 예납해야 하는데 그 비용이 1억 원 선으로 추정되었다. 보전도 할 수 없고 승소확률도 불확실한 부분에 1억 원의 돈을 선납할 수는 없는 것이었다. 증거 보전 뿐 아니라 민사소송도 일단 검토하지 않는 것으로 유족들이 모여 결론을 내고 투쟁에 박차를 가한다.

2. 일인시위 돌입 및 상여시위

9월 21일 수요일부터 춘천시청 앞 일인시위가 시작되었다. 21일에 현빈이 아버지, 정희 아버지, 22일에 경철 아버지, 명준 아버지, 민하 아버지, 23일은 유라 아버지, 슬기 아버지, 26일 유신 아버지, 민성 아버지, 재현 아버지로 결정하고 시작하였다. 일인시위 피켓은 주문 제작하였다.

일인시위

위의 피켓을 포함하여 4종을 제작하여 일인시위를 시작하였다. 막막하기만 했는데 막상 시작하니 사람들의 반응이 있었다. 와서 말을 거는 사람부터 음료수와 커피를 사오는 사람까지 있었다. 춘천시청을 왕래하는 시민들이 와서 한마디씩 했다.

"아직 해결이 안되었어요?"

"아휴, 아까운 애들이 죽었어…."

일인시위

유족들은 서 있기도 힘든 상황이었다. 다시 아이들이 생각나고 악몽이 되살아났다. 새벽같이 일어나서 출발해야 시청 앞에 올 수 있었다. 아침 출근길은 포기했다. 대중교통을 이용하여 인천에서 오려면 최소 3시간은 잡아야 했다. 11시까지는 와서 점심시간에 나가는 시청 직원들을 봐야 했다. 2가족씩 하기로 한 것은 교대해 주어야 밥이라도 먹을 수 있었다. 첫날은 정용재 팀장이 피켓을 갖고 시청 앞으로 지원을 나왔다. 점심시간이 가까이 되자 시청에서 승용차가 나오다가 서서 누가 내리는데 보니 이광준 시장이었다. 일인시위 하는 곳으로 와서는 조사위와 관련하여 박창근 위원장을 욕하며 자기의 이야기를 들어달라고 애원하였다.

"아니, 하소연 하실 데가 없어서 그러시나본데, 내 방에 들어가서 이야기 합시다. 여기서 이러지 마시고… 제가 다 설명할 테니."

정용재 팀장이 답변하였다.

"아직 하실 말씀이 있으신가요? 대화의 장은 언제든지 열려 있으니 정식으로 요청 하십시오."

사람들 앞에서 억울한 듯이 설레발치던 이광준 시장은 차를 타고 가서는 다시 연락이 없었다. 유족들이 시청 정문에 와서 이렇게 싸울지는 몰랐던 것 같다. 피켓을 보관할 장소는 전국공무원노동조합 춘천시지부 사무실이 시청 맞은 편 건물 옥상에 있었다. 해고자들이 지원해 주었다. 피켓도 그곳에 맡겨 놓고 매일 교대로 찾아다 시위를 하였다. 춘천시 해고자들의 사연을 들어보니 역시 이광준 시장이 해고한 것이었다. 시장은 여러 가지로 좋은 것이 없는 사람이었다.

아무도 책임지지 않는 죽음 춘천 산사태 참사는 명백한 '인재' 입니다

봉사활동을 간다며 떠났던 자식들이 싸늘한 주검이 되어 돌아왔습니다.

지난 7월 27일 생각조차 떠올리기 싫은 참사가 벌어졌습니다. 춘천시 신북읍 천전리 소재 '춘천민박'에 숙박중이던 학생들이 산사태로 떼죽음을 당하였습니다. 불과 이틀 전 춘천 상천초등학교에 발명캠프 봉사활동을 간다며 집을 떠났던 자식들의 시신을 붙들고 오열하는 것 말고 유가족들은 아무 것도 할 수 있는 게 없었습니다.
참사가 발생한 지 벌써 두 달 째, 49재까지 지낸 유가족들은 살아도 산목숨이 아닙니다. 그야말로 비참함과 참담한 심정만으로 하루 하루를 버티며 살아가고 있습니다.

13명의 목숨을 앗아간 참사는 명백한 인재였습니다.

지난 9월 5일 보도된 PD수첩, 추적60분을 포함하여 지금까지 각종 일간지에 난 보도를 통해 '당시 산사태 경보나 주민 대피 조치가 미흡했던 점, 위험이 예상되는 지역에 공공이용시설 설치를 허가해 주었던 점, 임야 배수시설을 제대로 관리하지 못한 점, 참사 현장 일대에 무분별한 난개발이 있었던 점, 군부대 시설이 방치되어 있었던 점, 인근 주민들의 유사 문제제기가 있었던 점' 등이 확인되고 있습니다. 유가족들은 우리 아이들이 천재지변으로 인한 희생이 아니라 행정 당국의 예방조치 미흡으로 인해 발생한 '인재'로 사망했다는 확신을 가지게 되었습니다.

춘천시와 사고조사위원회 활동을 합의하였습니다.

유가족들은 보다 정확하게 참사의 원인을 확인하고자 장례 일정을 미루고 7월 29일 춘천시청을 방문하여 위와 같은 참사 원인을 규명해 줄 것을 이광준 춘천시장에게 요구하였습니다. 이에 이광준 춘천시장과 유가족들은 사고조사위원회를 구성하여 참사 원인을 규명할 것을 합의하였고 유가족들은 공정하고 객관적인 조사를 통한 진상규명이 이루어지리라 기대하였습니다.

그러나 사고조사위 해체! 참사 후 두 달이 지나고 있지만 아무 것도 밝혀진 것이 없습니다.

그러나 참사가 발생한 지 40일이 지났지만 '우리 아이들이 왜, 어떻게 해서 죽음을 당했는지' 아무것도 밝혀진 것이 없습니다. 지난 8월 6일 1차 조사위원회가 열리고 단 한 차례의 조사활동 없이 결국 조사위원회는 해체되었습니다. 춘천시가 조사위원회 활동 예산 지원을 거부했기 때문입니다.

춘천시청의 횡포로 13명의 망자와 유가족들이 모욕을 당하고 있습니다.

춘천시청은 애초 전폭적인 조사위 활동 지원을 약속하였으나 사고조사위위원들이 객관적이고 공정한 조사를 위해 필수적으로 드는 조사 비용을 요청하자 '알아서 해라, 시는 예산이 부족해 곤란하다'며 예산을 지원하지 않아 사고조사위원회는 결국 지난 9월 9일 해체되었습니다. 사고조사위원들까지 이 같은 행태에 대해 춘천시청에 책임을 묻고 나섰습니다. 유가족들은 춘천시청의 횡포에 분노합니다. 서울 우면산 산사태의 경우 서울시는 수억대의 비용을 들여 민관합동조사위원회를 구성하여 조사를 진행하고 재발방지대책을 마련하였습니다. 어떻게 참사를 대하는 지자체의 대책이 이렇게 다를 수 있습니까.

유가족들이 호소합니다! 제2, 제3의 참사 재발을 막아야 합니다.

춘천시가 특별재난구역으로 선포되고 수백억원의 복구 예산이 투입됩니다. 그러나 참사의 원인을 밝히고 재발방지 대책을 수립하지 않고 복구만 한다면 제2, 제3의 참사와 재앙은 필연적으로 발생할 것입니다. 지금도 무책임하고 안이한 태도를 취하는 춘천시청과 유가족과의 약속을 저버린 이광준 춘천시장에 대해 춘천시민 여러분들이 유가족들과 함께 대책을 마련할 것을 촉구하고 항의해주실 것을 다시 한 번 간곡히 부탁드립니다.

유가족들의 요구

참사 진상을 규명해야 할 사고조사위원회 해체! 이광준 춘천시장은 유가족들에게 공개 사과하라!

참사 해결에 대해 무책임과 직무유기로 일관하고 있는 관련 책임자들을 처벌하라!

제2의 참사를 막기 위해 행정당국은 단기대책을 수립하고 적극적으로 재발방지대책을 마련하라!

춘천봉사활동인하대학교희생자가족대책위원회

대책위 첫번째 선전물

일인시위와 함께 계획한 항의집회 및 선전전을 할 9월 24일이 되었다. 선전물 3,000장을 제작하여 상봉역에서 출발한 팀과 인하대가 제공한 버스를 타고 인천에서 오는 팀으로 나누었다. 인천팀은 가평

휴게소에서 선전전을 하기로 하고, 상봉역팀은 상봉에서 춘천까지 전철을 타고 선전전을 하기로 하였다. 투쟁을 준비한 정용재 팀장이 집안 일로 지방을 가게 되어서 조금 불안했지만 큰 문제는 없었다. 상봉역에서 서 있는 기차에서 선전물을 나눠주던 정경원(민하 어머니)이 철도공안에게 걸렸다. 유인물의 내용을 본 공안이 말했다.

"여기서 이러시면 안 되는 것 아시죠?"

"예, 알았어요."

내용을 보니 차마 뭐라고 할 수는 없고 그냥 한마디 하는 것이었다. 그렇게 남춘천역까지 가며 선전전을 하였다. 대부분의 행락객인 전철 승객들은 안타까움과 놀라움에 유인물을 받아들고 읽어 내려갔다. 전철 안에서 유인물을 나눠주며 춘천으로 향하는 유족들의 마음은 다시 슬픔에 젖었다.

남춘천역에 내려 역사 주변에서 선전전과 피케팅을 하였다. 인천에서 출발한 버스가 도착하고 집회 준비를 시작했다. 한편에서는 상여조립이 진행되고 영정 사진, 만장 등 준비물을 챙기기 시작하였다. 11시 40분 경 김밥으로 점심을 먹고 다같이 모여 이후 행진에 대한 설명을 들었다. 춘천경찰서의 정보과 형사들과 경비 쪽 경찰들이 나와서 집회에 대한 협의가 진행되었다. 큰 문제는 없어보였지만 아버지들이 상복을 차려입자 경찰들이 다소 긴장한 모습이었다. 춘천경찰서는 주요 간부들이 모두 출동하였다. 대책위는 유족들이 최선을 다해 일가친척들을 포함하여 지인들을 모았고, 인하대 학생들, 그리고 김용주(유라 아버지)씨가 소속한 산악회 회원들이 함께 해 주었다. 이제 출발할 시간이었다. 조사위원회 시작부터 함께 해 주었던 강원시민연대 유성철 사무국장이 와 주었다. 몇몇 기자들도 와

상여시위_연합뉴스

서 촬영에 열을 올렸다.

대오를 만들었다. 맨 처음 10개의 영정을 희생자의 형제들과 친척들이 들었다. 그리고 상여를 아버지들이 멨다. 그 뒤에 어머니들이 서고, 이어 학생들이 만장을 들었다. 플래카드를 행렬 옆에 세우고, 나머지 사람들이 유인물을 들고 시민들에게 나누어주며 행진을 시작하였다. 남춘천역에서 시작하여 이마트 옆 시외버스터미널을 거쳐 춘천 명동으로 갔다가 시청 앞으로 갈 계획이었다. 상여를 메고 걷기에는 조금 먼 거리였다.

막 행진을 시작하려는 데 몇 명이 와서 행진대오를 막았다. 이승원이 나서서 나와 이야기 하라고 하고 대오를 출발시켰다. 대오가 나가는 것을 보고 이승원이 말했다.

"뭡니까?"

"우리는 춘천노인회에서 나왔는데 누구 맘대로 상여를 춘천에 들이는 겁니까?"

"집회는 합법적인 신고 절차를 마쳤고 법대로 하는 거니까 상관하지 마쇼."

"안 돼. 빈 상여를 춘천에 들이게 할 수 없어." 막무가내였다.

노숙자 같은 노인네들은 그냥 서 있는 것이고 풍채가 좋은 양복 입은 사람이 계속 이야기 하였다. 문제를 근본적으로 풀기 보다는 이런 노인네들 내세워 막아보겠다는 이광준 시장의 얄팍한 잔꾀가 보이는 술수였다.

"따질게 있으면 경찰에게 따지고 막고 싶으면 막아봐. 이 사람들 건드리면 무슨 일이 날지 누구도 감당할 수 없을 테니까 춘천시장에게 쓸데없이 충성하지 말고 가서 할 일이나 하쇼." 이승원은 단호하게 말하고 행진 대오에 따라 붙었다.

상여꾼의 소리가 유족들의 마음을 달래며 구슬프게 울리는 가운데 어느덧 버스터미널 앞에 당도하였다. 상여를 멈추고 버스터미널의 시민들에게 선전물을 나눠주었다. 그런데 아까 남춘천역에 나타났던 춘천노인회 사람들이 또 와서 집회를 방해하기 시작하였다. 그들과 싸울 이유가 없었다. 경찰을 불렀다. 합법적인 집회를 방해하는 행위는 위법한 것이기 때문이었다. 정보계장이 왔다. 와서 설명을 해도 듣지 않자 저 쪽에 가서 이야기 하자고 데리고 갔다. 이제 춘천 명동까지 가는 지리한 행진이 계속되었다. 9월의 한낮은 뜨거웠다. 상여를 멘 아버지들의 상복이 땀으로 얼룩졌다. 닭갈비 골목이 있는 명동에 진입하자 춘천 사람들이 모두 여기에 모여 있는 것 같았다. 낯선 풍경에 놀라는 모습으로 지켜보는 춘천시민들을 만나며 유족들은 슬픔이 복받쳐 올랐다. 그냥 갈 수가 없었다. 명동 곳곳으로 흩어져 선전전과 피케팅을 했다. 경찰들이 재촉하였다. 너무 복잡하니 이동하자는 것이었다. 30여 분을 머문 뒤 대오를 다시 형성하여 시청으로 출발하였다.

시청에 도착하니 시청 좌측입구에 있는 정자와 쉼터에 많은 사람들이 앉아 있었다. 토요일 오후인데 시청에 무슨 사람들인가? 어이가 없는 일이다. 마무리 집회를 위해 자리를 잡는데 시청 정문 옆에서 시끄러운 소리가 들렸다. 가서 보니 유신이 어머니와 이모가 시청에 와 있는 사람들과 시비가 붙은 것이다.

"그래, 니 자식이 죽었다고 생각해 봐라. 뭐가 문젠데?" 아들이 죽은 후 죽도 못먹어 기운이 없으면서도 투쟁에 나온 유신이 어머니의

카랑카랑한 목소리가 시청 앞에 울려 퍼졌다.

"아니, 왜 여기 와서 그러냐고?" 고개도 못 들고 한 사내가 소리치며 도망갔다.

"뭐야? 야! 이리와 얼굴 좀 보자." 유신이 어머니에게 무슨 일이 날까봐 사람들이 몰려갔다. 쫓아가서 보니 이미 도망가고 없었다. 감당 못 할 말을 왜 하는지 이해할 수 없었다. 그들이 누구인지는 곧 밝혀졌다. 이승원이 좌중을 정리하고 마이크를 잡고 이야기하였다. 토요일 오후라 시청에 오면 누가 있을까 많은 고민을 했는데 이렇게 평일 보다 더 많은 사람들이 와 있으니 우리의 목적을 달성한 것 아니냐는 내용이었다. 흥분하지 말고 마무리를 하자고 하고, 마이크를 마무리 집회 사회를 맡은 최영도 대변인에게 넘겼다. 경과보고와 김현수 대표의 마무리 발언에 이어 유성철 강원시민연대 사무국장의 연대사가 이어졌다. 유 국장은 춘천시청에 와서 있는 사람들이 춘천시내 통장과 이장들임을 폭로하였다. 토요일 오후에 시장이 나오라고 한다고 나온 사람들도 한심했지만 이런 것이 통하는 행정체계가 6, 70년대 독재 정권 때의 모습을 보는 것 같아 씁쓸하였다. 유 국장의 연대사는 동원된 통장, 이장들에 대한 질타로 이어졌다. 참사의 원인을 밝히려는 유족들에게 이광준 시장이 어떻게 했는지? 왜 이분들이 상여를 메고 여기로 오게 되었는지? 조목조목 따지고 설명하였다. 유족들의 마음은 시원하였다. 가만히 듣고 있던 동원된 사람들 중 몇 명이 일어나기 시작하였다. 창피한 모양이었다. 집회를 마무리 할 때는 반도 남아 있지 않았다. 집회를 마무리하고 정리에 들어갔다. 상여 처리가 문제였다. '태울까?' 경찰이 눈치를 챘는지 불을 내면 안 된다고 미리부터 난리다. 논의 끝에 시청 앞에 두고 가기로 하였다. 시청 직원들이 나와 있었다. 그들 중 한 명이 와서 말했다.

"여기에 이것을 버리고 가시면 벌금이 부과됩니다."

왜 이리 이광준 시장과 똑같은지 모르겠다. 유족들의 마음에 불을 질렀다.

"그래? 벌금 부과해라. 에이, 싹 불 질러 버리자고!" 너무 열 받았다. 자신들의 과오를 뉘우치기는커녕 벌금 운운했으니 가만있을 수가 없었다.

"아니, 시청 직원이라는 사람이 불난 집에 부채질을 해? 이 문제 해결하기까지 이곳이 애들 무덤이니까 그런 줄 알아? 건드리기만 해봐라." 사태가 점점 악화되었다.

경찰이 나섰다. 정보과장이 직접 나서서 시청 직원들을 훈계했다. 누가 봐도 상식적이지 못한 행동을 시청 직원이 한 것이다. 춘천시가 학생들의 죽음에 있어 책임 주체임은 누구도 부인할 수 없는 사실이다. 그런데도 그 슬픔을 당한 부모들에게 이런 태도를 보이다니 기가 막힌 노릇이었다.

모두들 고생한 상여 시위는 언론에 보도되고 엄청난 반향을 가져왔다. 이후 대책위의 투쟁에 대해 관심이 집중되었다. 그러나 이 참사는 춘천에서 발생되었고 인하대 학생들의 문제였다. 강원도와 인천, 경기에서는 연일 보도가 되었지만 서울과 전국방송에서는 잊히고 있었다. 서울에서 발생한 우면산과 비교하면 이 사건은 지방의 사건이었다. 그러다보니 정치권도 해당 지역구 또는 지자체의 관심만 있을 뿐 중앙당 차원에서의 고민이 없었다. 우면산에 산사태가 나자 한나라당 나경원 의원과 민주당 중구지역 정호준 위원장 등 당원들은 서초구 우면동을 방문, 복구 작업에 동참하였다. 이후 국회의원들이 나선 우면산 자원봉사는 줄을 이었다. 제1야당인 민주당에서도 산사태 대책위원회를 구성하여 진상조사 등의 활동을 했지만 춘천의 문제는 해당 지역 사람들의 증언만 청취하였지 별다른 대책을 제시하지는 못했다.

사람들의 관심을 높이고 이 투쟁을 해결할 수 있는 방법이 무엇일까 고민하며 자체 진상조사 결과를 서울에서 기자회견을 통해 밝히고자 하였다. 9월 30일로 예정된 국회 행정안전위원회의 강원도 국정감사에서 이광준 시장을 증인으로 채택하려면 정치권의 관심을 위해서도 필요한 것이었다.

3. 진상조사 발표

2011년 9월 26일(월) 오전 11시 프레스센터 기자회견실에서 '춘천 산사태 참사는 필연적인 인재(人災)였다' 는 제목으로 7.27 춘천 산사태 참사 유가족 진상조사 발표 기자회견을 개최하였다. 당초 진상조사보고서는 참사 개요, 아이디어뱅크, 발명캠프 준비 과정, 자원봉사제도의 문제, 인하대학교의 제도 검토 및 문제점, 이번 참사의 원인과 문제점, 산사태 원인과 인재의 증거 등 방대한 내용이었다. 참사 원인과 문제점에 대해서도 자원봉사제도의 문제와 산사태 문제를 다루고 있었다. 기자회견을 통해 두 가지를 다 다루는 것은 불가능하였다. 기자회견에서는 마적산 산사태에 대한 문제만 다루

진상조사결과발표

기로 하였다. 자원봉사와 인하대학교의 문제는 별도로 분리하여 같은 날 18시부터 인하대학교 총학생회에서 인하대 총학생회 중앙운영위원과 아이디어뱅크 회원들을 대상으로 설명회를 개최하였다. 기자회견 후에는 진상조사보고서를 언론사와 시민사회단체에 배포하였다.

기자회견장에는 기자들 뿐 아니라 춘천시 직원도 와서 관심 있게 들었다. 기자회견에는 김현수 대표, 최영도 대변인, 김용주(유라 아버지), 이승원 조사위원이 참여하였다. 김현수 대표의 인사말에 이어 이승원 조사위원이 마적산 산사태가 왜 인재인지에 대한 설명이 있었고, 질의응답으로 이어졌다. 진상조사보고서에 대한 기술적인 자문 결과도 있었지만 결국 그 당시의 강우빈도가 핵심이었다. 기술자문을 한 엔지니어링 업계에서 일하는 토목전문 기술사는 진상조사보고서의 분석 내용은 기술적으로 아주 정확한 것이지만 비가 많이 왔다면 다 묻힐 수 있음을 지적하였다. 설명 말미에 이승원 조사위원은 춘천시의 주장대로 6천년만의 폭우라면 한반도에 사람이 산 이후(우리나라의 역사를 반만년이라 한다) 최고의 비가 내렸는데 춘천시는 대체 뭘 하고 있었는지를 반문하였다. 소양강댐의 수문을 열고 대피령을 내리고 주민들 안전을 위해 노력했어야 하는 것이 마땅한 것이 아니었는지 의문을 던졌다. 모든 언론이 유족들이 자체 조사하여 '인재' 임을 발표했다고 보도하였다. 춘천시의 반박은 없었다. 진상조사 보고서의 내용의 요점은 다음과 같다.

먼저 자원봉사제도와 인하대학교의 문제를 살펴보면
자원봉사활동은 2005. 8. 4일 제정된 [자원봉사활동기본법 · 동법시행령]에 의거하여 전사회적으로 시행하고 있으며, 법은 자원봉사활동을 권장 · 지원하도록 되어 있는데 학교는 학생의 자원봉사활동을 권장하고 지도 관리하기 위해 노력하며 자원봉사활동에 대해 그 공헌을 인정해줄 수 있도록 하고 있다.(제11조)
인하대학교도 이러한 법의 취지에 따라 봉사활동을 장려하는 제도를 운영하고 있으며, 그에 대한 공헌을 인정하는 제도를 도입하고 있다. 이러한 제도로 대표적인 것은 졸업인증제에 따른 '봉사인재인증' '사회봉사장학금' '일부학과의 학점 인정' 등이다. 먼저 졸업인증제는 영어는 필수이며, 2007년부터 선택적으로 창의, 국제, 정보, 봉사부문을 도입하여 시행하고 있다. 봉사인재는 봉사활동 시간(100시간 이상)을 받아 학교에 제출하면 봉사인재로 인정되어 성적기록부에 기재하는 제도이다. 이는 졸업을 위해 필수는 아니나, 소위 사회가 요구하는 인재로 취업하기 위한 스펙 쌓기의 일환으로 학교에서 장려하는 사항이다.[인하졸업인증제_인하대 홈페이지 공지사항 참조] 대학교육역량사업계획서에 따르면 2007년도 2학기부터 시행한 졸업인증제에 의해 봉사인증을 취득한 학생은 2007년 68명, 2008년 100명, 2009년 245명이다.[대학교육역량사업계획서 14쪽 참조]
발명캠프 정도의 봉사시간은 사회봉사장학금(7,000원/시간당) 수혜가 가능한 봉사시간이다.[아이디어뱅크 회원 이범석증언], [장학금 지급규정 참조]. 생활과학부의 경우 1학년 2학기 교양필수 '지역사회와 자원봉사' 과목(1학점) 학점 취득에 필수적이다. (봉사시간 32시간이면 통과되는 학점)[생활과학부 교육과정 참조] 학점 취득을 위한 봉사시간은 수업의 연장으로 볼 수 있으며, 이번 참사 희생자 10명 중 3명이 생활과학부이다.

인하대학교는 봉사활동을 권장하고 지도는 하지만 봉사활동 중 발생되는 문제(특히 안전)에 대한 대책이 전무한 상황이다. 최소한의 사후 대책인 보험의 경우에도 신입생오리엔테이션, 학생대표간부수련회, 하계농촌봉사활동, 총대의원회교육수련회, 동아리대표자수련회만 적용하고 있으며 봉사활동, 동아리활동 등에는 전혀 적용하고 있지 않은 상황이다. 특히 인하대학교 [대학 교육역량강화 사업계획서](2010. 7.)(국고지원 31억 39백만 원 사업)에 의하면 인하대학교 교육이념을 '진리탐구, 사회봉사, 인격도야' (7쪽)로 명시하고 있다. 이에 대한 4대 핵심역량(전문화, 실용화, 국제화, 리더십)에 따른 학부 교육 중 리더십 부분에 교양과정에 봉사활동의 학점화, 비교과과정에 동아리활동 지원을 적시해 놓았으나, 부분적으로만 시행하고 있다. 교육의 질 관리체계 등에서는 졸업인증제를 선전하고 인증을 받으면 장학금을 지원하는 제도 신설을 계획하고 사회봉사 참여를 적극 장려하고 있다고 한다. 또한 개별적인 봉사활동이 아닌 대학 차원의 봉사활동 프로그램 운영으로 봉사근로 장학금을 보완하겠다고 했다. 이 사업은 대학 교육역량 강화사업의 일환으로 사업계획을 제출하여 국고지원을 받으면 그 계획대로 자율적으로 시행하게 하는 제도이다. 이 사업 추진에 있어 봉사활동에 대해 매우 높은 비중을 두고 있으나 실제로는 아이디어뱅크의 봉사활동처럼 동아리의 자체적인 봉사활동에 대해서는 계획서와 달리 인정하고 있지 않다.[인하대 대학교육역량강화 사업계획 참조]
인하대학교는 두 차례에 걸친 대책위의 질의서에도 이번 봉사활동은 학교와는 무관한 아이디어뱅크의 자체 행사였다고 봉사학점제는 도입하지 않았다고 강변하였다. 학교 버스를 이용하고 행사지원금이 나오고 지도교수가 알고 있었고, 참사가 없었으면 지도교수가 방문하여 격려할 계획까지 있었던 봉사활동을 말이다. 그리고 그들 중에는 이번 봉사활동 인증시간을 제출하여 교양필수 학점을 취득하고자 했던 학생들도 있었다.

두 번째 춘천에서의 산사태 문제를 살펴보면

1) 산림청의 산사태 위험 경보를 무시했다는 것이다.
산림청에서 26일 21시 25분에 마적산을 산사태 위험(주의보) 대상지역으로 경고문자를 발송하였다. 1차 산사태가 발생한 천전리 39-10번지(경도 127도47분41초

산사태경보_PD수첩

위도 37도55분49초)일대와 2차 산사태가 발생한 38-12번지(경도 127도47분 48초 위도 37도55분53초)일대는 모두 위험 1등급(164점) 지역이었다. 산림청은 2006년부터 전국 산림을 위험도에 따라 4개 등급(빨간색, 분홍색, 노란색, 연두색)으로 나누어 인터넷에 공개하고 있다. 26일 21시 시우량(1시간 동안 내린 강우량)을 바탕으로 춘천시에 산사태 주의보를 당일 0시까지 3차례에 걸쳐 보냈다.

2) 산사태지역의 토양

산사태가 난 천전리 산71번지 토양의 건습도(토양의 수분 정도를 측정)는 '약건'(손으로 꽉 쥐었을 때, 손바닥에 습기가 약간 묻는 정도)이며, 토심(토양의 깊이)은 지표면에서 30cm 이상 60cm 미만 구간이다. 토성(토양의 모래 · 미사 · 점토의 함량에 대해 촉감법으로 알아보는)은 양토(모래와 미사가 대략 1/3~1/2씩인 토양, 점토 함유량이 27%이하), 미사질양토(미사 1/2이상, 모래 1/2이하인 토양, 점토 함유량 27%이하)로 구성되어 있다.

※미사란, 광물의 종류와는 관계없이 그 지름이 0.004~0.006㎜에 이르는 퇴적물 입자. 미사는 유수에 의해 쉽게 운반되나 정수(靜水)에서는 곧 가라앉음.

지형은 완구릉지로 산세가 그리 험하지 않고 산록이 전답에 연결된 파상형의 야산 지역으로 경사 길이가 300m 이하인 야산이며 수령이 11~20년 사이의 입목의 수관점유율이 50%이상인 2영급이다. 이러한 토양은 폭우가 쏟아질 경우 물과 함께 토양이 쓸려 내려올 위험이 큰 지역으로 하부에 건축물 허가 시 주의해야 하는 지형이다.

3) 민박집 상황

학생들이 묵었던 춘천민박과 그 일대를 소유하고 있는 김ㅇ웅(46세)은 버스 종점 근처에서 부인(김O숙) 명의로 부동산을 운영하고 있다. 김ㅇ웅은 민박집 주변 땅을 사 펜션과 민박은 부인과 자신의 명의로 분산 등기하고, 최근 춘천민박 한 개동(추가), 춘천여행(2011. 3월 준공)을 신축하였다. 농어촌 민박은 법상 실제 거주하는 사람에게만 허가 해 주도록 되어 있으나 실제로는 민박에 거주하고 있지 않았다. 김ㅇ웅은 부인명의로 운영(실제로는 본인이 하고 있음)하는 부동산 뒤편 집

에서 살고 있으며, 참사 직후 부인 명의의 춘천펜션을 타인의 명의로 가등기하였다.(2011. 8. 1일자)

4) 방치된 방공포 진지와 군사도로

천전리 산사태의 일차 원인은 마적산 정상근처 해발 320m지점에 구축되어 있는 방공포 진지와 군사도로(지금은 산책로로 이용)에 있다. 이 도로와 진지는 1973년 소양강 댐 준공 당시 공습 등에 대비하기 위한 것이었으나 지금은 방치되어 있다. 그 규모는 300평 규모로 이미 철수한 지 오래 되었지만 '아직도 진지 주변은 나무가 없고, 깊은 호에 물이 잔뜩 고여 있어 지반을 약화시키는 원인이 됐다' 고 증언하고 있다. (한국일보 기사 2011. 7. 29.)

마적산 방공포 진지

진지가 있는 지점은 산정상이 아니며, 산을 절개하여 만든 것이다. 1차 산사태의 시발점이 방공포 진지에서였다.(옆 그림③ 지점) 2차 산사태의 진원지는 방공포 진지에서 100여 미터 떨어진 도로였다.(옆 그림④ 지점). 그 자리는 ' 90년 9월에도 ① 지역에서 산사태가 발생하여 이번 산사태로 반파된 집(구 시월)이 똑같이 반파되는 사건이 발생했다. 99년 산사태는 그림의 ② 지점에서 발생함.

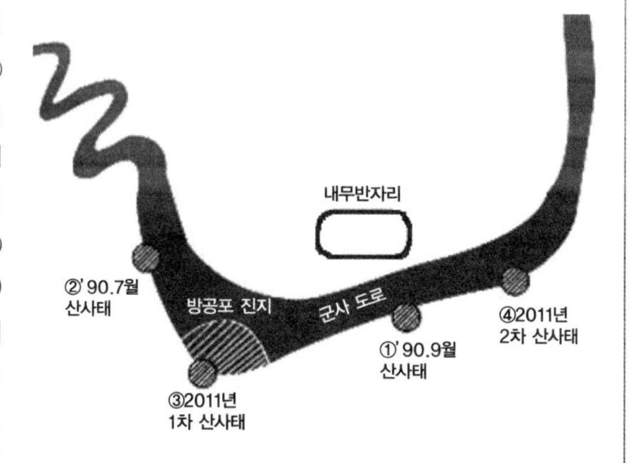

진지와 도로 때문에 산이 지나치게 많은 물을 머금고 있게 되었고, 최근 진지 터에 텃밭까지 일구어 많은 비가 오자 머금고 있던 물까지 포함하여 한꺼번에 무너져 내린 것이다. 또한 항공사진으로 보면 진지와 2차 산사태가 난 지점은 확연히 골이 지고 있음이 나타나고 있다. 그 자체가 물길이라는 증거이다.

5) 배수로가 없었다.

90년 9월 반파된 (구)시월의 배수로를 민박집 쪽이 아니라 집 뒤쪽으로 만들었으나, 그 뒤로 새로 집을 지은 밑의 2층집이 배수로를 막고 옹벽을 쳐서 배수로를 틀어버렸다. 원래의 배수로는 자기 집의 정원으로 꾸몄다. 그 이후 (구)시월도 주차장 시설을 위해 집 뒤의 나무를 베고 공터를 만들어 시멘트로 바른 흔적이 남아있다. 이후 건축된 춘천펜션, 닭갈비집, 춘천민박 등도 집의 후면을 보면 벽을 쌓아 수로를 막고 춘천여행 방향으로 물이 빠지도록 했으나 물이 닭갈비집과 민박집 사이 계단을 타고 흐를 정도로 물길이 막힌 상황이었다. 춘천여행 옆 (구)수자원공사 사택 사이에 콘크리트 배수로가 완전히 말라 있는 상황이다. 지금 산사태 현장에 가보면 산사태가 난 지점을 타고 물이 잘 흐르고 있으며, 토사에 물이 빠져서 산사태 직후 푹 빠지던 흙이 단단하게 굳어 있는 상태이다.

이상에서 본 것처럼 이곳의 지형은 지표면에서 30~60㎝ 사이의 흙이 덮여져 있고, 그 밑은 암반이 있어, 암반 위의 흙이 빗물을 머금고 있는 상황이라, 산 밑으로 흐를 수 있는 배수로가 필요한데 전혀 없는 상황이다. 집집마다 옹벽까지 설치하여 물의 진행을 방해하였고, 토질 자체도 주로 미사와 모래로 되어 있어 물과 함께 쓸려내려 온 것이다.

종합적으로 살펴보면 국방부가 근본 원인을 제공하였다. 군부대 주둔을 위해 산꼭대기에 방공포 진지를 구축하고 군사도로(산책로로 이용)를 내면서도 하부지역을 고려하지 않았다. 철수 후 원상회복도 하지 않아 참사의 원인이 되었다. [조선일보 기고글 참고 2011.8.2. 이수곤 서울시립대 토목공학과 교수] 국방부가 그 당시 춘천, 화천 곳곳의 참호와 교통호를 군인을 동원하여 몰래 메우는 작업을 진행했는데, 이는 방치된 군사시설로 인한 문제를 은폐하려는 것이었다. 바로 군부대 철수 후 방공포 진지를 방치해서 생긴 결과였다. 진지가 물탱크와 같은 역할을 하다가 감당이 안되자 한꺼번에 폭발하듯 내려 온 것이다.

춘천시(강원도)는 과거 똑같은 산사태가 난 지역을 관리하지 않고 건축허가를 내줬으며, 물에 취약한 토성임에도 배수로에 대한 규제를 안했다. 산사태 위험지역 관리와 집중호우에 대한 대비가 전혀 없었으며 실제 거주하지도 않음에도 농어촌민박으로 허가를 내주었다.

※농어촌민박사업은 '농어촌지역주민이 직접 거주하는 연면적 230㎡ 미만의 단독 또는 다가구 주택'

숙박업을 하는 곳에 조립식건축 허가를 내주고 소양댐에 의한 주변 지반의 영향 등에 대해 대책이 없었다. 근본적인 문제는 소양댐으로 인해 지반이 점차 약해지고 있다고 보는 시각도 있다. 만수위인 198m가 되어야 수문이 열리는 시스템이라 실제 방류 시에는 물의 낙차 때문에 느치골까지(댐으로부터 1㎞) 비가 내리는 것과 같은 현상이 나타나고 있으며, 수위 조절 실패 시 춘천시 전체가 물난리가 날 수 있는 상황이다. 이에 대한 대비책으로 여수로(소양댐 상류 4개, 밑에 직경 14m의 보조여수로 2개)를 설치했는데 1,600억+α의 공사비를 들여 7년간 공사하여 최근 완공했는데, 공사 중 3번이나 무너지는 사건이 발생하였다.[GBN 뉴스]

위의 내용들을 핵심으로 하는 방대한 자료는 여러 형태로 가공되어 뿌려졌다. 대 언론 뿐 아니라 국회의원들의 국정감사 자료로도 활용되었으며 이제 춘천 참사의 원인이 군 시설의 방치 때문이었으며, 춘천시의 관리 소홀 및 무분별한 건축 허가 때문이었다는 것이 사회적으로 인정되었다.

이제 국정감사에 이광준 시장을 증인으로 세우는데 전력을 다 하는 방법밖에 없었다. 이를 통해 춘천시와 이광준 시장의 문제를 부각시키고 강원도와 협상 테이블을 만드는 것이 최선이었다. 최영도 대변인은 모든 인맥을 동원하여 행정안전위원회 국회의원들을 접촉하였다. 의원들은 만나서 인사하는 정도였고 보좌관들과 깊은 대화를 나누어야 했다. 양 당 간사의원들의 정책보좌관을 만나보고 전체 의원들에게 내용을 전달하는 것이 좋겠다는 이야기를 듣고 자료를 만들어 배포하였다. 관심 있는 국회의원실에서 연락이 왔고 질의서를 만드는 과정에서 관심 분야별로 자료를 만들어 주었다. 한편으로는 최문순 도지사 면담을 추진하였다. 인천지역 국회의원을 통해 직접 최문순 도지사와 통화한 이건학(민성이 아버지)은 도지사가 집단적으로 만나기보다는 대표성 있는 소수와 만나기를 원한다는 말을 전했다. 여러 채널을 통해 만날 것을 제안했지만 최문순 도지사가 그리 섣불리 행동하는 사람이 아니었다. 시간을 최대로 끌고 있다는 느낌을 받았다. 아마도 국정감사 이후를 생각하는 것 같았다. 그래서 일단 9월 27일에 만나자고 공문을 보냈다. 역시 안된다는 연락이 왔다. 최문순 도지사가 꼭 만나려고 하지만 일정이 안된다는 것이었다. 특히 이번 주는 국정감사 때문에 안되는 것이었다. 대책위에서 일정상 무리가 있었다. 타이트한 일정 속에서 이광준 시장이 일을 저질렀다. 이광준 시장이 춘천시의회에서 유족들에 대해 왜곡된 사실을 퍼트리고 거짓말을 한 것이다. 그리고 9월 26일 춘천시보를 통해 유족들이 돈만 요구하는 사람인 양 호도하고, 사실을 왜곡하는 기사를 써서 춘천시민들에게 배포한 것이다. 바로 입수하여 9월 29일자로 '유가족들을 무뢰한 폭도로 몬 춘천시청은 왜곡 허위사실 유포 중단하고 공개 사죄하라!' 라는 반박 성명을 발표하고 언론사 및 국회의원실, 관계기관들에 배포하였다.

시청 앞 일인시위도 계속 하고 있는데 지속되는 싸움에 9월 30일 국정감사 대응도 유족들의 피로도를 더했다. 하지만 국면전환의 교두보 역할을 할 국정감사를 그냥 의원들에게만 맡겨 둘 수는 없었다. 이광준 시장은 증인으로 채택되었고 유족들 모두 참여하기로 하였다.

4. 국정감사

9월 30일 유족들은 아침 8시 30분부터 국정감사장인 강원도청 앞에 모였다. 많은 사람들이 와 있었다. 춘천시 해고자들도 와 있었고, 시민사회단체들도 왔다. 10시부터 국감이 시작되었지만 벌써 긴장감이 돌았다. 09:30분 강원도청 앞에서 강원지역 제 시민사회단체 합동기자회견이 있었다. 우리 투쟁에 관한 문제로 기자회견을 하는 것이었다. 강원지역의 시민사회단체들이 우리와 연대하여 도지사에게 이 문제를 빨리 해결하라는 기자회견을 한 것이다. 너무 감사했지만 누구에게 감사해야 할지도 몰랐다. 강원지역 시민사회단체는 이후 강원도지사에게 요구서한을 전달하였다. 기자회견이 끝나고 강원도청을 바라보며 유족들이 자리를 잡았다. 피켓을 들고 플래카드를 맞잡고 서서 국회의원들이 오기만을 기다리고 있었다. 10시가 가까워 오자 의원들은 버스로 들어갔다는 이야기가 들렸고, 민주당 이석현 의원이 차에서 내려 유족들에게 다가왔다.

이광준시장 증인선서_연합뉴스

"민주당 이석현 의원입니다. 마적산 산사태 유가족이시죠?" 간단한 인사와 함께 유족들과 일일이 악수를 하며 산사태 이후 이광준 시장의 약속 파기, 진상조사를 자체적으로 했고 인재라는 주장 근거 등 우리가 주장하는 것을 되물었다. 그리고 우리 자료를 들어 보이며 말했다.

"걱정하지 마십시오. 분명하게 밝히고 따지겠습니다."

유가족 모두는 제발 그러길 바라는 심정으로 바라보았다. 도에서 2명의 참관을 배려하겠다는 연락이 왔다. 대변인과 희망하는 유족을 들여보냈다. 나머지 유족들은 피케팅을 하며 2시간에 걸친 국정감사를 기다렸다.

국정감사장에 증인으로 출석한 이광준 시장은 선서를 했다.

"본인은 국회가 실시하는 국감 관련 행안위 증언에 있어 관련법에 따라 양심에 따라……." 백원우 의원의 질의가 맨 먼저 있었다.

"춘천에 봉사활동을 왔다 희생당한 인하대 학생들과 유가족 여러분께 위로의 말씀을 드립니다. 진상조사위 때문에 유족 측과 마찰이 있었다니 대단히 유감입니다. <중략> 산림청에서 산사태 위험경보를 3번이나 했는데 주민대피 취하지 않은 이유가 무엇인지? 90년 9월, 99년 7월에도 인근에서 두 번 산사태가 있었는데 그럼에도 산사태 위험지역으로 정해 관리하지 않은 이유는?"

이광준 시장이 답변하였다.

"먼저 꽃다운 나이에 스러져간 젊은이들을 애도하고 유족들의 가슴을 시장으로서 보듬어주지 못하여 그분들이 많이 분노하고 마음의 상처 입게 한 점에 대해서는 책임 여하를 떠나 송구… 경보 대피

명령을 하지 않은 이유를 말씀하셨는데(백의원이 말했다. '요지만 말씀하시오') 저희들이 호우주의보가 내려졌을 적에 공무원이나 통장 이장 등을 상대로 경고방송을 했습니다. 그리고 사고지역의 통장님은 주의방송까지 했고요. 밤10시 넘었을 적에는 민방위 경고방송을 이용해 3회 방송하였습니다. 대피명령을 하지 못한 이유는 이것이 대피 명령을 내릴만한 것인지를 판단하기 어려웠기 때문에 주의방송을 했습니다. 그리고 90년 9월 산사태가 났는데 왜 지정하지 않았느냐 말씀하셨는데 90년도에는 장마 때 발생하는 토사유출 정도였지 우리가 흔히 얘기하는 산사태라고 부르기는 좀 그렇습니다. 그래서 집주인이 스스로 자력복구를 했습니다. 동네사람들은 잘 기억을 못하는 일입니다." 백원우 의원이 받았다.

"농어촌 민박집은 농어촌 정비법에 따라 주인이 거주를 해야 허가하지 않는가? 그런데 실거주자가 아님에도 민박집으로 허가를 내 준 이유가 무엇인가?"

"그 민박집은 비슷하기는 하지만 허가를 내준 게 아니라 신고를 합니다. 집주인이 거주를 하면서 찾아오는 사람에게 숙식을 제공하는 것인데 주민등록상으로는 주민등록이 되어 있습니다. 사고 난 당일 그 사람은 집이 두 채, 세 채 있어서 여기 저기 왔다갔다하면서 잡니다. 그래서 그런 것까지 저희가 일일이 어디서 자는지를 확인할 수는 사실상 없었습니다."

"군부대 방공포, 도로가 있었고 이것이 산사태의 주요 원인중의 하나라고 지적되고 있습니다. 원상회복이 안 된 것은 물론이고 방치한데다 지역주민들이 텃밭까지 일궈 토지가 물을 많이 머금고 있어 산사태의 원인이라는 주장이 있는데 시장님은 이 주장에 대해 어떻게 생각하십니까?”

“현재 두세 번 올라갔었는데 방공포 진지가 있었던 것은 맞습니다. 저는 토목공학자는 아닙니다만 방공포진지가 산사태의 주요 원인 중의 하나라는 것은 쉽게 동의하기가 어렵습니다. 그러나 어쨌든 간에 방공포가 산사태 원인이냐를 따지기 전에 그걸 왜 방치했냐고 말씀하시면 그건 국방부에서 해야 할 일이고 또 국방부에서 안 했다면 산주가 해야 될 일입니다. 춘천시장이 남의 개인 산에 있었던 시설까지 뒤처리를 하지는 않습니다.”

“남의 산이요?”

“네. 그게 사유지입니다.”

“사유지니까, 시설이 그렇게 되어 있으니까 시장님의 책임이 없다고 하는 것은 적절치 않습니다.”

“네, 주의하겠습니다.” 사유지라고 책임을 회피하려던 이광준은 사과하였다.

“도의적 · 포괄적 책임은 시장님에게 있고요. 세세하게 챙기지 못한 점은 있을 수 있으나 꽃다운 젊은이들이 그것도 춘천에 봉사활동을 왔다가 당한 것입니다. 무한한 책임감을 느껴주셨으면 합니다. 이상입니다.” 백원우 의원이 질의를 마쳤다.

이어서 이광준 시장과 같은 당인 한나라당 유정복 의원이 질의를 하였다.

“평상시 훌륭한 분인데 이번에 고생 많으십니다. 산사태로 인해서 유명을 달리한 … (위로 말씀). 단체장이 어려움이 많이 있죠. 일단은 포괄적으로 이런 문제가 생기면 내가 무엇을 어떻게 했어야 하는지 자성을 해야 하는 것이라 그런 말씀을 드립니다. 그러나 현실적으로 볼 때 원인과 결과가 있고 책임 소재도 있지만 이런 부분에 있어서는 객관적이고 명백한 사실에 입각해서 조사도 되고 규명되어야 합니다. 사고조사위원회가 구성되었다가 해체한 이유는 무엇입니까? 왜 구성되었으며 목적은 무엇입니까?"

"당시 구성된 목적은 유족들께서 우리 아이들이 죽었으니까 춘천시장이 나와서 사과를 해라, 또 보상을 해달라고 했습니다. 연평도 포격 희생자에 준하는 보상을 요구했습니다. 그래서 춘천시장이 공식적으로 사과를 하고 보상을 해줘야 될 문제인지는 조사를 해서 결론을 얻은 다음에 하자고 해서 조사위원회를 구성했습니다."

"그런데 왜 해체가 되었지요?"

"조사위원장이 유족 측에서 추천한 박창근 교수라는 분인데요. 그 분은 별도의 용역이 필요하다, 그러니 1억 원을 주면 용역을 해서 원인규명을 하겠다는 의사표시를 하셨고요. 저희들은 '1억 원이든 2억 원이든 이걸 결정하기 전에 무엇을 조사할 것인지를 먼저 결정해주십시오. 그래야만 정확한 비용이 나올 겁니다. 지금 대충 요구하신 것이 1억 원인데요 그 정도면 제가 의회에 추경을 편성해서 승인을 받아야 됩니다. 그러니 전체 조사위원회에서 무엇을 조사할 것인지 확정을 해주시면 그거에 따른 소요 비용은 제가 의회와 의논해서 받겠습니다.' 라고 했습니다. 그런데 박창근 교수님은 그걸 거절하면서 당장 이 자리에서, 저랑 제 사무실에서 만났는데 이 자리에서 1억 원을 지원하겠다고 약속을 해라. 그렇지 않으면 난 조사위원장을 사퇴하겠다고 했습니다. 상식적으로 납득할 수가 없었습니다. 그리고 그 뒤로 나가서 유족들한테 시장이 진정성이 없어서 난 못한다고 하고 조사위원회를 서둘러 해체하시게 되었습니다."

"재구성 할 의향은?"

"재구성은 이미 조사위원회가 해체된 이후에 유족들이 자체적으로 조사보고서를 발간해서 인재라고 주장을 하고 계십니다. 그러나 국립방재연구소에서 분석한 결과로는 이게 천재라고 결론을 내놨습니다. 이런 상황에서 다시 재조사위원회를 구성해서 만약 천재라고 한다면 유족들이 승복하기 어려우실 거고, 반대로 인재라고 한다면 책임을 져야 하는 국방부라든지 강원도 춘천시 산주 건축주 이런 분들이 승복하시기가 어려울 것 같습니다."

"현행법상 사방사업 책임은 도지사에게 있지요?" 유정복 의원이 질문하였다.

"네. 그렇습니다." 최문순 도지사가 답변하였다.

"그럼 이 사태와 관련해서 도지사께서는 어떤 역할을 하셨는지?"

"저도 유족들을…."

"국가사업인데 도로 위임해야지요. 춘천시로만 밀 게 아니라 도가 적극적으로 대응했어야 하는 거 아닌가요?"

"그렇게 하겠습니다." 최문순 도지사가 답변하였다.

"이 자리를 통해 도지사 · 시장께 말씀드리고 싶은 것은 돌아가신 분들이나 유족들에게 겸허하고 진지하게 적극적으로 문제해결 의지와 노력을…."

장세환 의원이 이었다.

"추모비 건립 추진 관계자 회의… 상천초교… 언제 학교 증축이 완료됩니까?"

이광준 시장이 답변하였다.

"죄송합니다만 모르겠습니다. 당초 유족들에게는 1주기 전에 완료하여 1주기 추도식을 거기서 하겠다고 했습니다. 그런데 상천초등학교에서 뜻은 좋지만 학교에 추모비를 해놓고 시일이 지나면 오히려 관심도 적어지고 관리도 소홀해져서 오히려 욕되게 하는 거 아니냐는, 그런 식으로… 상당히 뭐라 그럴까요… 증축 완료된 후에 추모비 어디에 세울 것인지 그때 검토를 하겠다는 것이 학교 측의 의견입니다. 만약 상천초등학교가 흔쾌히 승낙하지 않으면 유족 측과 의논하여 장소를 옮겨서라도 하려고 합니다. 약속을 했습니다."

"현재 유족들이 재난지원금, 수재의연금 신청을 했지요? 각 5백만 원씩이던데 이분들에 대한 보상은 어떻게 됩니까?"

"지금 장례비의 경우 세대주인 경우 1천만 원, 세대주가 아닌 경우 5백만 원을 거주지 시장 · 군수가 주도록 되어 있습니다. 그건 지급이 된 걸로 알고 있고요. 유족들은 그게 아니고 천안함 사태 때는 인천시장이 돈을 줬는데 춘천시장은 왜 안 주느냐. 인천시에 연구를 해서, 어떻게 줬는지 알아서 돈을 줄 수 있도록 해달라는 것이 요구였습니다. 저희들이 인천시에 갔더니 국민성금으로 했더라고요. 춘천시는 어차피 예산을 세워서 해야 하는 것인데 예산을 세워서 우리가 보상을 하려면 우리한테 책임이 있다는 근거가 필요합니다. 그래서 조사위원회를 구성했던 겁니다."

"조사위원회는 해체가 되었고, 어떻게 하겠단 겁니까? 어렵다는 말씀 아닙니까?"

"현실적으로 쉽지 않습니다."

장세환 의원이 말했다.

"아까 유정복 의원이 말씀하실 때 그런 대답을 하셨는데 국방부나 산주 같은 분들은 인재라는 것을 인정할 수 없다고 말씀하셨거든요.

유족들은 천재라는 것을 수용할 수 없다는 입장 아닙니까? 입장이 이렇게 서로 엇갈린다면 누구 입장을 들어줘야 합니까? 국방부나 산주 쪽 입장에 손을 들어줘야 합니까 아니면 억울하게 희생을 당한 참사를 입은 유족들의 입장을 헤아려야 합니까? 행정을 맡고 있는 시장으로서 어떤 생각을 가지고 있습니까?"

"심정적으로는 누구나 다 유족 편에 서고 싶어 할 겁니다. 저도 그렇습니다. 하지만 시장으로서 예산을 집행하는 입장에서는 선뜻 혼자 하는 일도 아니고 시비를 쓰는 일이기 때문에…."

"물론 예산집행을 위한 근거가 있어야 한다는 것은 이해를 합니다만, 그런 면에서 근거를 마련할 수 있도록 연구를 해보시는 것이 행정을 하시는 분의 자세가 아닌가, 공공의 자세가 아닌가 생각합니다. 어떻습니까?"

"유념하겠습니다." 이광준은 답변하였다.

"고생 많으십니다. 8월 30일 시의회에서 춘천시장이 발언한 내용을 보니까 이런 내용이 있습니다. '그 아이들 죽음에 꼭 춘천시장이 책임을 져야 합니까? 책임을 져야 되는지 아닌지 저도 모른다. 제가 봤을 때 아닌 것 같다. 유가족 측이 물리력을 행사하여 꿇어앉히려고 한 것은 예의가 아니다. 사건의 규명이 다 된 다음에 춘천시가 진짜 잘못했을 때 그 때 해도 늦지 않을 것이다' 이렇게 발언하셨는데."

"네, 대충 그런 취지로 말씀드렸습니다."

"취지가 아니고 이건 회의록이에요, 처음부터 끝까지 토씨 하나 틀리지 않습니다. 어떻게 시장이 이렇게 발언합니까?"

"누구 잘못인지 판가름이 나지 않았는데 춘천시에서 일어나는 모든 사고에 대해서 시장이 사과합니까? 제가 그래서 거절한 것입니다."

"어찌 보면 사고 원인과 대책에 대해서는 여러 의원들이 말씀을 하셨으니까 저는 춘천시장의 자세에 대해서 얘기하겠습니다. 목민관, 시민을 책임지는 책임자는 모든 것을 책임져야 됩니다. 천재든 인재든 춘천시장이 사고 후에 갖는 마음 자세가 틀렸다는 겁니다. 공직자로서 적절치 못하고 진정성이 없기 때문에 앞으로도 유가족들과의 문제나 사고를 해결하는 데 이래 가지고 되겠습니까? 춘천시장에게 질문 드리겠습니다. 지금도 춘천시장으로서 책임이 없습니까?"

"아까 말씀 드렸듯이 자식을 키우는 입장에서 또 시민, 국민의 한 사람으로서 젊은 아이들이 비명횡사를 했는데 안타깝지 않고 슬프지 않고 애달프지 않은 사람이 어디 있겠습니까? 다만 유족들이 제가 처음에 문상 갔을 때부터 저를 꿇어 앉혀, 꿇어 엎드려라 물리력을 행사하고 멱살을 잡았고요. 입에 담지 못할 차마 담지 못할 그런 욕설을 하고 또 돈 얘기를 했습니다. 그때만 해도 이분들이 청천벽력 소식에 아마 하늘에 대고라도 화풀이를 하고 싶은 심정일 거라고 참았습니다."

"알겠습니다. 춘천시장께서는 본인은 그렇게 생각할지 모르지만 그 당시는 하여튼 잘못했다, 춘천시장으로서 잘못했다고 하고 지나고 난 다음에 어떤 대책을 강구해야지 자기감정에 따라 그런 표현을 한다면 누가 우리 춘천시장을 시장으로 존경하고 따르겠습니까. 저는 그렇게 생각합니다. 맞습니까?"

"그분들이 법률적 책임을 처음부터 물으려고 했기 때문에 제가 죄송합니다. 사과를 못한 겁니다. 만약 제가 그 자리에서 잘못 했습니다 하면요 당장 그것을 근거로 법률적 책임을 물으려 하는 분위기였기 때문에.”

“시장이 제 말을 못 알아듣는데 그 당시는 유족들이 감정이 폭발해서 어떤 말이든 다 할 수 있습니다. 슬기롭게 대처하세요. 슬기롭게 지나가면 되지 않습니까. 그 사람들은 감정이 폭발하는데 시장이 같이 폭발하면 됩니까?”

“그래서 많이 참았습니다. 의원님.”

“참고하세요.” “그렇게 하겠습니다.”

김충조 의원이 발언권을 얻었다.

“아까 답변 중에서 어디에서 판정을 하길 춘천사태를 천재였다고 했죠?”

“국립방재연구소에서 그랬습니다.”

“언제였어요?”

“국립방재연구소에서 분석보고서를 보내왔습니다.”

“우면산… 결과 내놨는데… 믿는 사람 많지 않아요. 마적산 정상 방공포와 군사도로는 언제 폐쇄했습니까?”

“제가 정확히 모르겠습니다. 상당히 오래 됐습니다.”

“대강도 몰라요?” “죄송합니다.”

“시장이 이런 사태가 났으면 사전에 몰랐더라도 사후에 알아봐야지요. 유가족들이 지금 주장하고 있는 것이 ‘방공포 진지를 그대로 방치했고 여기 나무가 없어졌고 큰 구덩이가 파여 있고 물이 고여 있었다’ 이렇게 주장하고 있는 거 알고 있어요? 그 내용은 뭡니까?”

“큰 구덩이가 파여져 있었다고 주장하는 것은 알고 있었는데요,

그 방공포 진지가 큰 구덩이가 파여져 있었던 것은 없었습니다.”

“그 부근 나무도 많이 없어졌다면서요. 그럼 사태 이유는 파악을 하고 있어야지 그게 언젠지도 모르겠다. 그러면 춘천시장이 할 답변이요 그게? 그리고 오늘 강원도 자연재해 위험지역이 도내 194개라고 나와 있는데 춘천에는 몇 군데가 있어요?”

“두 군데 있습니다.”

“두 군데? 그거 확실한 답변이죠?”

“네, 두 군데 있습니다.”

“두 군데라는 것에 대해 증인의 신분으로 답변을 하고 계시는데 춘천에서 어떻게 두 군데만 둘 수 있습니까, 상식적으로.”

“지금 산사태 위험지구만 두 군데 있습니다.”

“그럼 자연재해 위험지구는? 자연재해 위험지구하고 산사태 위험지구 그게 같은 게 아니에요?”

“그러니까 자연재해 위험지구에는 침수 위험지구가 있을 수 있고요.”

“일상적으로 자연재해 위험지구라고 정형화되어 나와 있는데 잘 모르세요? 두 군데라고 주장 하셨는데….” 김충조 의원이 계속 캐물었다.

“170개소가 있습니다. 춘천시내 재해위험지구가.”

“그런데 왜 두 군데라 합니까?”

“그건 산사태….”

“이 문제 명확하게 조사해서 답해주시고, 아까 조사위원회 관련 1, 2차 회의하고 해체되었죠? 그 회의에서, 위원회에서 과업지시서안을 만들어서 시장에게 ‘이렇게 합시다’ 했겠죠?”

"그렇습니다."

"그런데 아까 과업지시서를 만들지 않았다고 답변을 하셨는데 1차 회의에서 과업지시서를 만들었고 2차 회의에서 그걸 조정하자, 시장께서 그래가지고 과업지시서를 만들어서 시장에게 보여준 것으로 알고 있어요."

"예. 그렇습니다."

"그런데 시장이 '3천만 원 이상은 못한다, 두 번째 과업지시서의 이런 조항은 삭제하고 이런 조항은 축소하고' 했다는데 이게 시장의 자세예요?"

"의원님, 그것은 사실과 다른데요. 3천만 원 얘기를 한 것은 현재 우리가 입찰 잔액이라든지 의회 승인을 받지 않고 쓸 수 있는 돈이 있습니다. 쓰고 남은 돈들, 그게 한 2천~3천만 원 되니까 그 정도를 넘어가면 의회의 승인을 받아야 된다고 말씀을 드렸던 거고요. 그 다음 2차 조정해서 과업지시서를 갖고 왔을 때에 '이 과업지시서를

국정감사(강원도청 앞)_연합뉴스

전체 조사위원회에서 의논해서 확정시켜 주십시오' 라고 요구한 겁니다. 그렇게 하면, 전체 조사위원회에서 확정을 하면 제가 그때 비용을 산출을 해서 3천만 원이 넘으면 추경편성을 해서 의회에 신청을 하겠다고 한 겁니다."

"그걸 서면으로 제출을 해주시고요. 조사위원회에 주네, 마네 이런 걸 가지고 갈등을 빚고 그러지 않았어요? 그런데 내가 생각할 때는 3천만 원 넘으면 시의회 승인 받고 그럼 되잖아요?"

"그렇게 하겠다고 했습니다."

"안전이 모든 것 중에 최우선이라는 것을 시장께서는 다시 한 번…."

김태원 의원이 끼어들었다.

"지사님, 증인의 얘기를 들으셨는데 해결방안을 내놔야되지 않겠습니까?"

"네." 최문순 도지사가 답변하였다.

"증인의 책임도 벗어날 수 없습니다만 강원도의 입장도 그렇게 자유스럽지는 않을 겁니다. 그렇죠?" "네, 그렇습니다."

"본인은 일단 조사위원회가 구성이 되어야 한다고 보거든요?"

"예."

"그럼 춘천시에서 과연 조사위원회를 할 거냐, 그렇지 않으면 우면산 사태도 서울시에서 조사단을 구성했잖습니까? 그럼 강원도에서 조사단을 엄정하게 구성을 해서 거기에 대한 원인 규명이라든지 그런 부분을 분명하게 파악을 하는 조치가 따라야하지 않나 본인은 그렇게 생각합니다. 지사님 생각은 어떠십니까?"

"춘천시장과 협의하도록 하겠습니다."

"이런 부분은 서울시에서도 조사단이 구성되어서 객관성, 공정성의 문제가 제기 되고 있지 않습니까? 하물며 춘천시에서 조사단이 구성되었다고 하면 그걸 유족들이 인정을 해주겠습니까? 오히려 강원도가 좀 더 자유스럽지 않겠냐는 차원에서 강원도에서 주도적으로 문제해결을 하시는 게 어떤지 말씀 드리는 겁니다."

"예."

"강원도의회에서 2008년 신북읍에 소방서 설치 검토하자고 결정된 걸로 알고 있는데 증인께서 알고 계십니까?"

"예. 알고 있습니다."

"만약 신북읍에 소방서가 있었다면 이런 자연재해에 예방이 될 수 있었다고, 도움이 될 수 있었다고 보십니까? 어떻습니까?"

"아무래도 마적산 같은 경우 신북에서 자동차로 2분 걸리고 춘천시 소방서는 7~8분 걸리니까 도움이 됐을 겁니다."

"도지사님, 신북읍 소방서 설치 계획은 어떻게 되어 가고 있습니까?"

"진행 중에 있습니다."

"그런 부분을 잘 추진하셔서 앞으로 이런 자연재해를 사전에 방지할 수 있어야 할 것이라 생각합니다. 이상입니다."

이석현 의원이 발언권을 신청하였다.

"안양시 동안구 이석현 의원입니다. 고인의 명복을 빌며 유족들께 위로를 전합니다. 춘천시는 인재가 분명한 이번 사건에 대해 자꾸 책임만 덮으려 하고 급한 불 끄려고 천재로 돌리려고 하는 데 대해 유감스럽게 생각합니다. 춘천시장이 지금 이쪽에 있습니까? 보이지 않아가지고. 당시 유족 추천 3명, 춘천시 추천 3명으로 사고조사위원회가 구성이 되었죠? 그게 활동도 못하고 해산이 되었어요. 이유는 내가 보니까 전문조사용역업체 선정을 해야 하는데 춘천시가 예산을 안 줬다고 그러대요?"

"사실과 다릅니다. 의원님."

"예산 줬어요?"

"아닙니다. 예산을 주고 말고 할 사이도 없이요, 조사항목, 무엇을 조사할지 결정해줘야 1억 원이 드는지 2억 원이 드는지 산출 근거가 나오지 않겠습니까."

"무슨 항목을 조사할 것인가를 춘천시가 알아서 해야지. 춘천시가 이번 사태에 책임이 있는데 누가 딴 사람이…."

"조사위원회에서 저희한테 대충 이런 걸 조사할 테니까 1억 원을 주십시오 했는데요."

"그런 문제는 서로 머리 맞대고 상의하면 뭘 조사할지 아는 거지 절차적으로 어떤 과정이 있었는지 모르겠지만 오죽 답답하면 유족들이 나서서, 진상조사보고서를 만들어놨어요. 그런데 유족 측이나 춘천시가 추천한 세 분들이 협조적이었습니까? 뭘 조사해야 된다 안 된다 얘기가 안 된 겁니까?"

"조사위원장이요. 유족대표 분께서 추천한 사람인데 그 사람은 산출근거도 없이 무조건 1억 원을 주면 거기 맞춰서 하겠다는 거고 저희는 의회 승인을 받기 위해서는 산출근거가 필요하니까 조사위원회에서 확정해달라고 요구한 것인데 그걸 거절했기 때문에…."

"그런 문제면 만나가지고 얘기해서 '이런 항목을 합시다' 하고 춘천시가 제시할 수도 있지요."

"그렇지 못할 일이 생기니까 저도 답답한 겁니다. 저도 납득할 수가 없습니다."

"춘천시장 잘 한 거 하나도 없어요, 들어봐요. 우선 춘천시장이 현장은 가봤어요? 강원도 재난안전대책본부가 작성한 자료가 여기 있는데, 춘천시는 자체적으로 조사를 안 했죠?"

"유족들과 공동으로 조사위원회를 구성했습니다. 그 상황에서 춘천시가 별도로 조사를 하면…."

"유족들을 몇 번 만나봤습니까?"

"유족들이 저를 만나러 온 게 두 번이고요 제가 대화를 하십시다 했는데 그 분들이 거절한 게 두 번입니다."

"왜 거절을 했다고 생각하십니까? 춘천시가 천재로 몰고 가기 위해서 하고 있다고 느끼기 때문에 거절한 것입니다. 그럼 인간적으로 가슴을 열고 의논하면 그런 절차적인 게 무슨 문제가 있겠습니까. 그렇죠? 소중한 자식을 가슴에 묻은 아픔도 가라앉지 않았는데 사고 원인도 못 밝혀가지고 본인들이 만들었는데… 내가 대충 살펴보니까 이 산사태가 발생한 지역은 90년과 99년에도 산사태가 발생했던 지역이죠?"

"네. 아주 소규모였지만."

"산림청이 지정한 산사태 위험 1등급 지역이죠? 산림청이 지정한 거 몰랐어요?"

"산사태 1등급이나 2등급은요, 그것은 산림청이 지정하는 게 아니고 국립산림연구원이라는 연구단체에서 자체적으로…."

"알고 있었냐고요?"

"예. 알고 있었습니다. 산림청이 지정한 게 아니라니까요."

"그래, 산림연구원이라고 합시다. 그래서 거기는 산사태 난 곳에 군부대가 있었는데 이전을 했는데도 아무 관리를 안 하고 있어요. 지금은 산에 텃밭까지 만들어놨더라고요. 가보셨습니까?"

"예."

"산사태 완전 무방비 상태인데 여기 배수로도 없이 음식점, 주택 건축을 허가했죠?"

"네, 그렇습니다."

"왜 그러셨어요?"

"건축 허가지역은 산지가 아니고 평지입니다. 도로 옆에 있는 평지였고 배수로가 있었는지 없었는지 그건 허가 사항이 아니라 건축 허가 받은 사람들이 그냥 하는 겁니다."

"무슨 말씀이에요? 허가를 막 줄 수 있는 거라고요?"

"네."

"배수로도 없는데 주택 건축을 왜 허가 했냐 이겁니다. 음식집도 그렇고."

"네. 건축법상 허가를 할 수 있는 곳입니다."

"하지만 방금 이야기한 대로 1급 위험지역으로 고시가 된 지역인데 배수로도 없이 이런 걸 만들어 놓으니까 이번 사태가 일어난 거 아닙니까. 그런데 배수로가 없어도 허가된다는 게 말이 돼요? 그 다음에 하나 더 얘기할게요. 대책위 자료집은 그럼 아예 읽어보지도 않으셨겠네요."

"읽어봤습니다."

"읽어봤습니까? 춘천시 태도로 보면 자칫하면 제2 산사태가 또 날 수도 있어요. 솔직히 걱정스러워요. 이참에 제대로 되어야 하고 유족들 아픔도 달래고 재발방지가 되어야 합니다. 최문순 도지사님,

이번에 당선 축하하고 좋은 일 많이 하시길 기대합니다. 춘천시는 지금 너무 책임을 못 느끼고 이거 누가 봐도 인재인 걸 천재라고 하늘 가리고 아웅 하고 있어요. 도가 나서서 제대로 진상 조사하고 대책위원회 꾸리고, 해결을 해야 합니다. 그래서 징역 보낼 사람은 징역 보내야 됩니다. 재발방지 대책 세우고 다음에 이런 산사태가 다시는 안 나게 밝혀야죠. 유족들 위로해야 합니다. 우면산 사태는 많이 해결됐어요. 춘천사태는 인하대 학생 젊은 사람이 열이나 죽고, 합해서 열세명이나 죽었는데 시장이 저 따위로 하면 이게 말이 됩니까. 도지사께서 잘 해결해 주세요. 그렇게 하시겠죠?"

"예."

이인기 위원장이 발언하였다

"지사님, 이렇게 합시다. 이 일이 난 지가 벌써 두 달이 지났지 않았습니까. 서울시 국정감사를 우리가 했습니다. 서울시에서는 결론이 어떻게 났든 간에 조사단을 구성해가지고 진행했습니다. 이 문제는 춘천시에서 감당을 하기에는 너무 벅찬 과제가 아닌가 싶어요. 위원님 말씀대로 필요하다면 경찰, 검찰에서 과실 문제는 조사를 할 것이고요, 위원님들 공통 의견이 춘천시와 강원도, 국방부 유관기관들이 공동으로 새로 조사단을 구성해서 합의를 하고 조사를 진행해야 한다는 겁니다. 지금 조사가 전혀 안 되고 있어 여기서 논쟁을 한다는 게 큰 의미가 없으니 지사님께서 진행을 하세요. 문학진 의원 말씀 하시고 나서 지사님이 정리해 주시기 바랍니다."

문학진 의원은 발언권을 받자마자 이광준을 발언대로 불러 세웠다.

"춘천시장은 발언대로 나오세요. 춘천시장님, 이광준 시장님. 이렇게 보니까 답변하는 태도와 자세가….” 이광준이 발언대로 나오자 말을 이었다. “이게 사고가 난 지 두 달이 지났어요. 두 달이 지났는데 아직 제대로 된 원인 규명을 위한 조사가 단 한 차례도 이뤄지지 않았어요. 이게 있을 수 있는 일이라고 생각해요? 정말 생때같은 학생들하고 해서 열세 명이 사망을 했죠? 이건 엄청난 사고예요. 책임져야 할 사람은 당연히 져야죠. 책임의 소재가 어딘지 알려면 원인 조사가 잘 이뤄져야 할 거 아녜요?”

“그렇습니다.”

“자체 조사 한 번도 안하고 지금 시장은 계속 앉아가지고 뭐가 어떻고 뭐가 어떻고 따지듯이 답변을 하는 자세는 내가 보기에는 기본적으로 자세가 되어 있는 게 아니에요. 어찌되었든 이렇게 엄청난 인명피해가 있었고 그러면 낮은 자세로 답변을 하시는 게 맞는다고 생각하는데 어떻게 생각하십니까?”

“오늘 의원님들께 낮은 자세를 보여드리지 못했다면 죄송합니다.”

“지금 들어오다 보니까 유족들이 앞에서 시위를 하고 있대요? 매일 하고 있죠?”

“예.”

“얼마 전에 또 소복입고 행진도 했죠? 빨리 풀어야 됩니다. 방금 위원장님도 말씀 하셨는데 도하고 국방부, 필요한 기관하고 합동조사단 시급히 꾸려야 돼요. 왜 이런 어처구니없는 일이 일어났는지 원인을 밝혀야할 거 아닙니까. 그 다음에 책임소재 가려내고. 그렇게 하시겠어요?”

“네, 저도 그렇게 생각하는데요. 의원님, 자꾸….”

“됐어요. 정리가 된 겁니다. 한 말씀 더 드리면 대학 1학년생이 많았죠? 인하대학교? 아이들이 봉사 왔다가 참변을 당했는데 바꿔 생각해 보세요. 시장님 자제분이 이런 일을 당했다고 생각을 해보시라고. 그러면 앉아서 뭐가 어떻고 뭐가 어떻고 답변할 수 있는 문제가 아니라고요."

이인기 위원장이 말을 받았다.

"인재냐 천재냐를 나누는 과학적 잣대는 없다고 생각합니다. 그 시대 여건과 시스템의 여건에 따라서 인재일 수도 있고 천재일 수도 있다고 생각합니다. 밖에 유가족들이 회의장을 지켜보고 있잖습니까. 국민들도 관심이 많습니다. 위원님들께서 정확한 진단과 지적을 했다고 봅니다. 지금부터는 최문순 도지사께도 시간을 드리고 춘천시장께도 시간을 드리겠습니다. 어떻게 이 문제를 풀어야 할 것인지 대책과 방법론에 대해서 말씀하시기 바랍니다. 먼저 지사님께서 말씀하시기 바랍니다."

"존경하는 이인기 위원장님과 위원님들의 고견을 존중해서 유족과 춘천시 등과 협의해서 조사를 진행시키고 그 결과를 국회 행정안전위원회에 보고하겠습니다." 최문순 도지사가 발언하였다. 하지만 이광준 시장은 별 말이 없었다. 위원장이 증인에게 나가도 좋다고 하고 발언을 했다.

"지사님, 그건 법률적으로 따질 게 아니라 보상을 해줘야 돼요. 이럴 때 항상 문제가 되는 게 보상을 하면 앞으로 또 무슨 경우가 생길 때 이런 문제가 생기지 않겠냐고 우려하는 거거든요. 근데 제가 객관적으로 이 사안을 볼 때는 그런 일을 걱정할 사안은 아닌 거 같아요. 피해자에 대한 보상입장을 확고히 해서 더 이상 이중의 고통을 당하는 그런 일이 없도록 해주세요."

국정감사 춘천시장 증인 심문이 끝났다. 오전에 예정된 강원도 국정감사 시간을 거의 다 썼다. 유족들은 참관한 사람들로부터 국정감사 소식을 들으며 점심을 먹었다. 어렵게 왔는데 이렇게 갈 수는 없다고 하여 선전물을 배포하기로 하였다. 춘천 명동과 춘천시청 앞에서 선전전과 피케팅을 하였고, 이광준 시장이 사는 퇴계동 아파트에 가서 선전물을 배포하였다. 이광준 시장 집으로 간 팀이 의욕이 넘쳤다. 아파트에 집집마다 집어넣고 차량에도 한 장씩 꽂았다. 아파트 선전을 하고 난 뒤 다음 선전전 시에는 춘천시 아파트 단지를 나누어 두 사람씩 범위를 정하여 전면적으로 하면 좋겠다는 의견이 있었다. 아파트는 실제 춘천시민들이 사는 곳이고 아파트 단지가 대규모로 형성되어 있어 선전 효과를 최대로 볼 수 있을 것이라는 판단과 아파트의 경우 단시간에 많은 선전물을 뿌릴 수 있어 효율성이 뛰어나다는 의견이 제기되었다.

국정감사는 기대했던 것보다 훨씬 큰 효과를 가져왔다. 의원들이 여야 할 것 없이 유족들의 입장에서 발언해 준 것이다. 다만 사전에 많은 준비를 하였고, 의원들에게 예상 상황도 알렸지만 이광준의 임기응변식 위증을 지적하지 못했다는 것이 아쉬운 점이었다. 한 의원이 모순된 답변에 대해 지적하였지만 전반적으로 이광준의 위증에 대해 지적이 없었다. 아쉬움도 있었지만 기대 이상의 성과였다. 이제 강원도와 협의할 근거를 행안위 의원들이 분명하게 준 것이다. 의원들이 도지사의 책임도 있음을 명확히 하였고 도지사 또한 인정하는 발언을 하였다. 또한 도지사가 본 사태를 해결하겠다는 일정한 생각도 밝혔기 때문에 이번 주 도지사의 면담이 조금 자연스러워졌다는 평가를 내릴 수 있었다. 의원들이 춘천시장의 발언 태도와 책임이 없다는 식의 이번 참사를 대하는 자세에 대하여 질타가 여러 번 있었고 춘천시장은 결국 발언대로 나와서, 서서 답변을 하는 상황이 연출되었다. 통쾌한 일이었다.

내부적으로는 국감이후 해결될 것이라고 믿는 분위기였다. 그러나 국회의원들의 정치적인 발언은 실제 구속력이 없었다. 행안위 의원들에게 이광준 시장이 위증한 사항에 대해 정리해서 보냈지만, 총선을 눈앞에 둔 상황에서 그 당시 국회의원들의 임기가 마감되고 있어 이광준에 대한 위증 고발은 실현되지 못했다.

대처법 6

진실은 현장에 있고, 도와 줄 사람도 현장에서 찾아라. 시간이 될 때마다 곳간을 채워라. 여기서 말하는 곳간은 대책위원회의 보물창고를 말한다. 보물창고는 진실을 쌓아놓은 곳이다. 투쟁이 격해질수록 조사하고 분석 할 수 있는 인력과 시간은 없어진다. 미리 조사하고 분석하여 쌓아놓고 대응하라. 객관적인 기관의 조사가 아니라 우리(대책위) 시각에서의 조사가 필요하다. 어떠한 사안도 사태를 보는 관점에 따라 다를 수 있다. 그리고 그 진실은 현장에서 찾아야 하고 발품을 팔면 반드시 찾을 수 있다. 대책위에서 조사팀은 현장조사를 위해 6번 현장을 방문하여 3번 마적산을 오르고 지역 주민들을 만나 과거 산사태의 상황까지 알 수 있었다. 물론 냉담하고 적대적으로 대하는 사람들도 있지만 우호적인 사람도 반드시 있다. 조사 · 분석된 자료는 전문가들의 자문을 받아 사회적으로 공표하면 된다. 그리고 잘 정리해 두었다가 투쟁 시 필요한 정책자료로 활용하라.

대처법 7

투쟁은 집중해서 하고 안되면 확전하라. 단 확전 시에는 원래 대상에 대한 입장을 명확히 하라. 관공서를 상대로 하는 투쟁이 만만한 것은 없다. 공무원들의 민원서비스용 발언에 감동하거나 판단 착오를 하면 안 된다. 그들은 법과 제도를 집행할 뿐이다. 기초단위의 기관과 도저히 대화가 안 되면 방법은 확전이다. 광역단위로 하고 그래도 안 되면 정치권과 국가를 상대로 한 싸움으로 확대해야 한다. 이번의 경우 춘천시가 조사위원회를 해체하고 강원도로 확전하는데 중요한 전환점인 국정감사가 있었다. 그러나 더 중요한 것은 강원도로 가기 위해 춘천시와의 대화를 중단(춘천시의 면담요청도 무시)하고 규탄 집회와 선전전 등 응징 프로그램을 진행했다는 점이다. 현재의 대상과 대화가 안된다고, 이곳저곳을 찾아다니며 확전을 시도할 것이 아니라 지금 상대와의 분명한 입장을 갖고 전력을 다해야 한다.

제 5 장

강원도와의 대화 및 인하대, 춘천시 대응

1. 강원도지사 면담

국정감사가 끝나고 도지사와의 면담은 10월 7일 오전 9시로 잡혔다. 유족들은 도지사 면담을 앞두고 마지막 기회라는 생각으로 무엇을 요구할까를 고민하였다. 국정감사에서 도지사의 책임이 있다는 의원들의 발언과 도지사의 인정, 그리고 보상하라는 의원들의 발언에 근거하여 보상에 대한 정확한 요구를 먼저 하고 다른 요구를 다음에 하자는 의견도 제시되었다. 그러나 도지사에게 우선 보상을 요구할 시에 도지사가 그것을 받아줄 명분이 없고 춘천시장의 사과, 책임자 처벌 및 재발방지 대책에 대한 요구를 배제한 보상요구는 많은 문제를 야기할 것이라는 이야기가 주를 이뤘다. 7일 면담 시 대책위의 요구를 보다 구체적으로 가지고 가되, 도지사의 답변 내용에 따라 추가로 구체적인 안을 제출할 지를 상황에 맞게 할 필요성이 있다고 이야기 되었다. 7일 면담은 참여 가능한 유족들만 참여하기로 하였으며, 경우에 따라(눌러 앉아야 할 사항이 되었을 시) 연락을 취하여 가족들이 합류하자는 결론을 내렸다.

면담이 잡혀 있는 10월 7일 오전 9시 강원도청 방문은 너무 이른 시간이었다. 서울, 인천에서 새벽같이 일어나서 와야 했다. 최영찬 대표, 최영도 대변인, 이건학 조사팀장, 정용재 기획팀장, 김용주(유라 아버지), 김문호(현빈이 아버지), 이승원, 그리고 인하대 총학생회장, 동아리연합회장이 참석하였다. 강원도에서는 도지사와 국장 3명, 비서관이 배석하였다. 대책위가 강원도청 앞에서 만나 도청 본관으로 들어가는데 본관 앞에 낯익은 사람이 서 있었다. 도지사였다. 본관 앞에 나와서 도지사가 직접 유족들을 맞이한 것이다. 영접부터 춘천시장과는 다른 분위기였다.

도지사실 옆 회의실로 이동하였다. 간단한 인사말이 오간 후, 유족 측이 제안한 3대 요구 세부안에 대한 강원도의 답변을 요구하였다. 기술조사에 대해 도지사가 결코 유족에게 유리하지 않을 것임을 강조하였고, 유족 측도 조사를 다시 하고자 하는 의사가 없음을 분명하게 밝혔다. 여기까지 온 것은 이 사태를 매듭짓고 해결하기 위해서이지 다시 조사위원회를 꾸리고 참사 당시로 되돌리기 위해서가 아님을 분명하게 한 것이다. 유족 측은 재발방지, 책임자 처벌, 유족 보상에 대한 구체적인 대책을 물어봤다. 강원도는 첫 번째 사항에 대해 경사면에 대한 규정을 강화하는 방향으로 검토하고 있고, 신북읍에 119안전센터 설립을 위한 부지매입을 완료하고 내년도 예산 5억 원을 확보하여 2013년 개소 예정임을 설명하였다. 자연재해 예방시스템을 190개소로 확대하는 사업을 추진(예산 10억 원)하고 있으며, 강원지역 숙박업소에 대해 11월말 까지 전수조사를 실시할 것이라 했다. 또 방재시스템의 강화를 추진하고 있지만 방공포 원상회복은 국방부와의 협의가 필요하여 의사 타진 예정임을 밝혔다. 유족 측은 방공호가 있는 지역은 군부대가 철수하였고, 이광준 시장의 국감 답변에 따르면 이미 사유지가 된 곳인데 국방부와 무슨 협의를 하며, 참사 민박이 농어촌 민박의 취지를 벗어나 전문적인 숙박사업을 하고 있는데 이에 대한 조치와 대책을 물었다. 강원도는 즉답을 회피하고 적극 검토하겠다고 했으며, 책임자 처벌은 추진하기 곤란하며 유족 보상은 의사상자 법안을 개정하는 입법 활동을 통해 범위를 확대하여 추진하는 것에 유족들이 동의하면 하겠다고 답변하였다. 의사상자 법 개정은 요원한 일이었다. 유족들은 그렇게 막연하고 가능성도 희박한 안을 받을 수는 없다고 하고, 책임자 처벌에 대해서는 강원도가 춘천시에 대한 감사를 할 것을 종용했으나 도에서는 답변을 흐렸다. 일단 강원도의 적정한 보상이 전제(의사상자 등 예우 및 지원에 대한 조례 제정 포함)된다면 의사상자 관련 법안의 개정도 동의할 수 있다고 답변하였다. 강원도는 그 문제는 춘천시와 협의하여 답변하겠다고 하였다. 도지사는 자신이 국회의원 시절 추진하였던 금양호 희생자들의 의사상자 법안 대상자 적용 추진의 예를 들면서 가장 확실하니 해 보자는 제안을 했으나 유족들은 법 개정 자체는 회의적이었다. 언제 될지도 모르고 총선이 얼마 남지 않은 상황에서 장담하기 어려운 일이었다. 좀 더 구체적이고 확실한 대안을 요구하자 도지사는 다음 일정을 핑계로 일어서려고 했다. 김용주(유라 아버지)가 도지사를 향해 말했다.

"이렇게는 못갑니다. 해결을 해야지요."

"아니, 어떻게 해결을 하자는 건가요? 이런다고 해결이 되나요?"

"해결하고 가세요."

"저는 가봐야겠습니다. 검토하고 고민해보죠. 의사상자 법안 개정에 대해 유족들의 의견을 주세요." 그리고 도지사는 회의실을 나가버렸다.

모든 사람들이 황당해 하고 있는 상황에서 정용재 팀장은 그 틈을 놓치지 않았다.

"아니, 이렇게 끝낼 수는 없는 것 아닙니까? 강원도가 진정으로 해결의지가 있다면 실무협의체라도 꾸려야 하는 것 아닙니까?"

"그럽시다. 우리는 3국장이 나오겠습니다." 최형선 건설방재국장이 적극적으로 나섰다. "유족 측의 실무위원은 다음 주중 통보하도록 하겠습니다."

"그럼 언제 만날까요?"

"다시 논의하기로 하고 잠정적으로 10월 17일 14시는 어떻습니까?"

"좋습니다. 다음 협의 때 2, 3번에 대해서도 구체적인 안을 부탁합니다."

더 이상 할 말이 없었다. 유족들은 아쉬웠지만 나올 수밖에 없었다. 유족들의 주요 관심사였던 유족 보상 문제에 도지사의 대안은 너무 터무니없는 것이었다. 쉽지 않은 길이 보였다. 이미 예측한 대로 재발방지에 대해서는 적극적인 자세로 대안들을 내놓고 추진하고 있으나, 2번 책임자 처벌과 3번 유족 보상에 대해서는 거의 안이 없는 수준이었다. 유족들이 대안으로 제시한 조례 제정 등의 문제는 검토하겠다고 했으나 적극적인 의지는 없어 보였다. 문제의 핵심은 춘천시였다. 강원도도 춘천시와의 문제를 푸는데 한계가 있었다. 결국 춘천시와의 문제가 해결되지 않으면 안 되는 문제가 많았다. 춘천시를 투쟁으로 박살내든지 대화를 해서 해결하든지 해야 하는데 후자는 이제까지 겪어 본 이광준 시장은 안 되는 사람이었다. 여기서 이광준 시장이 기름을 부었다. 국정감사에서의 위증이 문제가 아니라 춘천시의회에서 유족들을 비난하는 연설을 하고 춘천시보를 통해 춘천시민에게 유족들을 폭도와 돈만 아는 사람으로 왜곡하는 기사를 실었다.

종합적으로 이광준 시장에 대해 광고, 선전전, 일인시위 등의 대응을 계속하여 압박하기로 하고 강원도와는 일단 우호적인 분위기에서 협의를 진행하기로 하였다. 3번 문제에 대해서는 적극적인 대안을 대책위에서 연구하여 제시하기로 하였다.

2. 춘천시 대응

이광준 시장의 행보는 도가 지나쳤다. 국정감사에서의 위증은 자기방어 본능에서 할 수 있는 부분이라 이해하려고 해도 춘천시의회에서 의원들을 대상으로 한 이야기와 춘천시보의 기사는 그냥 넘어갈 수 없는 문제였다.

이광준 시장의 이야기는 세 가지로 요약된다. 첫째는 강원대병원에서의 일이다. 참사 이후 42시간 만에 병원에 갔을 때 유족들이 자기에게 무릎을 꿇라고 했다는 것이다. 춘천시민을 대표하는 자기에게 감히 유족들이 함부로 했다는 것이다. 둘째는 유족들이 돈을 요구했다는 것이다. 구체적으로는 희생자 일인당 5억 원을 요구했다는 것이다. 이광준 시장이 항상 이야기하는 것이 유족이 자식들 장례에 먼저 신경 써야지 돈을 요구하는 것이 맞느냐는 것이다. 셋째는 조사위원회 해체의 책임은 조사비용을 무리하게 요구한 조사위원장에게 있다는 것이다.

모두 거짓말이다. 첫째는 본인이 인정하듯이 이광준 시장은 참사 이후 42시간 만에 강원대병원에 나타났다. 유족들은 그 시간 동안 아무 것도 못하고 있었다. 하다못해 분향소 하나 차리지 못한 상태였다. 과실 유무를 떠나서도 참사 희생자들에 대해 긴급 조치와 장례 절차 등은 춘천시장이 책임져야 할 문제가 아닌가? 분향소도 안 차려주고 조문을 왔다고 하는 춘천시장을 어떻게 봐야 하는지를 생각해야 한다. 유족 중 한명이 시장에게 한 말은 '지금 유족들이 저녁을 먹는 중이니 잠시 기다리라' 는 말이었다. 그런 상황에서 '니가 뭔데 막느냐?' 며 유족을 밀친 것이 시장이 할 행동인가? 이런 거짓말을 시장이 계속했지만 사람들의 반응은 냉정했다. 심지어 같은 당의 국회의원들까지도 '자식 잃은 사람들이 그 당시 무슨 말을 못하겠나, 그것이 사실이었더라도 뭐라 할 상황이 아니다' 라고 말한다. 행정 책임자로서의 자신의 책임을 망각한 언행이며 적반하장이라 할 것이다. 두 번째 문제도 그렇다. 강원대병원에서 무엇을 요구할지 망설이는 유족대표들에게 그래도 어느 정도를 생각하는지 알아야 협의를 할 것 아니냐, 결국 보상인데 왜 말을 안하느냐고 답변을 유도한 사람은 시장이었다. 천금 같은 자식을 잃은 사람들이 돈을 요구했다는 것은 말도 안되는 이야기다. 그 당시 시장과 이야기 한 4인 대표 중 희생자들의 친 부모는 한 사람 뿐이었다. 나머지 3명은 친척들이다. 친 부모들은 그런 협의를 할 상태도 아니었다. 시장 본인이 유도해 놓고 나중에 그걸 공격의 대상으로 삼는 행동은 처음부터 의도를 갖고 만들어 낸 상황으로 밖에는 이해할 수 없다. 셋째, 조사위원회의 해체 과정은 이미 앞에서 자세히 발언록까지 공개했기에 다

시청앞 사진전

시 언급할 필요는 없겠다. 다만 시장이 추천한 기술 쪽 위원들까지 그 예산은 적정한 것이라고 이야기하였고, 해체를 요구한 것을 생각한다면 책임이 어디에 있는지는 명확하다.

유족들은 이러한 사실을 알려야 했다. 왜냐면 사실을 알 수 없는 시민들과 시의원들을 상대로 한 이광준의 거짓말이 실제 시민들에게 호소력이 있을 수 있기 때문이다. 춘천에서 일인시위를 하거나 선전전을 하면 시민들이 '아니, 아직도 안 끝났어요?', '보상은 충분히 받았다는데? 아니에요?' 라는 황당한 이야기를 하는 경우가 많았다. 그래서 방법을 강구하여 일인시위를 사진전으로 전환했다. 이광준 시장이 PD수첩에 나와서 한 발언, 참사의 원인, 이광준 시장의 거짓말, 유족들의 요구사항 등을 사진과 함께 제작하여 평일에는 시청 앞에서, 주말에는 명동에서 전시를 시작하였다. 언론과 시민들의 뜨거운 반응이 있었다. 그리고 재정이 부담되더라도 우리의 이야기를 사람들에게 공개적으로 밝힐 필요가 있다고 판단하였다. 일간지에 이광준의 거짓말과 현재 이광준의 시민 상대로 한 여러 문제들을 폭로하는 광고를 게재할 것을 결정하였다. 이후에도 이광준 시장이 이러한 행태를 계속 할 경우를 생각해서 춘천시보에 대해 언론중재위나 소송을 검토하고 토요일 선전전은 명동 시내에서 지속적으로 진행하였다.

강원도와의 교섭이 열렸지만 당사자인 춘천시의 문제는 간과할 수가 없었다. 전환점을 마련할 대규모 집회를 춘천에서 열어야 했다. 강원도를 압박하고 춘천시가 더 이상 분탕질을 못하도록 해야 할 상황이었다. 점차 장기화 조짐을 보이는 문제를 해결하기 위해서는 더욱 압박해야 했다. 10월 29일로 날을 잡았다. 최대한 사람들을 모아서 이 문제 해결 없이는 춘천지역에 평화가 없음을 분명히 보여줘야 했다. 지역 사회 안정을 위해서는 이 문제 해결이 선결 과제임을 알려야 했다. 실무적인 준비와 함께 인하대 학생들, 유족들과 토론을 시작하였다. 지역의 연대조직과도 협의를 진행하며 분위기를 만들어 갔다. 10월 22일 토요일에는 춘천 명동일대에서 선전전을 하며, 10월 29일 집회를 알리는 전단지를 시내 곳곳에 붙였다.

춘천의 투쟁에 집중하기 위해서는 인하대학교의 문제를 빨리 정리해야 했다. 학교와 전면전을 치르는 것에 대해서는 부정적인 의견이 많아 대화를 통해 현안 문제들을 빨리 정리해야 했기 때문이다. 학교와의 문제는 김현수 대표와 최영도 대변인, 이건학조사팀장, 유족 S가 맡기로 하였다.

그 즈음에 '(가칭)전국산사태피해국민연합' 에서의 참여 요청이 있었다. 우면산 산사태 대책위가 주축이 된 모임이었다. 최영도 대변인과 정용재 기획총괄팀장이 그 회의에 대표로 참석하여 상황을 판단하기로 하였다. 참석한 두 사람은 현재의 논의가 국제학회가 조사하도록 추진하는 것에 집중되어 있고, 조직 자체가 너무 일부에 의해 좌우되는 느낌을 받았다고 하였다. 공식적인 참여 문제는 좀 더 관망하기로 하였고, 그 때까지는 참관만 하기로 하였다. 그러나 서울에서 한 번 집회를 하고는 공식적인 내용이 없어 연결이 끊어졌다.

3. 인하대와의 문제 정리

인하대학교와의 문제는 대표단(최영도 · 이건학 · 김문호)이 학교를 방문하여 추모비 건립, 부상자 문제, 동아리 지원 문제 등을 협의한 후 학교에서 공식 공문을 보내와 본격적인 논의에 들어갔다. 춘천 문제로의 집중을 위해서도 이제 학교 문제는 정리해야 했다. 학교는 유족들이 의견을 받아들여 적극적인 안을 마련하였으나 추모비문의 문제와 모금액 전달조건으로 합의각서를 요구하여 충돌이 발생하였다. 추모비문의 문제는 유족 측은 아이들의 희생으로 인하대 전체 학생들에게 보험을 적용하게 되었고, 마적산 천전리에 시행되는 재발방지책을 명시하자는 것이었고, 학교는 추모와 애도의 뜻만 담자는 것이었다. 결국 이 문제로 11월 30일 예정이던 추모비 제막식이 졸업식으로 연기되었다. 인하대학교가 추진한 모금의 분배는 유족들과 부상자 중에는 현빈이네만 대상으로 하는 것으로 협의가 되었지만 전달 조건으로 제시한 합의각서의 내용이 문제가 되었다. 학교에서는 민형사상의 법적소송만이 아니라 사회적인 문제 제기까지를 금하는 조건을 붙인 것이다. 부상자 및 동아리 지원 등에 관한 전반적인 사항은 공문과 같다.

공문의 내용 중 가장 큰 것은 인하대 전체 학생의 보험을 들겠다는 것이었으며, 부상자 치료 문제와 소정의 장학금 지급도 중요한 문제였다. 유족들은 장애 등급에 따른 장학금 차등 지급을 없앨 것을 요구하였고, 모금액 전달에 따른 합의각서에서 사회적인 문제제기를 삭제할 것을 요구하였다. 학교 측에서는 명예졸업장 추서시기에 대해 협의해 왔고 졸업식에서 하는 것이 의미가 있음을 통보하였다. 이 문제 해결과 함께 유족들이 10월 27일 인하대학교를 방문하여 이본수 총장을 면담하고 감사

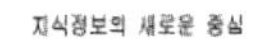
지식정보의 새로운 중심

인 하 대 학 교

수신 춘천봉사활동 인하대학교 회생자 가족대책위
(경유)
제목 봉사활동 참사 재발방지를 위한 가족대책위 의견에 대한 회신

1. 춘천봉사활동 중 참사로 유명을 달리한 고인들의 명복을 빌며, 다시 한 번 심심한 위로의 말씀을 올립니다.

2. 우리대학교도 유족분들과 마찬가지로 봉사활동 중 참사를 당한 학생들의 희생정신이 헛되지 않기를 바라며, 유족분들의 사려 깊은 배려에 다시 한 번 감사드립니다.

3. 2011.9.20(화) 유족대책위에서 질의하신 내용에 대하여 말씀드리면 다음과 같습니다.

- 다 음 -

가. 전체 인하대학교 학생에 대한 단체보험 가입

우리대학교에서는 전체 학생에 대한 단체보험 가입을 현재 검토 중에 있으며, 2012학년도부터 전체 학생에 대한 단체 보험을 가입할 예정입니다.

나. 동아리 활동 지원

우리대학교는 동아리 활동을 지원하기 위하여 동아리대표자들과 학교대표자들이 동아리 발전 방안 및 동아리의 애로점을 청취하고 개선책을 마련하기 위하여 동아리발전협의회를 운영하고 있으며, 동 협의회에서 결정된 사항을 존중하고 있습니다.

학교는 유족분들의 소중한 의견에 감사드리며, 전체 동아리발전 방안에 대하여는 동아리발전협의회를 통하여 지원할 수 있는 방안을 논의 하도록 하겠습니다.

1) 사회봉사장학금의 증액(현행 15만원)

우리대학교는 학생들의 사회봉사 활동을 장려하기 위하여 2010학년도부터 년간 6000만원의 예산을 편성하여 학생들의 신청서를 검토 후 소정의 금액을 지원해 주고 있습니다. (2010학년도 신설, 학기당 약 200명 지원)

2) 동아리회장 장학금(현행 20만원) 증액 및 대상 확대

우리대학교는 아직까지 개별 동아리 회장에게는 장학금을 지급하지는 않고 있으며, 동아리 중 활동이 우수한 동아리(학기별 30개 동아리)를 동아리연합회로 부터 추천을 받아 포상을 하고 있습니다.

(2010학년도부터 20개 동아리에서 30개로 확대)

3) 동아리발전기금 확대: 동아리사업이 실질적으로 가능하도록 지원

동아리발전기금은 개별 동아리에게 지원해주는 동아리 지원금만으로는 대중 사업 등을 하는데 애로점이 있다는 동아리연합회의 의견을 존중하여 2011학년도 기준으로 년간 1300만원을 지급해 주고 있으며, 동아리연합회에서 개별 동아리 사업을 평가 후 동아리발전기금을 배분해 주고 있습니다.

(2011학년도 300만원 증액)

※ 학교는 이번 참사로 인하여 아이디어뱅크 동아리 활동에 어려움과 희생 학생들의 숭고한 봉사 정신을 계승하기 위하여 2년 동안 아이디어뱅크 동아리에 특별 장려금을 지원(년간 300만원)하여 애로점을 해소하고 희생정신을 계승하고자 합니다.

다. 부상자들의 후유증 치료와 치료(외래포함)기간 특별장학금 지급

부상학생들과 관련해서는 지난 8월 26일 16:00 부상자 가족 대표 7명과 대외부총장실에서 면담이 이루어졌고, 이 자리에서 학생들의 육체적, 정신적 치료를 포함하여 후유증에 이르기까지 모든 사항을 인하대병원에서 책임지고 치료해 드린다는 것을 약속하였고 가족들께서도 충분히 납득하는 자리였다고 말씀해 주셨습니다.

부상 환자 중 장애 등급이 확정되는 학생에 대하여는 소정의 위로금을 지급할 예정이며, 장애 등급에 따라 재학 중 일정 금액의 장학금을 지급해 드리도록 하겠습니다. (1~3등급 등록금 전액, 4~6등급은 등록금의 2/3 지급)

아울러 장애 등급과 무관하게 입원 치료 기간이 20일 이상인 학생에게는 재학기간 중 소정의 장학금을 지급해 드리도록 하겠습니다.

다시 한 번 삼가 고인의 명복을 빌며, 우리학교는 학생들의 숭고한 희생이 헛되지 않도록 최선을 다하도록 하겠습니다.

인하대학교 봉사회생학생대책위원회 위원장

인사를 하기로 하였다.

10월 27일 15시에 인하대학교 측에서는 이본수 총장을 바롯하여 진인주 부총장, 각 대학 학장, 각 처장, 실무 담당자 등 15명이 참석하였고, 대책위 측에서는 최영찬 대표, 최영도 대변인, 이건학(민성이 아버지), 이상규(정희 아버지), 슬기네 어머니와 언니가 참석하였다.

유족 측은 강원도병원에서부터 장례식 준비, 성금 모금 등을 통한 지원과 후의에 감사하는 뜻으로 참석한 유족들이 돌아가면서 인사를 하였다. 또한 추모사업회를 준비할 예정임을 전하였고 향후 학교 측과의 만남도 있을 것이기에 많이 도와 달라는 바람을 전하였고 총장님도 좋은 만남이 계속되길 바란다는 말을 전하였다.

아이들의 명예를 위하고 뜻을 기리기 위해서라도 남은 학생들의 학교생활이 보다 더 좋은 환경에서 이루어지길 바라고 동아리 활동

도 더 잘될 수 있도록 학교의 지원이 더 확대되길 기대한다고 유족들이 말하였다. 학교에서 약속했던 단체보험이 내년부터 꼭 시행되길 원하고 동아리발전기금을 늘리고 동아리회장들의 장학금 증액 등 현실적인 개선이 되길 바라는 마음도 함께 전하였다. 이에 총장은 구체적인 제안을 해 주어서 감사하다는 말과 함께 최대한 노력할 것과 점차적인 개선을 이야기하였고 구체적인 답변은 하지 않았다.

또한 부상자들에 대한 특별장학금 지급에 대한 학교 측의 지원에 감사하다는 뜻을 전하였고 가능한 부상자 중 장애판정을 받은 학생의 경우 장애등급과 관계없이 전액 장학금 지급과 20일 이상 입원치료한 부상자들에게는 소정의 장학금이 아니라 1/3 등 구체적인 장학금 액수를 명시하여 지급되길 바란다는 의견을 전달하였다. 이에 총장은 최대한 노력하겠다고 했고 담당자에게 점검할 것을 지시하였다.

유족 측은 인하대학교에 강원도 측과 진행되고 있는 상황을 개략적으로 설명하였고 춘천시와 춘천시장의 문제도 잠시 언급을 하였다. 이에 총장이 도울 수 있는 방법을 강구해 보겠다는 생각을 전하였고 실질적으로 도움이 필요한 사안이 있으면 언제든지 알려 달라는 당부도 하였다. 필요하다면 강원도를 방문하여 필요한 사람을 만나겠다는 말도 전하였다.

인하대학교와는 추모비 건립과 명예 졸업장, 이후 추모사업 등에 대한 것들이 있었지만 사실상 이 만남으로 현안 문제가 일단락되었다. 진상조사보고 이후 희생자들에 대한 인하대의 책임이 밝혀져 아쉬운 부분들이 있었지만 학교 측도 나름대로 노력했다는 점에서 더 이상의 문제제기는 하지 않기로 하였다. 하지만 학교에 대한 입장의 차이는 학교 문제가 해결된 이후에 더욱 노골화되었다. 구체적으로는 학교 문제가 해결되자 강원도와 춘천시와의 싸움은 전망이 없다며 이탈하는 사람이 생겼다.

4. 강원도와의 교섭과 해법 찾기

강원도와의 교섭이 시작되기 전 대책위는 재발방지, 책임자 처벌, 유족 보상의 원칙적인 요구만 수립하였지 구체적인 요구안은 없었다. 특히 유족 보상에 대한 방안은 전무한 상태였다. 다만 책임 있는 사람들이 제시해야 한다는 입장이었다. 대책위에서는 회의를 통해 실무교섭위원으로 최영도 대변인, 이건학 조사팀장, 이승원 조사위원을 추천하였다. 교섭의 전술은 재발방지책의 구체적인 사항들을 중심으로 이번 참사의 인재여부를 따지고 책임자 처벌과 유족보상 방안을 강구한다는 것이었다.

10월 17일 오후 2시에 강원도청에서 시작된 실무협의는 취재진의 열띤 취재 속에 진행되었다. 강원도 측은 담당국장 3인이 협의위원으로 참석하였지만 과장들이 배석하여 지원하는 형태를 취했다. 협의 위원은 최형선 건설방재국장, 박창수 농정산림국장, 함명희 보건복지여성국장이었다. 실무자들의 지원을 받은 국장들은 교섭에서 훨씬 우위에 있을 수 있었으나 대책위 측 실무위원들의 준비된 질문과 자료에 쩔쩔맸다. 특히 방송사 카메라가 계속 촬영을 하는 바람에 강원도는 수세적인 입장일 수밖에 없었다.

먼저 재발방지에 관련한 공방이었다. 강원도 측에서는 이미 팩스로 전달한 바 있는 대책들을 설명하며 추진계획을 밝혔다. 이에 대책위는 단순히 계획 발표만으로는 의미가 없으며 언제까지 어떻게 추진할 것인지 구체적으로 명시하고 확인할 수 있어야 한다고 했으며, 한 가지씩 건별로 문제제기를 하였고 필요한 자료를 요청하였다. 구체적인 사항은 다음과 같다.

- 민박집 등 숙박업소 허가 관련: 펜션시설물 5,300여동의 전수조사 이전에 우선적으로 김○웅 씨의 소유 펜션, 민박 등에 대한 조사가 이루어져야 하고 소유권 이전 경위와 위법사항들을 조사할 것을 요구하였다. 김○웅 씨의 소유 주택 중 1종 근린시설을 민박으로 사용한 것에 대하여 조사할 것과 1종 근린시설의 민박 사용가능 여부 등 법적 문제들에 대해 파악하여 자료로 제출할 것을 요청하였고, 펜션, 민박들의 조사로 인한 행정조치 사항을 어떻게 할 것인지 계획과 해당 법 규정 등을 전달하도록 요구하였다.
- 건축허가 시 경사면 및 배수로 규정 신설 관련: 사면규정은 25도 내외에서 20도 내외로 강화하겠다고 했으나 배수로는 기준을 마련하겠다고만 했다. 다음 회의 시에 배수로 시설 기준에 대한 안을 제출할 것을 요청하였다. 그리고 홍천군의 사례를 들어 산사태 위험지역에는 건축허가를 금지하는 안도 검토하라고 제안했다.
- 사방공사에 적용할 강우빈도에 대해: 강원도는 강우빈도는 하천의 방재기능 강화를 위한 기준일 뿐 산사태에는 해당이 없다고 답변하여 논란이 되었다. 춘천시가 자연재해라고 주장하는 것이 바로 강우량에 근거하고 있고, 강우빈도가 6,000년이라고

주장하고 있는데 해당이 없다는 것은 말이 안 됨을 지적하였고 유족 측이 자체 조사한 결과(강우빈도 10년/시, 50년/24시, 박창근 교수 분석)를 공개했다. 논란 끝에 도가 공신력 있는 기관을 통해 강우빈도 조사를 하고, 사방공사는 강우빈도 100년에 맞추어 하기로 했다. 춘천시가 주장하는 강우빈도 6,000년에 대한 근거도 제출해 줄 것을 요구하였다.

– 방공포(국방부 소유라 함)와 군사도로(사유지라 함)의 원상회복 관련: 방공포의 경우 국방부와 협의를 해야 한다고 했다. 만약 국방부와 협의가 안 되면 다른 보강공사를 해서 안전을 보장하면 안 되느냐는 제안을 강원도가 했으나, 모든 산사태의 원인이 방공포와 도로에서 시작되었는데 원상회복 없이 재발방지는 말도 안 된다고 했다. 국방부가 거부하면 그 이유를 밝혀달라고 하였다.

도에서는 복구 없이 겨울을 나면 추가 피해가 예상되어 복구가 필요하다며 유족 측의 입장을 물었다. 이광준 춘천시장은 복구를 하겠다고 했지만, 산 위쪽 사방공사는 강원도에서 해야 하는 부분으로 유족 측과의 문제 때문에 복구를 못하고 있는 상태였다. 유족 측은 방공포와 군사도로의 원상회복, 마적산 강우빈도 조사가 이루어지면 복구해도 좋다고 조건부로 동의했다. 최소한의 선결 조건 없이 복구하면 증거 자체를 소멸하는 행위이므로 불가하다는 입장이었다.

책임자 처벌 관련하여 대책위는 도는 시를 감사할 수 있는 기능이 있으므로 업무감사를 하여 산사태 관련한 행정 과실 조사를 요구하였다. 그러나 이에 대해 도는 시를 감사하는 기능은 있지만 사례가 거의 없고 현실적으로 어려운 점을 호소하였다. 대책위에서 요청한 자료 중 많은 부분이 춘천시로부터 나와야 하고 그에 대한 춘천시의 협조가 미흡할 시에는 업무 감사를 통해서라도 해야 함을 제기하였으나 현재, 도 차원에서 어려움을 느끼고 있고 추후 도지사에게 보고를 하고 검토해 보겠다는 수준으로 답하였다.

유족 보상 관련해서 대책위는 도지사가 제안한 의사상자에 대해 담당인 함명희 국장에게 노골적으로 물어봤다. 법 개정이 가능하다고 보는지? 그리고 법 개정이 된다면 우리 아이들이 의사상자가 될 가능성이 있다고 생각하는지? 솔직한 답변을 요구하였고 이에 대해 함 국장은 어렵다고 본다는 솔직한 답변을 했다. 다만, 최문순 지사께서 어떤 식으로든지 도와 줄 방법을 찾고자 하는 노력의 일환으로 의사상자를 제안한 것이니 그 취지와 의도를 알아달라는 이야기를 덧붙였다. 최문순 도지사의 제안은 고마운 일이나 어려운 과정을 거쳐 법 개정까지 했는데 나중에 심사에서 탈락되면 어떻게 되는 것인가? 피차 쓸데없는 노력은 안하는 것이 좋았다.

대책위 실무위원들은 정회를 하고 협의 끝에 의사상자는 포기하자는 결론에 이른다. 실무위원들은 협의가 속회되자 의사상자는 국가유공자에 버금가는 어려운 문제이고 법 개정과 조례 제정으로 그 목적을 달성할 가능성이 거의 없다는 설명 등과 함께 대책위에서 진행할 수 없다는 입장을 분명하게 하였다. 이에 대한 대안으로 자원봉사기본법을 모법으로 하여 자원봉사자에 대한 보호를 위해 조례를 제정하여 유가족 보상을 할 것을 제안하였고 법과 시행령에 대한 자세한 설명을 하였다. 이에 도 측에서는 변호사를 통해 자문을 받고 검토하겠다는 답변을 하였다.

또한 보상금과는 별도로 강원도와 춘천시는 유족 위로금을 지급하여야 한다고 제기하였다. 또한 99년 인천 인현동 화재사건을 예로 들었고 인천시와 화재와는 직접적인 인과관계는 없지만 인천시에서 위로금을 지급하였던 사례를 설명하며 도와 시에서 유가족 및 피해자들에게 위로금을 지급할 것을 제기하였다. 모금 등을 통한 방식도 제기하였으나, 도 측에서는 모금도 신고를 해야 하는 법절차 등의 문제를 이야기 하면서 어려운 점을 토로했다. 이에 모금도 추후 검토하겠다는 이야기로 마무리 지었다.

기타 사항으로 지난 도지사 면담 시 대책위에서 제기한 화해조정을 통한 배상에 대해 검토해 줄 것을 요청하였고 도 측에서는 윤재겸 자문변호사를 통해 파악한 것을 설명하였다. 이에 소송에 관한 것은 참고로만 하고 있다는 것과 검토 자료를 전해 줄 것을 요청하였다. 그리고 90년 9월, 99년 7월 마적산 산사태 현황에 대한 자료를 요청하였고, 춘천시장이 사고 당일 경고방송을 했다고 하는데 사실 확인을 해 달라는 요청을 하였다. 그러나 도 측에서는 춘천시장의 답변의 진위까지 확인하는 것은 어려움이 있다는 이야기를 하였고 도의 감사기능을 재차 이야기하면서 마무리되었다. 실무협의는 주 1회 매주 화요일 14시에 하기로 결정하였다.

큰 성과는 없었지만 처음 협의로는 많은 이야기가 나왔다. 구체화되지는 않았지만 대책위는 어떤 방향으로 나가야 할 것인지 좀 더 명확한 입장을 가지게 되었다. 강원도지사가 제안한 의사상자 문제를 정리한 것도 진일보한 것이었다. 처음 회의였지만 이 문제를 해결할 수 있는 방안들은 모두 제기된 것이라 할 수 있다. 강원도 측의 실무협의 담당자인 변성균 사무관은 내부적으로 부서 간 조율에 진땀을 흘렸지만 성실한 자세로 유족들의 입장에서 이해하려고 노력하였다.

2차 협의는 예정대로 10월 25일 화요일 14시부터 시작되었다. 그런데 강원도의 분위기가 달라졌다. 사전 양해도 없이 실무협의위원으로 12명이 들어온 것이다. 지난 번 협의가 국장급들이 주도해서 밀렸다는 생각이었던 것 같다. 강원도 측에서 최형선 건설방재국장, 박창수 농정산림국장, 그 외 실무책임자 10명을 참여시켜 만반의 준비를 한 것 같았다. 대책위 측에서는 황당하기도 했지만 못 할 이유는 없었다. 지난 번 보다는 긴장된 분위기로 흘렀고 강원도에서도 최대한 대책위의 논리에 반박해 보려고 노력했다. 하지만 그럴수록 밀리는 것은 강원도 측이었다.

지난 번 협의에서 대책위가 제기한 문제에 대한 답변과 공방이 있었다.

- 산사태 경보발령에 대해: 춘천시의 자료를 기준으로 기상 특보별 문자발송 현황 및 천전6리 경보방송 상황을 설명하였다. 천전6리 이장(박은규)의 방송은 26일 17~18시 사이에 2회 했다고 설명하였다. 대책위가 26일 17~18시에는 비가 내리지 않았는데 무슨 경보방송이냐고 따지자, 기상 특보를 반영한 방송이었다고 해명하였다. 비가 내리기도 전에 경보 방송을 하고 정작 산사태가 났을 때는 아무런 방송도 없었다니 이해할 수 없다고 하였다. 이광준 시장이 국정감사에서 명백한 위증을 한 것이 드러났다. 비도 오기 전에 기상 특보 방송을 한 것이 경보 발령으로 둔갑하다니 기가 막힐 노릇이었다. 대책위는 명확하게 도에

서 확인결과 방송은 기상특보를 전한 것이고, 산사태 경보는 없었다고 정리하고 이를 회의록에 명시할 것을 요구하였다. 이후 이광준 시장과의 싸움에서 필요한 증거들을 확보해 나갔다.

– 산사태 복구에 대해: 군부대 방공호와 군사도로는 육군 제2218부대에서 산사태 복구공사 시기에 맞추어 복구하겠다고 공문을 보내왔다고 하였다. 산사태 피해 복구는 614백만 원을 들여 '강원산림기술사사무소'에서 현지 정밀조사를 실시하였고, 골막이 8개소, 옹벽 80m,

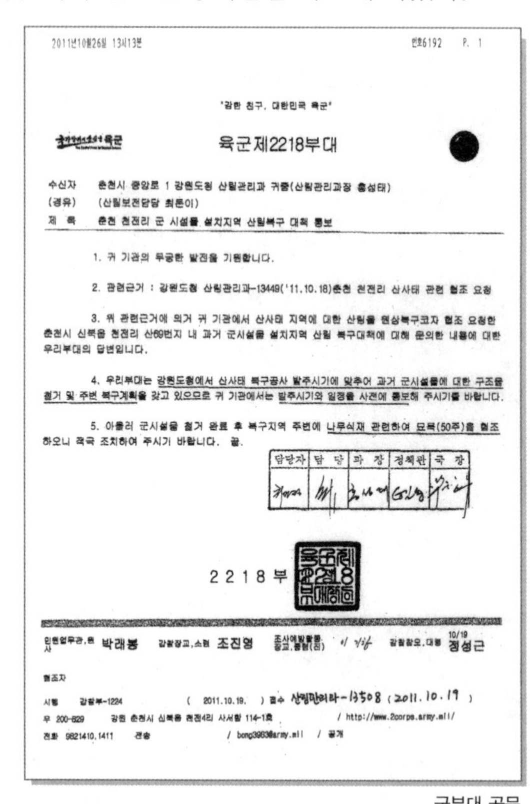

2011년10월26일 13시13분 번호6192 P. 1

"강한 친구, 대한민국 육군"

육군제2218부대

수신자 춘천시 중앙로 1 강원도청 산림관리과 귀중(산림관리과장 홍성태)
(경유) (산림보전담당 최돈이)
제 목 춘천 천전리 군 시설물 설치지역 산림복구 대책 통보

1. 귀 기관의 무궁한 발전을 기원합니다.

2. 관련근거 : 강원도청 산림관리과-13449('11.10.18)춘천 천전리 산사태 관련 협조 요청

3. 위 관련근거에 의거 귀 기관에서 산사태 지역에 대한 산림을 원상복구코자 협조 요청한 춘천시 신북읍 천전리 산69번지 내 과거 군시설물 설치지역 산림 복구대책에 대해 문의한 내용에 대한 우리부대의 답변입니다.

4. 우리부대는 강원도청에서 산사태 복구공사 발주시기에 맞추어 과거 군시설물에 대한 구조물 철거 및 주변 복구계획을 갖고 있으므로 귀 기관에서는 발주시기와 일정을 사전에 통보해 주시기를 바랍니다.

5. 아울러 군시설물 철거 완료 후 복구지역 주변에 나무식재 관련하여 묘목(50주)을 협조하오니 적극 조치하여 주시기 바랍니다. 끝.

담당자	담 당	과 장	정책관	국 장

2218부대장

민원업무관,원사 박래봉 감찰장교,소령 조진영 [illegible] 감찰참모,대령 10/19 정성근

협조자

시행 감찰부-1224 (2011.10.19.) 접수 산림관리과-13508 (2011.10.19)
우 200-829 강원 춘천시 신북읍 천전4리 사서함 114-1호 / http://www.2corps.army.mil/
전화 9821410,1411 전송 / bong3983@army.mil / 공개

군부대 공문

기슭막이 79m, 돌수로 328m, 마대수로 626m등 공정을 반영하여 전석수로(폭2m,높이1m)를 최대유량의 4배가 되도록 설계하여 참사가 재발되지 않도록 복구하겠다고 하였다. 대책위는 정밀조사결과를 달라고 하였다.

– 6천년 강우빈도의 근거자료: 춘천시가 국립방재연구소의 강우

빈도 해석프로그램(FARD2006)을 활용하여 분석하였다고 주장한다고 하였다. 춘천시가 언론과 국정감사에서 떠든 것은 국립방재연구소에서 분석한 것이라고 하였는데 진실은 국립방재연구소의 강우빈도 해석프로그램을 활용하여 분석한 것이라는 말이다. 다시 말하면 패키지화되어 있는 프로그램에 춘천시 직원들이 변수를 넣어 분석했다는 말이다. 공신력은 국립방재연구소를 팔고 실제로는 자신들이 했다는 것이다. 6천년 만에 내린 폭우였는데 어떻게 그 정도의 산사태로 끝났을까? 하천은 범람하지 않고 소양강댐의 수문을 안 열고도 가능했나? 강원도 측도 답변이 없다. 다른 학자들이 한 것(10~50년 사이)과 이렇게 차이가 있을 수 있나? 변수를 어떻게 넣었는지를 확인해야 한다. 그러나 누구도 알 수가 없었다. 강원도가 확인한 것도 정식 보고서가 있는 것이 아니라 분석프로그램과 결과치만 주장하는 것이다. 들어간 변수와 프로그램 작동은 블랙박스인 것이다. 대책위는 지난번 협의 시 강원도가 책임 있게 강우빈도를 분석할 것을 요청하였는데 춘천시의 주장만 되풀이 하는 것에 대해 문제를 제기하고, 강우빈도 분석을 촉구하였다. 강원도는 강우빈도 분석 방안을 다음 협의까지 제출하겠다고 하였다.

- 농어촌 민박 관련: 대책위가 제기한 천전리 38-13 김○웅 소유의 건물은 1종 근린시설인 소매업으로 허가가 난 곳으로 농어촌정비법상 민박사업자로 신고가 되지 않으며, 숙박업을 한 경우 공중위생관리법 제20조 1항에 따라 처벌할 수 있음을 설명하였다. 실제거주여부는 주민등록으로 갈음하여 신고 시 위법사항은 없으며 현 사항도 서류상으로는 이상이 없다고 설명하였다.

대책위는 실제 거주하고 있지 않은 사항이 확인 되었는데, 서류 이야기를 하는 점에 대해 비판하고, 조치할 것을 종용하였다. 강원도에서 다시 조사해서 증거가 확인되면 조치하겠다고 하였다.

다시 대책위에서 공중위생관리법은 고소인가? 고발사항인가를 물었고, 고발임을 확인해 주었다. 김○웅이 소유했다가 판 카페 'Na' 가 불법적으로 뚝방길을 쓰는 것 등에 대해 문제제기를 하였고, 김○웅이 이번 복구과정에서 보상을 받느냐는 질문에 숙박 등 영업시설은 보상이 안 되어 대상이 안 됨을 확인하였다.

- 자원봉사활동 조례 개정: 강원도는 자문 변호사 및 관계부처 협의결과를 내세우며, 시행령 10조를 들어 자원봉사활동 중에 발생한 피해는 [보험 또는 공제가입]으로만 가능하다는 의견을 제시하였다. 불가하다는 입장이었다. 대책위는 법학자 및 변호사 자문 결과를 근거로 기본법의 자원봉사자 보호 의무로도 조례 제정이 충분히 가능하며, 제주도의 의사상자 조례도 모법이 정하지 않은 사항을 제주도 자체적으로 시행하는 부분이 있으므로 시행령에 명시적으로 되어 있지 않다고 해서 못하는 것은 아님을 강조하였다. 조례개정은 단지 인하대생들만의 문제가 아니라, 자원봉사활동 보호에서 사각지대에 있는 대부분의 학생들이 안심하고 봉사할 수 있는 여건을 만드는 것이라고 강조하였다. 강원도에서 조금 더 고민해 보겠다고 했으나, 협의 종료 후 전화로 대책위 법률자문 내용을 주면, 그 방향으로 자문을 받고 검토하겠다고 해서 자문결과를 보내주었다.
- 위로금 지급에 대해: 도 자체의 모금활동은 법적으로 불가함을 설명하였다. 대책위는 기부금품 모금에 관한 법률상의 제약사

항만 이야기하는 것은 안 하겠다는 의사보다 더 문제가 있음을 지적하고, 방안을 강구할 것을 촉구하고, 방법에 대해서는 유족은 관심 없음을 이야기하였다.

- 배수로 규정: 대책위에서 지난번에 배수로 규정에 대해 구체적인 안을 줄 것을 요청하였음을 상기시켰고, 강원도는 배수로 규정이 없는 것이라 심도 있는 검토가 필요하다고 하고, 현재로서는 선언적인 문구밖에는 없다고 하였다. 대책위는 참사의 원인이 배수로에 있었음을 재차 설명하고 중요한 문제이므로 반드시 제출할 것을 촉구하였다.

대책위는 유족의 입장에서 풀어 보겠다는 도지사와 국장들의 발언이 오늘 와서 보니 순전히 말뿐이지 내용적으로는 안 되는 이유만 연구하고 있는 것 같다고 하였고, 강원도에서는 공무원의 입장을 이해해 달라고 답변하였다. 언론에 의하면 오늘(10월 25일) 도지사와 춘천시장의 회동이 있는데 내용이 뭐냐고 묻자, 아직 결과를 못 들었다고 답변하였다.

강원도에서는 복구 문제에 대해 물었고, 대책위는 방공포문제는 풀렸지만, 강우빈도에 대해 확실한 답을 가져오라고 했고, 차기 협의 시 유족들과 상의해서 알려주겠다고 하였다. 강원도는 1차 산사태 지역만 먼저 하겠다고 했고, 그 곳은 그쪽 피해자들과 이야기하라고 하였다. 마적산 정밀진단 자료, 강우빈도 분석 등을 요구하였고, 민박집주인 문제, 배수로 규정, 조례 개정, 위로금지급 등이 미해결 쟁점으로 남은 상황에서 다음 협의에서 논의키로 하였다.

전반적으로 논리적으로는 대책위가 우위에 서 있으나, 실무적으로 풀릴 수 있는 문제는 거의 정리되고 있었다. 핵심은 조례제정인데 쉽지 않은 사항이었다. 전국적으로 선례가 없는 사항이며, 파급효과가 적지 않아 실무자들은 법적 근거가 확실해야 한다는 입장이고, 도지사의 정치적 결단도 쉽지 않은 사항이었다. 현재 조례안을 전문가가 작성중이며, 법학자와 변호사들의 서명을 받아 도를 압박하는 방안을 추진 중이나 절대적으로 시간이 필요하였다.

조례안을 제출하고, 2~3차의 협의가 진행된 후에는 도지사 면담을 진행해야 할 것이었다. 10월 29일 집회가 비로 인해 11월 5일로 연기되었는데 좀 더 중요하게 부각시켜야 할 필요가 있었다. 11월 5일을 기점으로 구체적인 요구안을 갖고 도지사의 정치적 결단을 촉구해야 할 시점이 될 것이기 때문이었다. 이때 까지만 하여도 조례제정을 대책위 내에서도 반신반의하였다. 좀 더 협의에 힘을 보태기 위해 대책위 차원의 참관단을 조직하기로 하였다. 아울러 소송으로 가게 될 상황을 고려하여 교섭을 통해 유리한 증거들을 확보하는 복안도 함께 고민하였다.

11월 5일 집회 이후에도 2차에 걸친 실무협의가 진행되었다. 11월 8일과 16일에 진행되었지만 별다른 진전이 없었다. 오히려 초기에 비해 강원도는 회의결과 정리도 게으름을 피웠다. 대책위는 제공하기로 한 자료 중 미비한 사항에 대해 강력하게 지적하였다. 계속 질질 끌 수는 없는 문제였다. 안되면 매듭을 짓고 다른 방도를 검토해야 했다. 조례제정 및 유족 보상에 대한 강원도의 입장은 '행안부의 반대로 조례제정은 어렵고, 모금도 춘천시가 반대하여 어렵고 강원도 차원에서 모금을 할 계획' 임을 밝혔다. 대책위는 법률적인 검토를 통해 자치조례를 행안부가 반대할 권한이 없음을 분명하게 지적하였으며, 특별조례의 사례 특징 및 당위성에 대해 설명하고, 모금은 의지만 있다면 대책위의 동의를 구할 사항이 아니므로 하고 싶으면 하라고 했다. 구체적인 계획을 묻자, 이제 잡아야 한다고 답변하였다. 검토만 하고 있지 실질적인 계획도 없고 하고자 하는 의욕도 없는 강원도의 행정을 질타하고, 대책위 차원에서 행안부 면담이 계획되어 있으므로 한 번 더 협의를 하자고 하였다. 강원도에서 현장복구에 대해 물었고, 위험한 부분은 임시 조치를 하겠다고 해서 동의하였다. 11월 29일 14시에 만나기로 하고 협의를 마쳤다. 이제 더 이상의 실무협의는 무의미했다. 정치적인 결단만이 있을 뿐이다. 11월 29일날 다시 만나기로 했지만 큰 의미는 없을 것이며, 행안부를 만난다고 해서 변화되는 것은 없을 것이다. 행안부 공무원들도 우리가 알고 있는 상황 이상을 이야기할 수는 없을 것이기 때문이다. 예측된 상황들만 나열되어 있지만 그래도 확인 절차를 밟을 수밖에 없어 행정안전부를 방문한다. 2011년 11월 17일 목요일이었다. 오후 4시 행정안전부에 가니 사람이 너무 많아 회의실이 비좁다고 청사 앞의 식당으로 안내하였다. 행정안전부에서는 민간협력과장, 팀장, 사무관이 참석하였고, 대책위에서는 최영도 대변인, 이건학 조사팀장, 김용주, 김현철, 김문호, 이승원이 참석하였다. 박인기 민간협력과장이 대표하여 유족 측에 심심한 위로의 말을 전하고 본인의 자식도 대학생이라 이 소식을 접하고 무척 놀랐고 애석했다는 취지의 발언을 하였다.

대책위에서는 감사의 뜻을 전하고, 아이디어뱅크의 발명캠프의 성격과 참사 과정, 특별조례 사례를 설명하고 이번 건에 대해 특별조례가 제정되어야 하는 당위성을 이야기 하였다. 특히 강원도가 행안부가 반대한다고 조례불가 입장을 밝혔는데 그 이유에 대해 설명할 것을 요구하였다.

민간협력과장은 자기들이 불가하다고 질의 회시한 것은 자원봉사활동관련법에 근거한 조례제정에 대해 적극적인 검토를 했으나 할 수 없다고 한 것이지, 특별조례에 관한 사항은 오늘 처음 들은 것으로 행안부가 개입할 것은 아니라고 답변하였다. 질의응답 하는 가운데 팀장이 끼어들어 조례제정 시 파급효과 등을 설명하며 부정적인 의견을 개진하였고 법률적으로 가능여부만 설명하라고 하자, 민간협력과장이 팀장을 제지하고 설명을 계속하였다. 박인기 과장의 설명은 교과서대로였다.

"조례는 국가의 사무를 위임한 위임조례와 지방자치단체가 독자적으로 추진하는 자치조례가 있으며, 앞의 자원봉사활동법에 관련된 조례는 위임조례 이므로 행안부가 개입할 수밖에 없었습니다. 특별조례의 경우 지역의 문제이므로 춘천시와 강원도에서 할 수 있습니다. 행안부가 가부를 논할 수는 없는 사안이며 다만 자치조례의 경우 입법과정에서 상위법과의 충돌문제를 검토하게 되는데 그 기능이 행안부에 있습니다. 행안부가 전 부처에 조례를 통보하고 관련부처에서 상위법과의 충돌여부를 검토합니다. 충돌 시 재의할 것을 해당 지자체에 요청하고 서울시의 무상급식조례와 같이 재의를 통해서도 통과가 되면, 할 수 있는 것은 대법원에 소송을 제기하는 것 뿐입니다."

이런 과장과 팀장의 입장 차이는 이후 강원도 자치행정과 실무진들과의 해석에 따라 혼란이 발생하는 문제를 야기한다. 대책위는 필요한 부분인 특별조례가 강원도와 춘천시가 알아서 할 사항임을 재확인하고 면담을 마쳤다.

5. 춘천문화제 및 전국서명운동

1, 2차 실무협의를 통해 재발방지책을 대략 마무리한 대책위는 보상방법에 있어 조례제정을 최선의 방안으로 수립하고 이를 위한 구체적인 투쟁에 온 힘을 쏟는다. 먼저 국면전환을 위한 대규모집회를 기획하는데 문화제의 형태를 취하기로 하였고, 전국적인 서명운동을 전개하여 정치적인 압박을 행사하기로 하였다.

원래는 10월 29일로 계획되었으나 비가 온다는 예보 때문에 한 주를 연기하여 11월 5일에 개최되었다. 이 날도 비가 온다고 예보 되었으나 더 이상의 연기는 전체적으로 보면 불가능하였다. 하기로 한 거니까 비가 와도 하자는 분위기였다. 학생들의 중간고사도 끝나고 인하대 총학생회와 동아리연합회, 아이디어뱅크도 적극적으로 조직하기로 하였다. 학생들과 유족들을 태운 버스 3대가 인하대학교와 인천 부개역에서 출발하였다. 아침 10시에

11월 5일 문화제 포스터

자원봉사 사상자 보상 조례 제정하라
인하대학교 총학생회

참사원인 방공포대 즉각 철거하고 원상회복하라
춘천봉사활동 인하대학교 희생자 가족대책위원회

불법 영업 민박집 주인 처벌하라
춘천봉사활동 인하대학교 희생자 가족대책위원회

출발하여 가평역에서 점심을 먹고, 선전전을 한 후 춘천시청으로 향했다. 학생들과 유가족들이 탄 차에는 현수막이 붙어 있었다. 버스마다 현수막을 하나씩 달고 인천에서 춘천까지 달려왔다.

가평휴게소에 버스 3대가 현수막을 게시하고 나란히 들어가자 휴게소의 주말 나들이객들이 관심 있게 보았다. 나눠주는 유인물도 잘 받아 보았다. 1,000장을 준비했는데 30분도 안되어 다 배포되었다. 서둘러서 춘천시청으로 달려갔다.

춘천시청 앞에서는 집회준비가 한창이었다. 무대는 차량으로 세우고 앰프를 설치하였다. 인하대 출신의 김건태가 지원을 하였으며, 정용재 팀장이 주도하여 준비를 진행하였다. 2시가 가까워 오자 130여 명의 사람들이 모였다. 참사 이후 가장 큰 규모의 집회였다. 기자들도 많이 왔다. 집회시작 전 최영도 대변인이 보도자료를 나눠주고 기자 간담회를 진행하였다. 곧바로 시작된 여는 집회는 풍물패의 길놀이로 시작하였다. 최영도 대변인의 사회로 이건학 조사팀장의 경과보고, 총학생회장, 민주노총 강원지역본부장,

11월 5일 문화제

시민사회단체의 연대사가 있었다. 이어 최영찬 대표의 대회사와 함께 투쟁선포가 있었다. 힘 있는 투쟁선포는 춘천시에 대한 규탄과 조례 제정을 위해 투쟁해 나갈 것을 선언하는 내용이었다. 간단히 여는 집회를 마치고 사람들은 사전 역할에 따라 명동 시내로 이동하였다. 주말이어서 명동에는 사람들이 넘쳐났다. 기본적으로 60여 명이 곳곳에 흩어져 일인시위를 했으며, 세 곳에서 문화공연을 진행하였다. 문화공연은 김용주(유라 아버지)와 경철이 외삼촌 부부가 색소폰연주[아래 지도 공연3 장소]를 해주셨고, 민하의 동생 최준하가 기타연주[공연1 장소]를, 정희 동생인 선화와 그 친구들이 풍물 공연[공연2 장소]을 해 주었다. 명동의 중심인 맥도널드 앞에서는 사진전을 하며 아이디어뱅크 학생들과 어머니들이 중심이 되어 시민선전 발언을 했다. 시청 앞 로터리에는[아래 지도 ①번] 방송차를 배치하여 인하대 총학생회 학생들이 대 시민 연설을 진행하였다. 명동 일대가 난리가 났다. 지나가는 사람들은 무슨 일인가 왔다가 이 문화제가 지난 7월 말에 있었던 산사태 참사 희생자들을 추모하는 것이라는 사실에 놀라움을 금치 못했다. 아직도 해결되지 않았다니 이게 말이 되냐는 사람부터 이광준 시장을 욕하는 사람까지 다양하였다.

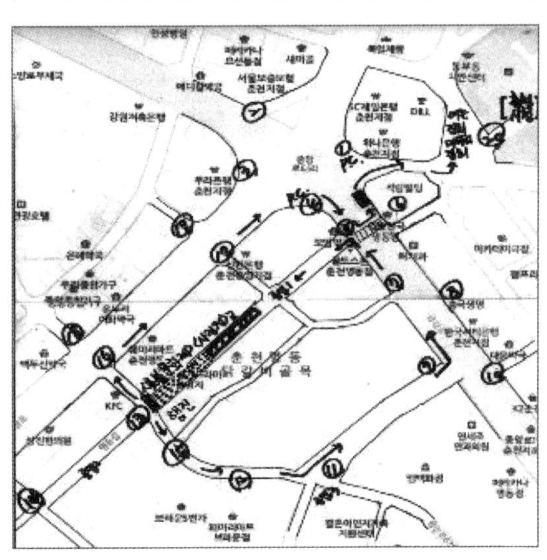

대책위를 당혹하게 한 사람들은 이광준 시장을 두둔하고 자기 집 앞에서 하지 말라고 항의하는 상인들이 아니라, 우리가 뭐를 해줘야 도움이 되겠냐고 적극적으로 이야기하는 사람들이었다. 그들에게 할 말이 없었다. 음료수와 생수가 후원으로 들어왔다. 해가 지도록 각자의 위치에서 최선을 다했던 사람들은 약속된 오후 5시가 넘자 명동 중심부로 모여들었다. 자신의 역할에 심취되어 오지 않는 사람들도 있었지만 기다릴 수만은 없었다. 동아리연합회 회장 왕의조의 사회로 촛불문화제가 시작되었다. 풍물패의 사물놀이 소리가 울리자 주변의 시선이 집중되었다. 사회자의 개회선언이 있었고, 유족 중 S의 '천전리 참사는 인재다' 라는 주제의 연설이 있었다. 다소 흥분하여 발언의 맥을 놓쳐 걷잡을 수 없이 길어졌다. 전체적인 분위기는 망가졌지만 그 심정은 누구나 이해하였다.

아이디어뱅크 회원들이 나와 분위기를 바꿨다. 1학년이 주축이 된 공연은 노래와 율동으로 꾸몄는데 노래보다는 어린 학생들의 율동이 돋보이는 공연이었다. 유족들도 자식들이 뛰어 노는 것 같은 착각에 빠질 정도였다. 슬픔 속에서도 잠시나마 위안을 가질 수 있었다. 이어서 신현범(슬기 아버지)의 이광준 춘천시장 규탄사는 모든 이들의 심금을 울렸다. 이광준 시장의 정치생명은 끝이며, 이런 사람이 계속 정치를 한다면 끝까지 도시락 싸들고 다니며 막겠다는 짧고 굵은 결의에 찬 규탄사는 유족들 모두의 마음이었다.

왕의조 동연 회장과 인하대 록밴드 인디키 멤버의 기타 연주, 경철이 외삼촌 부부의 색소폰 연주가 이어졌다. 총학생회가 준비한 노래공연이 있었고, 최영도 대변인이 이제까지의 재발방지에 대한 대책과 인하대 조치사항 등 투쟁성과를 정리하고, 책임자 처벌 등 유족들의 요구사항을 정리 발표하였다. 이제 촛불 문화제를 정리해야 할 시간이었다. 민중가수 최도은 씨가 나와서 노래를 불렀다. 이어 촛불 점화식이 진행되었고 최영찬(용규 아버지) 대표가 앞장서서 춘천시청 앞으로 이동하였다.

11월 5일_ 문화제

저녁 7시 춘천시청 앞에 도착하였다. 마무리 집회는 정용재 팀장이 사회를 보았다. 첫 번째 순서로 이승원 조사위원의 선동연설이 있었다. 이 황당한 죽음을 해결하기 위해서는 유족들의 각오가 더 필요하다는 내용이었다. 이어 결의 발언을 유족 대표 이상규(정희 아버지), 인하대 졸업생 대표, 지역 대표 등이 하였다. 상징의식으로 풍등 날리기가 있었다. 풍등을 조립하고 불을 붙이는데 하늘이 심상치 않았다. 바람도 거세지고 비가 올 것 같기도 했다. 바람이 심하게 불면 할 수 없는 행사였다. 위험했다. 그러나 그만두기도 어려운 상황이었다. 강행하였다. 풍등을 하나 둘 날리기 시작하였다. 바람에 올라가는 풍등의 모습이 아름답기도 했지만 옆의 빌딩에 닿을까봐 사람들이 조바심치기도 하였다. 풍등들이 검은 하늘을 수놓기 시작하였다. 서로의 소원을 빌며 이 투쟁이 반드시 승리하기를 기원하였다.

결의문 낭독이 시작되었다. 부부 교사인 재현이 부모가 멀리 경주에서 올라와 마지막 순서인 결의문 낭독을 장식하였다. 참석한 모든 사람들이 결의를 다졌다.

결 의 문

이제 다시 일어서 아이들이 편히 잠들게 하겠습니다.

참사가 일어난 지 102일 째입니다.
가능하다면 시간을 102일 전으로 돌리고 싶습니다. 할 수만 있다면 영혼을 팔아서라도 자식들을 다시 보고 싶습니다. 왜 하필 내 자식이냐고… 하늘도 원망 해 보았고, 나의 운명을 탓하기도 했지만 그것이 무슨 소용이란 말입니까? 다 부질없는 짓이었습니다. 그나마 삶을 지탱할 힘과 의지는 동병상련이라고 만나는 유가족들과 함께 해주는 우리 아이들의 친구 인하대 학생들입니다. 물론 항상 함께 해 주시는 지역의 운동가들에게도 진심으로 감사한 마음입니다.

오늘 춘천시민들과 함께 하는 문화한마당을 마무리하며, 이제 지나간 세월을 돌아보기 보다는 앞을 향해 나아가는 새로운 결의를 다집니다. 그동안 유족들이 슬픔을 추스르지 못해, 아이들이 눈을 제대로 못 감게 한 것 같습니다. 이제는 아이들을 편하게 보내줘야 할 것 같습니다. 그들의 비통하고 억울한 죽음의 진실과 한을 푸는 것은 산자의 몫일 것입니다. 남겨진 부모와 형제들의 몫으로 받아 안고 아이들은 훨훨 날아가라고 하겠습니다. 못다 이룬 이생에서의 꿈과 희망, 저 세상에서 꼭 이루라고 하겠습니다.
아이들이 가졌던 이생에서의 한은 이제 우리가 반드시 풀겠습니다. 아이들의 죽음이 헛되지 않도록 참사의 책임자를 처단하고, 자원봉사활동에 대한 사회적인 책임을 강화하겠습니다. 무엇보다도 사람의 생명을 최우선하는 안전한 사회를 만드는 초석이 되도록 하겠습니다. 이 길만이 피어 보지도 못하고 짓밟힌 아이들의 명예를 회복하고, 그 이름들을 길이 남길 수 있는 것이라 생각합니다.
아이들의 죽음과 지난 100여 일이 헛되지 않았는지 인하대 전체 학생에게 내년부터는 단체보험이 적용된다고 합니다. 신북읍 천전리에는 4년간 도의회에서 떠들어도 안 되던 119안전센터가 부지 매입도 끝나고 건축예산도 확보되어 2013년 1월부터 개소한다고 합니다. 또한 안전 사각지대였던 190개소에 산사태 위험경보시스템을 설치한다고 합니다. 참사의 원인이었던 방공포대와 군사도로도 철거를 약속하였고, 복구공사 시 폭 2미터, 깊이 1미터의 수로를 설치하여 배수로 문제도 해결하겠답니다. 하나씩 모든 것이 고쳐지고 나아지고 있습니다. 그러나 죽은 자들과 부상자들 그리고 상처받은 가족들의 복구에 대해서는 어떠한 것도 해결되고 있지 않습니다.

오늘 여기 모인 분들의 결의를 모아 우리의 요구가 관철되어 아이들의 원혼을 달래줄 수 있는 날까지 끝까지 싸워 나갈 것을 약속합니다. 품안의 자식이 아니라 이 사회속의 당당한 자식들로 반드시 남기겠습니다.

2011년 11월 5일

천전리 참사 문제해결 촉구를 위한 문화한마당 참가자 일동

모든 순서가 끝났다. 지치고 힘든 하루였지만 결의에 찬 하루였다. 춘천농민회에서 우리의 투쟁을 지원한다고 고구마와 옥수수를 삶아서 보내왔다. 차에 실어서 가는 길에 먹어야 했다. 참으로 감사한 분들이다. 뒷정리를 하다가 보니 저녁 먹기가 쉽지 않았다. 도시락을 차에 분배하고, 인천을 제외한 다른 지역은 알아서 먹기로 하였다.

이 날은 토요일이라 휴일이었지만 춘천시청에서는 직원들이 나와서 이 광경을 모두 보고 있었고, 강원도에서도 일부 직원들이 나와 도청 옥상에서 바라보았다고 한다. 도지사는 수행원들과 문화제 현장에 나타났다. 그리고 유족들 몇 명에게 춘천에서만 하지 마시고 중앙에서 해야 효과가 있는 것 아니냐는 문제를 제기하였다. 사태가 지역에서 풀기에는 너무 관심이 떨어져 있어 힘들다는 것을 토로한 것이다. 예상치 못한 도지사의 방문에 유족들은 새로운 고민에 빠졌다. 그나마 우호적이라 생각한 도지사가 저렇게 말하니 정당을 상대로 투쟁해야 하는 건지 아니면 정부청사라도 가야 하는 건지 답답한 노릇이었다.

정량적으로 계산하기는 힘들지만 11월 5일 집회의 성과는 분명히 있었다. 이 성과를 일회성으로 끝내지 않으려면 이를 이어갈 수 있

는 투쟁이 필요하였다. 11월 5일 집회에서 만났던 춘천시민과 우리를 도와주려는 사람과 함께 할 수 있는 것이면서 정치권을 압박할 수 있는 것이 무엇인지 고민해야 했다. 4차에 걸친 실무협의에서 도출한 특별조례 제정에 대한 여론과 힘을 만들어가는 것도 간과할 수 없었다. 이상의 것들을 아울러 행동으로 실천할 수 있는 것이 무엇인가? 초기부터 제기되었지만 구체성 없는 것은 오히려 헛수고일 뿐이라는 의견으로 일축되었던 서명운동이었다. 우리가 조금 고생하면 쉽게 할 수 있고, 효과도 있을 것이라는 결론이었다. 다만 조례제정에 대한 구체적인 사항을 담아서 해야 했다.

강원도와의 교섭과 인천사례에서 힌트를 얻은 특별조례에 대해 조사와 분석을 시작하였다. 변호사 및 법률가들에 의한 법적 검토도 진행되었다. 대책위가 조사한 우리나라의 특별조례사례는 6가지였다. 구체적인 선례가 존재하는 것이다. 공통점은 가해자가 불분명하고 자연재해에 가까운 사고에 적용되었다.

화성 씨랜드('99.6.30), 인천 중구 인현동 콜라텍화재('99.10.30), 대구 지하철화재(2003.2.18), 창녕군 화왕산 억새태우기화재(2009.2.9.), 부산 사격장화재(2009.11.14.), 인천 연평도 피격사건(2010.11.23) 등이었다.

이번 참사의 해결책일 수 있다는 확신이 들었다.

조례안과 사례분석을 하였다. 아주 좋은 사례들이었다. 가해자가 불분명하고 사회적인 책임이 있는 사안들이었다. 또한 화성 씨랜드는 유치원생들의 문제였고, 인천 인현동 콜라텍 화재는 갈 곳 없는 중고생들이 콜라텍에서 놀다가 화재로 몰살한 사건이었다. 우리나라 청소년 문제를 단적으로 보여 준 사건이었다. 부산 실내사격장 문제는 일본인 관광객들이 실내사격장에서 당한 화재사건이었다. 외교 문제 때문에 국가에서 지자체가 조례를 제정하게 하여 처리한 사건이다. 정부가 공식적으로는 아니지만 재정 지원도 있었다고 한다. 못 할 이유가 없었다. 이제 여론을 형성하고 밀어 붙이는 방법밖에는 없다. 구체적인 논리와 조례안을 만들며 조례제정 청원 서명을 받기로 하였다. 일차적으로는 춘천 주말 선전전에서 가두서명을 받기로 했으며, 일가친지, 직장 등을 통해 확산시키고, 총학생회와 아이디어뱅크의 지원을 받아 인하대 학생들의 서명을 받고, 가능하면 서울에서의 서명 작업도 추진해 보기로 하였다. 세부적인 계획을 세우며 서명을 위한 실무작업을 진행하였다. 협조해 줄 분들을 위한 서명제안문을 만들고, 서명지 인쇄, 가판 준비 등을 추진하였다. 서명제안문은 장문이었지만 주도적으로 서명을 추진할 분들에게 상황을 제대로 설명해야 한다는 의견들이 있어 자세하게 작성하였다. 한 명의 서명도 무의미하게 받고 싶지는 않았다. 우리의 생각에 동의해서 하는 서명을 받고 싶었던 것이다. 그렇게 작성된 서명제안문은 다음과 같다.

[서명제안문] 특별조례는 강원도지사와 춘천시장의 결단으로 만들어질 수 있습니다.

특별조례 제정을 위한 서명을 제안하며

저희는 지난 7월 27일 춘천에 봉사활동을 왔다가 신북읍 천전리 산사태로 희생된 인하대학교 학생들의 대책위원회입니다. 그날의 참사로 10명의 학생들이 죽고, 20명의 학생들이 부상을 당했습니다. 부상자 중 한 명은 학업을 중단하고 아직도 병원에 입원하고 있습니다. 이번 봉사활동은 한국과학창의재단이 후원하고, 발명진흥회와 인하대 '아이디어뱅크' 가 주최 · 주관한 행사였으며, 전국에서 6개 대학 동아리(서울과학기술대학, 숭실대, 성균관대, 숙명여대, 금오공대, 인하대학교)가 5개 지역에서 동시에 실시한 행사였습니다. 다른 지역에서 발명캠프를 진행한 학생들은 행사 장소에서 숙박을 했지만, 인하대학교 학생들은 춘천 상천초등학교에서 숙소 제공을 거부해서 주머니돈을 털어 외부에서 숙박을 하다가 참변을 당했습니다.

참사가 나자 시 · 도지사와 정치인들이 모두 나서서 모든 것을 해결해 줄 것 같이 하더니, 장례를 치르자 대부분 외면하고 안 되는 이유만 나열하고 있는 실정입니다. 심지어 이광준 춘천시장은 유족들과 약속하여 구성했던 조사위원회(유족과 춘천시가 각각 3명씩을 추천하여 구성)를 폭력적(조사위원에게 모욕적인 언사와 예산지원 거부)으로 해체시키고 참사가 난지 120일이 지나도록 아무것도 안 하고 있습니다.

봉사활동은 사회적으로 권장하고, 고교입시에도 봉사시간이 필수이고, 대학입시에도 특별전형이 있으며 각 대학은 학점제, 인증제, 장학금 제도 등으로 봉사활동을 장려하고 있지만, 봉사활동 중에 일어난 참사에 대해서는 아무도 책임지지 않습니다. 봉사활동이 아니었다면 춘천에 올 이유도 없었던 아이들인데 자연재해 때문에 죽었다고 아무 책임이 없답니다.

유족들과 부상자 가족들, 인하대학교 학생들은 이러한 사회의 무책임을 묵과할 수 없어 '춘천봉사활동인하대희생자대책위원회' 를 구성하고 자체적인 진상조사와 문제 해결을 위해 싸워 왔습니다. 국정감사장에 증인으로 출석해서도 안하무인인 춘천시장과는 더 이상의 대화가 안 되어 강원도와 협의를 진행하고 있습니다. 저희들은 재발방지대책과 사상자에 대한 적정한 보상을 요구하고, 4차에 걸친 협의를 진행하였습니다.
그 결과 신북읍 천전리에 119안전센터를 설립하고, 산사태 경보시스템을 190개소 신설하기로 하였고, 참사의 원인이었던 방공포대와 군사도로도 국방부에서 원상회복 하겠다고 했으며, 복구공사 시 마적산에 전석수로를 폭 2m, 깊이 1m로 설치하는 것으로 결정되었습니다. 경사지에 대한 건축허가 규제도 강화하고 배수로에 대한 규정도 지침으로 허가 조건화하겠다고 합니다.
재발방지책은 모두 정리되었습니다. 안전에 대한 대책과 사후 조치까지 이제 실천만 하면 됩니다. 인하대학교도 내년부터 전 학생들에게 단체보험을 들겠다고 약속

했습니다. 그러나 사상자의 문제는 하나도 풀리지 않고 있습니다.

자원봉사활동기본법에 의하면 자원봉사자의 보호는 국가와 지방자치단체가 책임지도록 되어 있습니다. 그런데 구체적인 방법을 규정한 시행령에는 자원봉사센터에 등록된 사람들에게 보험을 들어 주는 것만 규정되어 있고, 그것도 강제가 아니라 임의규정으로 되어 있어 안 해도 그만인 규정입니다. 우리 아이들은 법의 사각지대에 놓여 있었습니다.

또한 천전리 산사태는 명백한 인재입니다. 참사의 원인이 국방부의 방공포대와 군사도로, 산림청 지정 산사태 1등급지역 이었음에도 춘천시가 관리하지 않고 오히려 건축허가를 내준 점, 산사태 전일(7월 26일) 3번의 산사태 경보가 춘천시 공무원에게 갔음에도 시장이 주민대피령을 내리지 않고 무시한 점, ' 90. 9월, ' 99. 7월 두 번 같은 곳에서 산사태가 있었음에도 사방공사 책임이 있는 강원도의 안이한 조치 등 국방부, 춘천시, 강원도에 참사책임이 분명히 있습니다.

그러나 춘천시와 강원도는 비가 너무 와서 일어난 일이니 책임질 것이 없다고 합니다. 대책위가 조사해 보니 우리나라에는 법과 제도로 풀리지 않는 사고와 사건들이 많았습니다. 화성 씨랜드('99.6.30); 사망23(학생19, 교사4) 부상6, 인천 중구 인현동 콜라텍화재('99.10.30): 사망57 부상80, 대구 지하철화재(2003.2.18): 사망192 부상148, 창녕군 화왕산 억새태우기 화재(2009.2.9): 사망4 부상39, 부산 사격장화재(2009.11.14): 사망10 부상 6, 인천 연평도 피격사건(2010.11.23): 민간 사망2, 부상8 등이었습니다. 모두 현행법과 제도로 보상 및 구제하기 어려운 사안들이었습니다. 그 원인들도 강풍, 화재, 원인불명 등이었습니다. 연평도 포격의 경우 현행법으로는 전시상황으로 규정되어 민간인에 대한 보상이 불가한 사항이었습니다.
위의 6가지 문제가 모두 특별조례로 해결되었습니다. 죽음의 종류가 다르지 않겠지만 관광 와서 사격장에서 놀다가 죽은 사람들도 콜라텍에서 놀다가 죽은 사람들도 다 해결되었는데, 자원봉사활동 중에 죽은 사람들은 안 된다고 하니 기가 막힙니다. 죽은 아이들에게 '대한민국 인재상' 을 준답니다. 대책위는 제대로 된 예우와 보상을 요구합니다. 소중한 서명으로 저희와 함께 해 주실 것을 간곡히 부탁드립니다.

2011. 11. .

춘천봉사활동 인하대학교 희생자 대책위원회

명동서명운동

11월 19일 춘천 명동에서 시작된 가두 서명전에는 유족들이 대부분 참석하였다. 명동시내를 지나는 모든 사람들이 발걸음을 멈추고 서명에 동참하였다. 유족 중 처음에는 쑥스러워 하며 머뭇거리던 분들도 시간이 흐르자 짧은 시간에 조리 있게 설명하며 서명을 받았다. 첫 날 서명전에서 이외수씨의 부인이 동행했던 사람들을 데리고 와서 이건 꼭 해야 한다면서 서명을 하였다. 유족들에게는 큰 힘이었다. 첫날의 반응 때문이었는지 자신감이 붙었다. 이렇게 많은 사람들이 몰려서 받느니 나누어서 상가 방문을 하면서 가가호호 받자는 것이었다.

상가 방문 중 이광준 지지자들과의 시비 문제, 경비아저씨들과의 마찰 등 고민거리가 없는 것이 아니었지만 이미 유족들의 눈빛이 달라진 상황이라 그대로 진행하기로 하였다. 그 다음 주에는 최소한만 가두서명에 남기고 상가지역을 중심으로 분담하여 서명 작업을 진행하였다. 평일에는 주거지 중심으로 서명을 진행하고 직장에서 또 노동조합원은 노조를 통해 서명을 받아왔다. 민하 삼촌은 자신의 직장인 S전자연구소 사람들을 대상으로 진행한 서명 작업 과정을 인터넷 다음 카페에 상세히 소개하여 사람들의 귀감이 되었고, 유신이 어머니는 유신이의 출신 고등학교로 찾아가서 선생님들과 학생들의 서명을 받아왔고, 경철이네는 강원도 사람들의 서명이 중요하다고 하자 고향 사람들을 총동원하여 서명 작업을 하였다. 눈물겨운 노력이었다.

강원도를 압박하기 위해서는 강원도내 교수들의 서명이 필요했다. 강원도청과 춘천시청에 근무하는 공무원 중 강원대 출신들의 비율이 무척 높았고, 춘천내의 여론 형성에도 도움이 되었다. 정경원(민하 어머니)과 이승원이 춘천에 있는 춘천교대, 한림대, 강원대의 교수들을 홍성태 교수(유족 측 조사위원)와 지인들의 소개로 일일이 방문하여 만났다. 모두 자신들의 일처럼 나서 주었다. 춘천교대는 김정인 교수, 한림대는 이지원 교수, 강원대는 손미아 교수가 나서 서명을 주도하였다. 이 분들은 직접 서명지를 들고 학내에서 서명을 받아주었으며, 3개 대학에서 247명의 서명을 받았다. 서명 참여 교수 중에는 춘천시 추천 조사위원을 하셨던 유남재 교수도 포함돼 있었다.

항상 좋은 일만 있지는 않았다. 기대했던 인하대학교의 서명이 총학생회를 중심으로 추진되었는데 지지부진하자 어머니들이 직접 가기로 했다. 인하대학교 후문에 서명대를 설치하고 어머니들이 나섰지만 분위기가 냉랭하였다. 이게 어떻게 된 일인가? 아니 서명하려고 줄을 설 것으로 생각하고 왔는데 이럴 줄이야? 어머니들의 눈에서 피눈물이 났다. 옆에 동석한 총학생회장에게 식당으로 가자고 했다. 밥을 먹고 나오는 학생과 교수들에게 서명을 호소하여 해 주는 사람도 있었지만, 이게 뭐냐고 반문하고, 거부하는 사람까지 있었다. 어머니들이 한 교수에게 취지를 설명하고 제자들의 문제이니 서명을 부탁한다고 했는데도 서명을 거부하였다. 유신이 어머니와 함께 갔던 어머니가 통곡을 하였다. 자기 제자들이 죽었는데 서명도 거부하다니 용서할 수가 없었다. 춘천에서 받은 모욕보다도 더 참을 수 없었다. 이건 배신이었다. 학교가 책임지겠다고 하고, 걱정하지 말라고 한 총장 이하 대표단들의 이야기가 전부 거짓이었음을 깨달았다. 총학생회와 아이디어뱅크 학생들이 모여 어머니들을 위로하고 서명에 나섰지만 그 상처는 쉽게 지워지지 않았다. 아이들의 모교여서 되도록 기분 나쁜 내색도 안하려고 했는데 이게 무슨 경우란 말인가? 상처 받은 어머니들은 찜질방까지 서명용지를 들고 다니며 받았다. 서명 작업은 점차 전국적으로 뻗어나갔다. 인하대학교는 희생자들이 소속된 공대와 생활과학대에서 학장부터 직접 서명에 동참하여 많은 교수들이 서명하였고, 부상자들을 치료했던 의대 교수들이 자발적으로 나서서 해 주어 전체 214명이 참여하여 감사했지만, 천여 명에 가까운 교수들 중 서명 참여 비율은 춘천에 있는 대학들 보다 못하여 학교에 대해서는 섭섭한 마음이었다.

직접 받은 것 외에도 부탁해서 대책위로 들어오는 것들이 많았다. 팩스로 들어오고 메일로 스캔 받아 보내고 정신이 없었다. 양이 많아 팩스로 들어오다가 통화중에 걸리고 에러가 나는 경우가 많았다.

집계가 문제였다.

12월 10일 이제 마감 시간이 다가오고 있었다. 12월 14일에 도지사를 만나기로 했고 집계작업을 해서 가지고 가려면 이제 마감을 해야 했다. 12월 10일 토요일 마지막 가두서명을 진행하였다. 춘천과 서울로 나누었는데 아주 추운 날이었다. 서울 시청 앞에서는 FTA반대집회가 열렸다. 서울시내에서 가판을 차려놓고 서명을 받기는 쉽지 않은 일이었지만 집회에 모이는 사람들에게 호소하면 될 것 같다는 생각에 춘천 명동과 서울로 나누어서 가기로 한다. 춘천은 김용주(유라 아버지), 신현범(슬기 아버지), 이상규(정희 아버지), 김문호(현빈이 아버지), 김현철(유신이 아버지), 최영도(민하 아버지), 이건학(민성이 아버지) 등 7명이 갔다. S는 계속 불참하였다. 서울 시청앞 FTA반대집회에는 슬기네에서 2명, 경철네 2명, 민성이 어머니, 유신이네 2명, 유라 어머니, 민하네 4명, 총학에서 4명, 동연에서 2명, 그리고 이승원 등 19명이 참석하였다. 날씨도 추웠지만 경찰의 집회불허로 안정적인 집회가 되지 못했다. 사람들이 모일 수가 없어 서명을 안정적으로 받기도 어려웠다. 할 수 없이 2인 1조로 조를 짜서 시내 곳곳에서 서명을 받기로 하였다. 쉽지 않은 일이었다. 그 추운 날에 서울 시내를 다니는 사람들이 서명에 동참해 줄 리가 만무하였다. 저녁이 가까워지자 집회대오가 청계천에 모였다는 연락이 왔다. 그 쪽으로 집결하여 서명을 받기 시작하였다. 서명은 잘 되었는데 집회장에 오니 훈수꾼이 많았다. 내가 최문순을 잘 안다. 이렇게 해서 되냐? 등등 자신이 아는 모든 이야기들을 해주며 힘을 내라고 하는데 유족들의 입장에서는 안 들을 수도 없고 반박할 수도 없고 시간만 가고 안타까운 처지였다. 발은 얼고 힘들었지만 그래도 집회 참석자들은 서명에 잘 협조해 주었다. 대책위에서는 어제까지 집계작업을 진행했지만 만만한 작업이 아니었다.

유족들에게 협조를 부탁하였다. 근무일 기준으로 12, 13일에 모두 정리를 마쳐야 했다. 12일인 월요일에는 유라네 2명, 민성이네, 경철이네 2명, 민하네가 집계작업에 오기로 하였고, 13일에는 유라네, 민성이네 2명, 민하네가 도와주기로 하였다. 서명자들의 지역별 분류와(강원도와 그 외 지역) 서명 수 파악이 주요한 일이었다. 전달할 곳이 4곳(강원도, 춘천시, 도의회, 시의회)이지만, 그건 스캔을 받으면 돼서 문제가 아니었다. 정확한 카운터만 할 수 있으면 되었다. 밤늦게까지 작업이 계속됐다. 서명만 받으면 될 줄 알았는데 이렇게 힘들 줄은 몰랐다. 최종 집계는 아래와 같았다.

총 서명자수는 47,036명이었다.(목표 5만명 대비 94.1%)

■세부분류는
- 국회의원 : 최종원(민주당 강원도당위원장), 홍영표(민주당 원내대변인, 부평구을)
- 변호사 : 최원식 외 24명
- 교수 : 38개 대학 647명(목표 대비 : 129% 달성)
  • 춘천 : 유팔무(한림대), 손미아(강원대), 김정인(춘천교대), 유남재(강원대)를 비롯하여 247명(목표 대비 : 123%)
  • 강원 : 박창근(관동대), 김한성(연세대), 김정란(상지대)을 비롯하여 35명
  • 타지역 : 신인령(이화여대 전 총장), 최갑수(서울대), 이애주(서울대, 무형문화재), 서관모(충북대)를 비롯하여 365명
  • 일반 : 46,363명 [춘천:3,602명, 강원:2,032명, 강원제외 지역 : 단병호(전 국회의원) 등 41,120명]

■서명출처별(국회의원, 교수, 변호사는 제외) : 46,363명
- 가두서명(춘천, FTA반대집회) : 5,386명(11.6%)

- 인하대(아뱅, 동연, 총학, 어머니가두서명 포함) : 8,913명(19.2%)
- 가족(유가족(9) + 현빈이네) : 31,732명(68.5%)
- 미분류 : 332명(0.7%)

6. 강원도와의 추진방향 합의

실무협의를 마치고 도지사 면담을 요청하였다. 면담을 요청했지만 사실상은 도지사와 하는 교섭의 격상이었다. 준비가 필요했다. 전방위적으로 도지사에 대한 압박이 필요했다. 도지사가 소속된 민주당 주요 당직자와의 만남을 통해 압력을 행사하였다. 이승원 위원, 이건학(민성이 아버지), 최영도 대변인이 나섰다. 최영도 대변인은 최종원 민주당 강원도당위원장을 직접 만나 조례 제정에 대해 최문순 도지사에게 협조를 부탁해 줄 것을 요청하였고, 약속을 받아내기도 하였다. 이 3인은 강원도의회 의장 면담을 통해 조례 제정에 협조해 줄 것을 당부하였고, 도의회 의장은 강원도에서 추진하면 의회는 별문제 없을 것이라고 하며 강원도와 잘 해보라는 답변까지 하였다. 여러 경로로 정치권을 통한 압박을 진행하는 한편 춘천 대학교수들의 강원도지사 면담을 추진하였다. 서명에 나섰던 강원대 손미아 교수와 조사위원을 맡아 주었던 강원대의 박태현 교수가 나서서 춘천지역 교수들의 도지사 면담이 추진되었다.

대책위의 도지사 면담 요청에 최문순 도지사는 유족들과 점심을 같이하자고 제안하였다. 아무래도 실무협의가 봉착되고 면담 자리가 부드럽지 못할 것을 예상한 자리인 것 같았다. 거부할 이유는 없다고 판단하고 사전에 대표단과의 면담을 진행하고 식사 자리를 갖자고 답변하였다. 12월 14일 11시 30분으로 결정되었다. 대책위는 사전에 유족들과 교감이 필요했다. 시간이 갈수록 유족 개개인의 돌출 발언이 많았다. 평상시 회의에 잘 안 나오는 사람들이 야기하는 문제였다. 12월 10일 서명 작업을 마친 후 춘천에서 일찍 출발하여 서울팀과 합류하였다. 12월 14일의 면담이 일반적인 면담이 아니고 교섭을 마무리해야 한다는 것을 분명히 하였고, 도지사 면담은 최영찬 대표와 실무협의위원 3인이 참여하고 도지사와 식사를 겸한 간담회는 20명(경철2, 민성2, 민하2, 슬기2, 용규2, 유라2, 유신2, 정희2, 현빈, 이승원님, 총학생장, 동연장)이 참여하는 것으로 결정하였다. 그 날은 서명 결과와 서명지를 갖고 오전 10시 30분 강원도청 앞에서 기자회견을 하고, 11시 도지사 면담, 12시 도지사와 식사 및 간담회를 진행할 계획이었다. 11시~12시 도지사면담 시간을 이용하여, 각각 2~3인 정도씩 춘천시장, 시의회, 도의회에 각각 해당 서명용지를 전달하는 것으로 역할을 분담하였다. 간담회 참석자는 도지사 면담 자료를 반드시 숙지하고 갈 것을 다시 확인하였고, 간담회 시 자원봉사를 하던 중 발생한 사상자에게 특별조례를 제정하여 보상하라는 주장을 해야 하며 산사태 언급은 하지 말 것과 모금에 대해서는 일절 이야기해서는 안 된다는 것을 공유하였다. 도지사에게 특별조례를 만들 것인지 그 의지를 분명히 할 것과 확답이 없을 시에는 답변 날짜를 받고 간담회를 정리할 것을 공유하였다.

이상 언급한 사항에 근거하고 회의에서 이야기 되지 않은 이야기는 절대 하지 말 것을 약속하였다. 그동안 회의에 불참한 사람들은 발언을 자제할 것을 권했다. 이는 현재 강원도의 분위기와 우리와의 관계, 그리고 도지사의 위치 등 복잡한 역학 관계가 있어 섣부른 발언은 치명적인 분위기 훼손과 좋지 않은 결과를 가져올 수 있기 때문이었다. 시간이 갈수록 서로 날카로워지고 조그마한 차이도 크게 나타나는 현상이 자주 일어났다. 내부의 갈등을 정리하지 못한 채로 계속 이어져 왔기 때문이었다.

강원도에서는 조례 제정에 있어 크게 두 가지 흐름이 있었다. 초기에는 조례는 절대 안 된다는 입장이었다가 대책위가 논리적으로 조례 불가 입장을 반박하자 건설 쪽과 자원봉사 쪽에서 서로 자기 쪽으로는 안 된다는 입장을 견지하였다. 대책위가 자원봉사활동 중 희생에 대한 특별조례로 입장을 정하자 건설 쪽은 대책위에 우호적으로 지원하는 형편이었고 자치행정과는 아주 적대적으로 대응하였다. 자문변호사의 자문을 받았다는 조례제정 검토안을 보면, 일과가 끝나고 잠 잘 때 일어난 참사였다. 강원도민이 아니다. 자원봉사는 기본법에 보험 외에는 어떤 지원도 할 수 없다. 자원봉사가 아니라 교육이었다. 자원봉사자가 얼마인데 파급효과를 고려해야 한다는 등 말도 안 되는 논리를 들어 반대 입장을 내세웠다. 대책위는 사전에 공무원이 출장 중 숙소에서 사고를 당했으면 공상이냐? 아니냐? 고 반문하여 자원봉사 기간 중 숙소에서의 생활도 출퇴근이 아닌 이상 공적기간으로 보아야 한다고 반박하고 강원도의 시행령을 들어 교육봉사도 분명한 봉사활동의 범주임을 확인해 주었다. 자치행정과의 검토의견에 일일이 반박하여 자료를 만들었다.

춘천산사태관련 특별 한시조례 검토(강원도 자치행정과)에 대한 의견

=〉은 대책위에서 자치행정과의 검토의견에 대해 의견을 제시한 것임.

■유가족 측은 11. 17 행안부 민간협력 과장(박인용) 면담을 통해

- 「자원봉사활동기본법」이 위임하는 위임조례 제정은 곤란하지만
- 자원봉사 희생자 위로금 지급을 위한 자치조례는 가능하다는 답변을 받았다는 사안에 대하여 변호사 및 행정안전부 자문 · 답변 결과 검토 사항임
- 법무법인드림 11-1031-01('11.10.31) 자원봉사활동기본법령에 대한 법률자문 회시
- 행정안전부 민간협력과-4517('11.10.21) 자원봉사활동기본법에 따른 보상 가능 여부에 대한 질의 회신

=〉 **위 검토 사항은 위임조례에 관한 사항임. 특별조례 검토 내용이 아님.**

■추진상황

① 「강원도 자원봉사활동 지원조례」개정을 통한 위로금 지급이 불가하다는 우리도 입장 정리 통보(11.1) ⇒ 자원봉사조례를 개정하여 희생자 위로금 지급이 안됨을 유가족 측 인정 : 11. 1일, 3차 회의 시 =〉 **위임조례에 대한 사항임.**

② 유가족 측, 행안부 면담(11.17) 결과

- 자원봉사와 관련하여 특별 한시조례 제정은 불가함을 통보
- 천전리 산사태는 재난 및 안전관리기본법에 의해 재난재해 담당 부서에서 한시적 조례제정 여부 검토 타당 - 법령에 위반되지 아니하는 범위 「자치조례」는 제정가능 답변

  예) 「춘천 산사태 유가족 보상조례」 등

본 사안은 산사태로 인하여 발생된 피해이므로 자원봉사 희생자 위로금 지급을 위한 자치조례 제정 불가

=〉 **사실 무근임. 민간협력과에서 이야기 한 것은 '자치조례는 제정 가능하며, 행안부는 상위법과의 충돌문제만 검토함' 이었음. 관할은 춘천시와 강원도임.**

※ 자원봉사 활동 중이란

- 자원봉사활동에 직접 참여중인 때
- 자원봉사 시작 전 또는 종료 후에 활동 장소에 있는 동안

- 자원봉사활동 장소와 주소지와의 통상적인 경로 통행 중을 의미

=〉 **금번 자원봉사활동은 7월 26일~28일까지이며, 자원봉사활동 장소와 주소지와의 통상적인 경로 통행이라 함은 인천에서 춘천 사이의 경로를 의미함. 그러므로 자원봉사기간 중 정해진 숙소에서의 사고는 자원봉사 중 활동을 의미함.**

■법리검토(변호사 및 행정안전부 자문 결과)

① 천전리「산사태」는「천재」또는「인재」인지 명확한 판단이 없음

: 본건 산사태의 발생 원인에 대한 구체적인 입증이 있어야 판단이 가능한 것인바, 도는 법원의 판결을 통해 책임이 인정되는 범위 내에서 손해배상금만을 지급할 책임을 부담하는 것이지 보상금을 지급할 수 없음.

=> 산사태에 대한 손해배상금 지급을 요구하는 것이 아님. 자원봉사활동 중 사상자에 대한 보상을 요구하고 있는 것임. 강원도 자원봉사활동지원조례에 의하면 제17조 보험가입이 재해 · 사망 · 상해로 되어 있음. 산사태는 죽음의 직접적인 원인을 이야기 하는 것이고, 중요한 것은 자원봉사활동 중이었다는 점임.

② 자원봉사 모법에 의한 보상가능 여부

- 「자원봉사활동 기본법」 및 동법 시행령은 국가 또는 지방자치 단체가 직접 자원봉사자에게 해당 자원봉사자의 피해에 대해 보상금을 지급할 수 있다는 취지를 규율하고 있지 않음 : 국가와 지방자치단체는 자원봉사활동 기본법 및 동법 시행령을 직접적인 근거규정으로 하여 직접 자원봉사자에게 해당 자원봉사자의 피해에 대한 보상금을 지급할 수 없음.

=〉 **이미 검토된 사항으로 이번 건의 경우 법의 사각지대에 놓여 있음. 자치행정과에서 주장하는 대로 [자원봉사활동기본법 및 동법 시행령]은 자원봉사활동을 권장하는 법안이지 피해 보상에 관한 법이 아님. 그러므로 대책위가 주장하는 특별조례와 본 법령은 전혀 상충하지 않음.**

③ 「자원봉사활동 기본법」의 미비점을 보완하기 위하여 국회의원 입법발의 중임(자원봉사자 보험가입 및 피해보상과 관련)

- 보험에 가입되지 않은 자원봉사자에게도 자원봉사진흥위원회의 심의를 거쳐 보상을 할 수 있도록 함(' 11.3.31 임영호 대표 발의)
- 자원봉사자에 대한 보험과 자원봉사활동 중 사고를 입은 자원 봉사자에 대한 지원 비용을 국가 및 지방자치단체 예산에 반영될 수 있도록 함('11.4.13 김태원 대표 발의)

• 자원봉사 중 발생한 손해보전 방식을 현행 보험지원에서 국가 직접보상으로 전환, 보험 미가입자에 대한 위험보상 및 예산집행 효율성 제고 차원에서 제기한 법안('10.4.19 이명수 대표 발의)

=〉 현행 법률의 문제점을 드러내는 것이며, 법의 사각지대에 놓여 있음이 명확함.

④ 자원봉사자 보호주체 : 도민은 강원도, 국민은 국가

• 지방자치단체는 관할구역 내에 주소를 둔 주민에 대해 복지 증진 사무를 그 지방자치단체의 사무로 취급하여야 하는 것이고

• 자원봉사활동 기본법의 규율 내용 또한 지방자치단체는 그 관할 주민의 자원봉사활동을 권장 · 지원할 책무를 부담하는 것임

따라서, 각 해당 지방자치단체의 책무의 범위를 넘어서는 부분에 관하여는 국가가 자원봉사활동을 권장하고 지원하며 보호할 책무를 부담해야 할 것임

=〉 1) 지방자치단체장은 국가의 사무를 위임받아 처리해야 할 의무가 있음. 그 해당 범위는 지역내 주민에 대한 문제 뿐 아니라 관할 지역에서 벌어지는 일도 포함됨. 강원도가 일본이나 중국이 아니고 대한민국의 영토이므로 강원도의 대한민국 국민 보호의 의무가 있는 것임.

2) 자원봉사의 수혜자가 강원도민인데, 피해자가 외지인이라 해서 책임이 없다는 것은 법적 책임을 떠나 도덕적이지 못한 발상임. 강원도가 농활 등 타지역의 자원봉사자들이 많은 지역 중의 하나인데 이런 발상이라면 전국적으로 공개해야 할 것임.

⑤ 특별조례 제정 관련 자문 결과

• 행안부(민간협력과) 및 자문변호사는 본 사안은「산사태」로 인하여 발생된 피해이므로 「자원봉사」가 아니다고 판단함

=〉 자원봉사가 아니라는 근거는? 학생들이 춘천에 온 이유가 무엇인가? 자원봉사 기간은 7월 26일부터 7월 28일까지였음. 7월 26일 1일차 발명캠프가 진행되었고, 상천초등학교에서는 35명 전원에게 7월 26일 봉사활동시간에 대한 인증서를 발부하였음.

• 전국 자원봉사자 수가 700만 명이며 강원도 내 자원봉사자 수가 현재 23만명이 넘으며, 언제 어디서나 자원봉사 활동 중 사상자 발생될 가능성이 매우 높음

• 강원도 2012년 자원봉사자 보험가입 예산 : 346,584천원 (국비 · 시군비 각 50%) ※ 23만명 중 12만명(2,900원/1인) 보험가입 가능

=〉 자원봉사자 수를 논하는 것은 파급효과에 대한 우려일 것인데, 그럼 자원봉사

하면서 목숨을 걸고 하라는 뜻인가? 그리고 사상자 발생 가능성이 매우 높다는 것은 위험을 방치하겠다는 것인가? 입시 점수로까지 반영하는 자원봉사를 사상자가 될 가능성이 높은데도 보험조차 들지 못하는 현실을 어떻게 받아들여야 하나?

- 특히, 보상금 지원을 위한 한시조례 제정은 해당 기초 자치단체에서 제정여부를 검토하여 추진함이 타당함

《 특별 한시조례 제정 사례 》

- 창녕군 화왕산 억새 태우기 사고피해자 보상 조례 : 창녕군 문화관광과
- 화성군 씨랜드 희생자 보상금 지급 조례 : 화성군 여성청소년과
- 인천광역시 중구 인현동 화재사고 관련 보상 조례 : 중구청 생활지원과
- 대구광역시 지하철 화재사고 피해보상 조례 : 대구광역시 재난관리과

※ 인하대 학생들의 춘천 봉사활동에 대한 이해 : 별첨

=〉 대구광역시는 기초 자치단체가 아니라, 광역 자치단체임. 부산시 실내사격장 사건과 연평도 피격사건은 광역자치단체인 부산광역시와 인천광역시에서 조례를 제정했음. 화성군과 대구광역시의 경우 행사 주최자이고, 지하철 운영 주체라는 점을 감안하여 제외한다고 해도 기초 2건, 광역 2건임. 광역과 기초에서 모두 할 수 있음. 우리가 요구하는 자원봉사 활동의 경우 강원도와 춘천시 모두 할 수 있음. 행안부 면담에서도 춘천시와 강원도 모두 할 수 있다고 하였음.

⑥ 기타 문제점

- 본건 산사태로 인해 자원봉사활동 중이었던 강원도민들이 본건 희생자들과 같이 피해를 입었고, 그 피해에 대하여 강원도가 강원도민들의 희생에 대하여 직접 보상금을 지급하는 조례를 제정하려고 한다 하더라도 아래의 문제들이 법리적으로 쟁점화 될 수 있음(인하대 학생 10명, 주민 3명)

=〉 자원봉사활동 중이던 강원도민 없었음. 13명이 모두 외지인이었음. 조례 제정에 대한 피해자 및 유족들의 위로 및 이를 통한 지역사회의 안정은 지자체가 조례를 통하여 추구할 수 있는 정당한 목적이 됨. 지방자치단체가 관할 구역내 주민에 대해 복지증진 사무만을 취급해야 한다는 것은 타당한 근거가 없음.

- 처분적 조례는 예외적으로 합리적 이유가 인정되는 경우만 허용됨. : 「지방자치법」 제26조 제8항은 원칙적으로 "효력불소급의 원칙"을 천명한 것으로 평가됨

=〉 소급하라는 것이 아니라 해당 건에 대한 조례를 제정하는 것임.

「헌법」상 대원칙인 "평등의 원칙"에 대한 위반 여부 : 현재까지와 같이 앞으로도 자연재해가 계속 발생될 가능성은 항상 열려져 있는 바, 각 자연재해에 대한 보상 여부와 관련하여 헌법 상 "평등원칙" 위반여부가 쟁점화 될 여지가 있으므로 법원의 판결이 필요한 사안임

=〉 **자연재해를 이야기하고 있는 것이 아님. 자원봉사활동 중 사상자에 대한 규정이며 평등원칙에 위반되지 않음. 평등원칙의 위반 문제는 항상 Case-by-case로 판단되는 사안임.**

- 국가의 기본권 보호의무의 위반 여부는 국가가 취해야 할 최소한의 조치를 취하는지 여부를 기준으로 심사하여야 한다고 판시하고 있음(헌법재판소 결정례)

=〉 **6가지 사례 중 국가가 취해야 할 최소한의 조치를 취하지 않은 사건이 있는가?**

■인하대 학생들의 춘천 봉사활동에 대한 이해

- 춘천 상천초등학교에서 진행된 발명캠프는 단순히 인하대 발명 동아리 '아이디어뱅크' 회원들의 「봉사활동」이 아니라
- 전국발명동아리연합회의 기획으로 한국과학창의재단이 후원하고 한국발명진흥회와 인하대 '아이디어뱅크'가 주최 · 주관한 행사임

※ 전국발명동아리연합회 소속 6개 대학 동아리 참여(서울대, 숭실대, 성균관대, 숙명여대, 금오공대, 인하대)

: 이번 발명캠프 행사는 「한국발명진흥회」,「한국창의재단」, 「전국발명동아리연합회」, 상천초등학교, 인하대학교 등이 참여한 전국적인 초등학생들의 창의력 향상을 위한 교육사업이었음 (순수 차원의 자원봉사가 아님)

=〉 **강원도 자원봉사활동지원조례 제2조(정의) 에서 사용하는 용어의 정의는 다음 각 호와 같다.**

1. "자원봉사활동"' 이라 함은 개인 또는 단체가 지역사회 · 국가 및 인류사회를 위하여 대가 없이 자발적으로 시간과 노력을 제공하는 행위를 말한다.

(2호 이하 생략)

제3조(봉사활동의 범위) 이 조례의 적용을 받는 자원봉사 활동의 범위는 다음 각 호와 같다.

(1 · 4호 생략)

5호 교육사업 및 상담에 관한 활동

(6호 이하 생략)

이번 발명캠프 행사는 초등학생들의 창의력 향상을 위한 교육 봉사활동이었으며, 자원봉사자들이 대가 없이 한 것은 물론이고 일부 자비까지 부담한 순수 자원봉사 활동이었음. 무엇이 순수 차원의 봉사활동이 아니란 말인가?
12월 4일(일) 여의도 국회헌정기념관에서 제6회 '2011대한민국나눔대상' 시상식에서 '인하대 아이디어뱅크'가 특별대상인 대회장상을 수상하였고, 12월 21일 인간성회복운동추진협의회(인추협)는 춘천 상천초등학교에서 봉사활동 중 희생된 10명을 '올해의 인물'로 선정했음.
12월 22일에는 2011년 대한민국 인재상 특별상을 수여하였음. 인추협은 '희생 학생들의 봉사정신과 숭고한 뜻을 기리기 위해' 선정했다고 밝혔음.
한국자원봉사협의회 고진광 상근공동대표(인추협 대표이사)는 "군인, 소방관 등이 직업상 의무적인 일을 하다가 사망해도 정부포상을 해 준다. 하지만 비싼 등록금 내고 자기 시간 내서 봉사하다가 참사를 당한 학생들에게는 포상하지 않으니 유감이다. 더욱이 산사태는 정부가 관리를 제대로 하지 못해서 일어난 일 아닌가"라며 "하지만 이들에게 이번 나눔대상을 시상할 수 있게 되어 다행이며, 앞으로 이들을 위한 추모 사업을 계속 할 것이다"라고 말했다.

12월 14일 유족들은 일찍 서둘렀다. 이상규(정희 아버지)의 봉고

기자회견(서명)_연합뉴스

차에 인천팀들이 타고, 수원, 서울에서 출발하여 10시에 강원도청에서 만났다. 10시 30분부터 시작될 기자회견을 준비하려는데 벌써 기자들이 와 있었다. 20여 명의 기자들이 와서 서명 결과에 대한 기대를 보여 주었다. 중앙방송에서도 와서 연말이 가까운데도 아직도 해결되지 않고 있는 이 사태에 대한 관심을 보여 주었다. 서명 작업 중 교수들의 서명과 서명인들(신인령, 이외수, 유팔무 등)이 관심거리를 제공하였고, 단시간에 놀라운 서명인원에 언론의 관심이 집중되었다. 특히 중앙지의 경우 기사 말미에 지난 7월 27일의 사건 내용을 다시 정리해 주고 있어 이 사건이 전국적으로는 이미 잊혀지고 있음을 반증하였다.

기자회견이 시작되었다. 서명 결과를 설명하고, 조례 제정에 대한 설명이 있었다. 기자들의 질문이 조례제정에 집중되었다. 강원도 실무진은 부정적인데 가능하겠냐는 것이었다. 행정안전부의 입장을 설명하고 자치조례는 강원도와 춘천시가 결단하면 가능한 것임을 설명하였다. 도지사께서 결단할 것으로 본다고 답변하였다. 기자회견을 마치고 계획한대로 시청과 시의회, 도의회로 갈 사람들은 서명지를 차에 싣고 출발하였다. 나머지 사람들은 서명지를 들고 강원도지사를 만나러 도청으로 들어갔다.

도지사와의 면담은 교섭이었다. 강원도에서는 도지사와 국장(2인), 자치행정과장, 계장(3인), 실무자 2인이 참석하였다. 대책위에서는 최영찬 대표, 최영도 대변인, 이건학 조사팀장, 이승원 조사위원, 어머니 3인이 함께 하였다.

면담이 시작되자 강원도는 '조례 제정 불가, 모금 진행' 입장을 표명했다. 조례 제정에 가장 반대하는 자치행정과장과 계장, 담당자를

도지사 면담_연합뉴스

전면에 내세워 반대 입장을 설명하려고 하였다. 그러나 이미 실무협의를 통해 강원도내 사람들의 면면을 알고 있었던 대책위는 자치행정과장과 담당계장의 말을 막고 강원도 내부의 문제와 자치행정과의 문제를 지적하였다. 이어서 특별조례의 당위성과 사례에 대한 내용들을 설명하고 도지사에게 책임질 것을 요구하였다. 도지사는 모금으로 해결할 것을 강조하였고, 모금에 대해 반대 입장을 분명히 하자, 12시 30분경 대책위는 모금문제를 검토하고, 강원도에서는 대책위의 요구인 특별조례를 검토하겠다고 하였다. 실무교섭을 이야기해서 실무교섭이 무의미함을 설명하였고, 도지사가 그럼 자신이 직접 참여하겠다고 하여 동의하고 점심식사 자리로 이동하였다.

음식점으로 이동하여 모두가 함께 마주하였다. 앞에 앉은 유족들에게 도지사는 특별조례가 법적으로 안 된다는 이야기는 이제 안하고 춘천시가 협조를 안 해서 안 된다고 누차 강조하였다. 점심을 먹으며 대화가 진행되었다 유족들은 음식이 어디로 들어가는지도 모르고 도지사의 이야기에 집중하였다. 도지사의 이야기 중 절반이 춘천시장 이야기였다. 도지사가 앞에 앉은 어머니들을 향해 이야기 하였다.

"어휴, 글쎄 시장이 저렇게 반대 의견이니 어찌해야 합니까?"

앞에 앉은 유라 어머니가 싸늘하고 낮게 깔린 음성으로 답변하였다.

"죽여 버리세요." 좌중이 조용해졌다. 침도 삼킬 수 없었다.

"네?" 도지사도 당황하였다.

웃으며 이야기 할 상황이 아니었다. 자식을 잃고 먼 곳에서 와서 밥을 먹고 있는 부모에게 물어볼 말도 아니었고 심정 그대로 한 답변이었다. 배석한 강원도 국장들의 얼굴이 싸해졌다. 도지사가 들었던 막걸리 병을 내려놓으며 이야기 하였다.

"조례 제정과 모금을 병행해서 검토합시다." 좌중을 둘러보고 말을 이었다. "조례 제정으로 하면 아무래도 예산에 한계가 있어 보상이 안 될 것 같으니까 말입니다. 조례 제정을 강원도가 하는 것으로 검토하여 2주 후에 다시 만나서 연내로 매듭을 지읍시다." 진일보한 답변이었다.

최문순 도지사가 점심 중 한 이야기나 면담 시 한 이야기를 보면 서명결과에 고무된 것 같았다. 특히 이외수작가가 강원도 아바타 프로젝트 책임자이고, 대책위가 명시한 교수들과 일반인들이 모두 최문순 도지사와 관계가 있는 사람들이었다. 또한 강원도 내 6천명, 전국적으로 5만여 명이 서명한 일을 자신이 해결한다면 지금 골프장 문제 등 도지사의 자질문제가 거론되는 마당에 정치력 회복에 득이 된다고 생각한 것 같았다.

도지사의 이야기를 듣고 대책위는 2주는 너무 길다고 하였다. 그럼 특별조례, 모금, 특별조례+모금의 3개 안을 검토해서 일정을 보고 연락하자고 하였다. 도지사의 결단으로 분위기는 좋아졌으나 입맛이 날리는 없었다. 적당히 정리하고 일어섰다.

어제(12월 14일)의 일은 대책위 입장에서는 기분 좋은 일이었다. 이 문제가 강원도로 넘어 온 이후 2달 반 만에 방향이 결정된 것이다. 이승원 조사위원이 사무실에서 한 통의 전화를 받았다. 전성원 인하대 총학생회장이었다.

"전성원인데요. 강원도 홈페이지에 조례 제정 불가 입장이 보도자료로 떴는데요?"

"응? 그럴 리가? 확인해 보고 전화해줄게."

강원도청 홈페이지에 접속하였다. 사실이었다. 강원도 홈페이지 보도자료는「춘천 산사태 관련 특별 한시조례 제정 검토」라는 제목으로 자치행정국 자치행정과에서 게재하였다. 대책위에서 도지사 면담 전에 작성하여 도지사 면담 자리에 가지고 간 자료였다. 비서실에 확인해 보니 강원도 내에서도 외부 유출시 문제가 클 것으로 판단하여 자치행정과에 절대 유출하지 말 것을 당부한 내용이라고 하였다. 홈페이지에 게재된 자료에는 11월 17일 행안부 면담 결과가 왜곡되어 있었고, 강원도는 강원도민만 보호하면 되는 것으로 검토되어 있으며, 본 사안은 자원봉사 중이 아닌 산사태로 인해 발생한 것으로 규정하고, 이번 봉사활동을 순수 차원의 자원봉사가 아닌 교육사업이었다고 규정하고 있었다. 홈페이지에서 보도자료를 확인하고 자치행정과장에게 전화하니 서울 출장 중이었다. 도지사 비서실로 전화를 하여 항의를 하였고, 비서관은 보도자료를 낸 적도 없고,

오늘 아침 자치행정과장을 도지사가 불러 법적으로 전면 재검토하라고 지시를 했는데 무슨 보도자료냐고 하였고, 사실 확인 후 연락 주겠다고 하였다.

비서관이 파악한 경위는 도지사 면담 시 배석하였던 자치행정과의 서 계장(주민생활봉사담당)이 대책위가 기자회견을 하는 자리에서 한 기자에게 해당 자료를 유포하였고, 공보관실에서 기자들이 자꾸 물어보는데 입장이 있는 거냐고 묻자, 서계장이 문제의 문건을 강원도 내부메일로 공보관실로 넘겼고, 공보관실은 보도자료로 인식하여 홈페이지 보도자료 칸에 게시했다고 하였다.

강원도에서는 확인 즉시 보도자료를 홈페이지에서 삭제했고, 당사자들로부터 자세한 경위를 파악하고 있으며, 도지사 비서관으로부터 죄송하다는 전화가 왔다. 또한 도지사가 어제 유가족들과의 점심 후 이야기한 부분이 최종 입장이며, 해당 부서별로 최선을 다해 검토하고 있으니 이해해주길 부탁하였다. 대책위 측은 이 문제에 대해 강원도 내의 적절한 조치가 있다면 문제 삼지 않겠지만, 그냥 넘기려고 한다면 가만있지 않을 것임을 분명히 하였다.

문건의 내용이 행정안전부 민간협력과와도 문제가 되어, 민간협력과에서 강원도 자치행정국에 경위를 파악하고 있다고 하였다. 이승원 위원은 출장 중인 강원도 자치행정과장과 통화를 하였다.

"아니, 강원도에서 지금 무슨 일이 있는지 모른다는 거요? 보도자료 때문에 난리가 났는데?"라고 하자 최 과장은 답변했다.

"저는 오늘 아침 일찍 서울에 회의가 있어 출장을 왔고, 보도자료 건은 모릅니다." "특별조례건 당신이 책임자 아니요?"

"맞습니다."

"그럼 사실 확인하고 책임 져"라며 전화를 끊었다. 그 다음 달 행정자치과장은 보직에서 해임되고 교육발령을 받는다.

단지 해프닝으로 끝났지만 그 여파로 강원도의 조례 제정은 중단되었고 신년을 맞이하게 된다. 대책위는 회의를 통해 방안을 수립하고 조속히 마무리 짓기 위해 최선을 다한다. 만일 연말까지 방안이 안 만들어지면 내년 총선까지 봐야 하는 장기전이 될 수 있었다. 전력을 다해 연말까지 방안을 만들고 내년 2월 내로 모든 것을 정리할 수 있도록 해야 했다. 도지사가 이야기 하는 연내 해결은 방안을 만들자는 것이지 실제 작업이 끝나는 것은 최소 2~3개월이 소요될 것이다. 연말까지 해야 할 대응으로 ① 일인 시위 ② 언론 작업: 6개 조례 사례와 우리 문제를 비교하여 사회적 문제 제기, 자원봉사활동의 사회적인 문제 제기, 강원도 내 실무자들의 검토 의견에 대한 반박 논리 작성 · 배포, 12월 4일 아이디어뱅크 포상, 대한민국 인재상 수상 등을 묶어 보도자료 배포, ③ 독자 투고 및 인터넷 등에 글 올리기(한 가족 당 1건 이상) ④ 변호사, 로펌의 공식적인 자문 추진 및 도 전달 · 공개 등이었다.

대처법 8

공무원과 정치인에 대한 특성을 정확히 파악하라. 공무원은 법과 제도를 집행하는 책임 있는 사람이다. 그래서 공무원은 대부분 규정을 협소하게 해석하고 보수적인 판단을 한다. 반면에 정치인은 표를 의식하기 때문에 법리적인 부분 보다는 민원인의 입장에서 해석하고 이야기해 주려는 성향이 있다. 그러나 정치인의 말은 그것을 입법화하기 전에는 의미 없는 것이다.

공무원은 두 가지의 사람이 있다. 적극적인 자세로 공부하는 사람과 고정관념을 갖고 새로운 것을 안 받아 들이려는 사람이다. 후자는 무조건 깨야 한다. 그래야 상대방의 이야기를 경청한다. 전자에게는 자료도 많이 만들어서 제공

하고 설명도 잘 해줘라. 꼭 도움이 되는 사람이다. 그 사람에게 근거와 확신을 줘야 성공할 수 있다. 제일 문제는 그 조직의 상층부에 있는 사람들이다. 그들의 특징은 정치인과 행정가를 겸하고 있다는 것이다. 자료를 안 본다. 아니 볼 시간이 없다. 무척 바쁜 사람들이다. 부하 직원들이 챙겨주는 연설문 숙지도 쉽지 않다. 보고를 듣고 업무를 판단한다. 담당자가 어떻게 보고하느냐에 따라 판단이 달라진다. 고위층과의 면담과 회의에서는 시간이 많지 않기 때문에 순발력이 필요하다. 짧고 핵심적인 사항만 인상 깊게 심어주어야 한다. 그건 많은 준비와 내용의 숙지가 필수적이다. 그리고 담당 공무원들의 실수를 놓치지 말라. 조직의 수장 앞에서 거짓 보고 또는 임기응변으로 규정을 잘못 이야기하는 담당자가 흔히 있다. 이런 사안이 발생되면 놓치지 말고 끝까지 따져라. 2~3회 반복되면 그 담당자는 사라지게 된다. 그 당시에는 그 상사가 불쾌하게 생각하지만 나중에 스스로 응징한다. 그런 일이 있으면 다른 담당자들도 모두 조심하고 예를 다한다.

대처법 9

공식적인 교섭테이블을 만들어라. 강원도와의 협의를 그냥 면담으로 했다면 이런 성과는 없었을 것이다. 강원도가 대책위를 협상의 대상으로 생각하도록 요구내용을 잘 만들어야 한다. 재발방지책, 책임자 처벌, 유가족 보상으로 정하여 강원도도 유가족들의 재발방지 대책 요구를 거부할 수 없는 상황이었다. 실무협의 위원들의 노력으로 재발방지책에 대한 집요한 교섭은 참사 현장에 대한 복구지연으로 이어져 강원도가 수세적인 입장이 되었고, 강원도가 책임질 수 없는 책임자 처벌을 무마하기 위해서는 유가족 보상에 대해 대안을 마련하여 논의할 수밖에 없었다. 사실 대책위도 보상 방법에 대해서는 안이 없었다. 보상해야 할 주체가 고민해야 할 문제라고 생각했고 쉽게 떠오르지 않았다. 상호간에 아이디어가 있으면 제시하고 상대 쪽에서 검토해서 결국 조례제정이 나온 것이다. 교섭테이블이 구성된 순간 그것을 깨는 쪽이 책임을 져야 하는 상황이 된 것이다.

제 6 장

갈등

1. 근본적인 이견

대책위는 구성 당시부터 근본적인 갈등이 내재되어 있었다. 그 중 가장 큰 것은 인하대학교에 대한 입장이었다. 초기에는 많은 유족들이 인하대에 대해 우호적으로 생각했다. 무엇보다도 참사 직후 수습과 장례 과정에서 인하대는 헌신적이었다. 그리고 자식들이 그 학교의 학생이었다는 것도 무시할 수 없었다. 아이들이 다닌 학교가 잘 되었으면 하는 바람도 있었다. 반면에 학생들의 참사가 자원봉사 활동에서 비롯되었고 학생지도 책임을 지고 있는 인하대학교에 상당한 책임이 있다고 보는 유족도 있었다. 이는 대책위를 구성하는 유족 총회에 임박해서 나온 경향신문 기사로 인한 논쟁에서 충분히 도출되었다. 유족 중에는 희생된 자식 뿐 아니라 아버지중 인하대학교 출신이 있어 더욱 갈등 요소가 잠재되어 있었다. 학교에 대한 입장은 시간이 흐르면서 진상조사결과가 나오고 학교의 책임 문제가 드러나자 우호적이었던 세력이 점차 위축되는 결과를 낳아 무리 없이 진행할 수 있었다.

두 번째 갈등은 대책위 구성과 투쟁 범위에 대한 것이었다. 대책위를 구성하고 주도적으로 일하던 사람들은 대책위가 성공하려면

이 문제를 사회적인 문제로 키워야 한다는 입장이었다. 그래서 대상도 단지 인하대 희생자가 아닌 마적산 산사태 희생자(일반인 희생자를 포함한)로 확대해야 하고, 부상자들도 포함해야 한다고 주장하였다. 반면에 대상의 범위를 사망자로 국한하고 그 중에서도 학생으로 제한해야 한다는 입장을 가지고 있는 사람들도 있었다. 요구사항도 유가족 보상만을 요구로 하고 빨리 끝내야 한다는 입장과 재발방지책도 포함하여 우리가 책임져야 한다는 입장이 팽팽하였다. 일반인 중 결합 가능했던 고 이은영 씨의 가족이 총회에 왔다가 실망하고 돌아간 이후에 대상 범위는 자연히 인하대 학생들로 축소될 수밖에 없었다. 부상자의 문제는 김문호(현빈이 아버지)가 열심히 참여하는 바람에 현빈이는 포함할 수밖에 없었고, 인하대와의 협상에서 부상자 문제가 포함되어 책임질 수밖에 없는 상황이었다.

가장 치열했던 것은 대책위 구성에 관한 것이었다. 대책위 명의 중 '가족' 자를 떼기 위해 오랜 시간 토론했다. 대책위를 폭넓게 구성하여 희생자들을 아는 다양한 사람들이 들어와야 하는데 가족으로 국한하여 인하대 총학이나 동연, 아이디어뱅크 학생들은 집회에 동원되는 대상이었지, 발언권도 없었다. 우리를 지원하였던 정용재 팀장의 위치도 애매모호 하였다. 결국 '가족' 자는 표결까지 해서 뗄 수 있었다. 이런 대책위의 운영은 발언권과 의결권에 대한 논쟁을 불러왔다. 가족 단위로 구성했으니 표결을 할 경우 한가족당 한 표를 주장하고 적용해 왔으나 민주적인 운영 방식이 도입되면서 어머니들의 반란이 있었다. 혼자 오는 가족이나 둘이 오는 가족이나 똑같고, 한 가족이라고 대책위 일에 꼭 같은 입장이어야 하냐는 문제 제기였다. 참석자에게 동등한 발언권과 의결권을 부여하여 문제를 해결하였다. 인하대 학생들도 항시 결합하는 학생들에게는 동등한 권리를 부여하고, 아이디어뱅크의 경우 매번 오는 사람이 변경되는 상황을 감안하여 본인들이 여러 명이 가도 한 표만 행사하겠다고 제안하여 그대로 받아들였다.

이러한 갈등의 핵심은 빨리 이 문제를 조용히 정리하고 싶은 일부 유족과 요구 수위를 낮추면 보상 문제를 쉽게 매듭지을 수 있을 것이라는 착각에 빠진 유족들 때문에 발생되었다. 그러나 춘천시의 문제는 법적으로나 사회제도적으로 보장된 것이 아무것도 없었다. 소송을 하거나 싸워서 쟁취할 수밖에 없는데 무척 험하고 힘든 과정인 것이다. 쉽지 않을 뿐 아니라 누가 해주지 않는 사안이다. 그런데 조급한 가운데 유족보상 문제를 빨리 제기하지 않고 나와 상관없는 재발방지책이나 논의하고 있는 것이 한가롭게 보이기도 했을 것이다. 심지어 공식 회의시간에 문제제기를 하기도 하였다.

"아니, 난 사회운동을 하고 싶지 않아요."

"아이들과 같은 참사가 다시는 안 일어나게 하자는데 이게 무슨 사회운동이죠?"

대책위 회의모습

"음… 그렇지만 그냥 보상받고 끝내고 싶어요."

"허허, 보상을 누가 해줍니까? 여기 빨리 끝내고 싶지 않은 사람 누가 있나요?"

세상이 그렇게 호락하지 않다는 것을 알면서도 쉽게 얻으려는 사람들이 있었다.

마지막으로 투쟁 방식에 대한 차이가 발생하였다. 이런 참사의 경우 강원도나 춘천시가 의무적으로 해야 할 것들이 법적으로 정해져 있지 않다. 민주주의 국가에서 허용되는 집회 · 결사의 자유를 최대한 이용하여 자신들의 주장을 관철하는 과정이 진행되고 그 주장이 사회적으로 인정될 때, 문제가 해결되는 것이다. 그런데 이런 원리를 체득하지 못한 사람들은 공무원들과 정치권을 상대로 말로 설득하면 된다고 생각하는 착각에 빠져있는 경우가 있다. 이런 사람들은 민주주의에 대한 훈련도 제대로 되어 있지 않아 남들은 집회에서 열심히 자신의 주장을 외치는데 산만하고 불성실한 모습을 보인다. 자신만의 문제가 아니라 열심히 하고자 하는 주변 사람들에게 영향을 미친다.

이광준 시장이 두 달을 날려 버리면서 사태는 본의 아니게 장기화되고 유족들의 잠재되었던 갈등은 서서히 표면으로 드러났다.

2. 협박과 문제 제기

모든 결정이 한 번 결정했다고 영구불변 한 것은 아니다. 그러나 일단 결정되면 집행책임을 진 사람은 집행을 하고 구성원들은 힘을 실어 주는 것이 통례이다. 물론 하다 보니 문제가 있다면 얼마든지 재논의할 수 있는 것이 민주적인 의사결정 방법이다. 그 문제 제기는 공식적이고 정당한 방법이어야 한다.

인하대학교가 모금한 성금을 유족들에게 전달할 계획을 세우자 대책위는 유족들의 회의를 통해 만장일치로 이후 추모사업회를 위해 각자 200만 원씩을 적립하기로 결정하였다. 10월 22일 춘천시청 앞 카페에서 9가족, 총 14명이 참석하여 회의를 한 결과였다. 아무 이의가 없었고, 현재 구체성은 없지만 돈을 다 쓴 후에 하고자 해도 힘들 것이니 돈을 받을 때 하자는 의견들이었다. 결정하였으니 재정을 담당하는 최영도 대변인 겸 총무는 당연히 계좌를 통보하고 입금을 독려하였다. 그러자 S가 핸드폰 문자로 반대의사를 표명하였고, 이미 결정된 사안이라는 답변에 말도 안되는 논리로 공격한 사건이었다. S는 최 대변인 개인에게 한 것이 아니라 유족들에게 문자를 보낸 것이다. 최 대변인은 이를 공개하였다.

"[11월 16일 21:39 S] 현재 추모사업회가 결성되지 않은 상태이기에 추모위원회 회비 200만 원씩 걷는 것은 서두르는 느낌이 듭니다. 나중에 추모사업회를 만든 이후에 모금하는 게 맞을 것 같은데요. 지금 당장 추모사업을 하는 것도 아닐진데… 그리고 2012년에는 추모사업을 학교에서 주관하기에 급하게 돈 걷는 걸 서두를 필요가 있나요? 어차피 나중에 부족하다면 어차피 좀 더 걷어야 할텐데… 지금은 계획 단계인데… 서둘러 걷지 마시죠."

"[11월 16일 21:44 최영도] 회의 때 결정사항이고 지난 주 회의 때 다시 이야기 되었으니 재론의 여지가 없습니다."

"[11월 16일 21:51 S] 돈 걷어놓고 이자놀이 할 것도 아닌데... 돈 걷는 것 보다는 춘천해결이 우선 아닌가요? 추모사업은 어차피 우리가 평생 동안 짊어지고 가야할 일 아닌가요? 춘천문제 해결과 추진에 있어 우선순위를 갖고 생각해야죠?"

"[11월 16일 21:59 최영도] 춘천과의 문제와 기금과는 무슨 관계가 있는지 모르겠고, 회의 때 결정된 사항을 왜 또다시 이야기를 하는지 모르겠고, 할 일없어 시간들여 가며 회의를 하는 것이 아닌데 여러 가지로 마땅치 않습니다. 그리고 그런 문제가 있으면 정식으로 회의 와서 제기하십시오. 문자로 보내지 말고."

"[11월 16일 22:01 S] 여기가 공산국가가 아닐 진데 의견 제시도 못 하나요. 이 문제 확산 안 되길 바랍니다. 근데 좀 걱정은 됩니다."

11월 12일 회의에서 기금을 다음 주까지 낼 것을 결정하였고 이에 대한 이의가 전혀 없었다. 회의에서 결정된 것을 재논의하자는 것은 상당히 중요한 문제이다. 단순히 개인적으로 의견을 물을 수는 있어도 공식적인 자리를 통하지 않고서는 쉽게 할 수 없는 일이기도 하다. 따라서 모두에게 문자를 보내어 결정된 내용을 바꾸자고 제안하는 방식은 분명 문제가 있었다. S가 주장한 논리는 이해가 가지 않았다. 춘천문제와 기금과의 상관관계를 찾기는 쉽지 않았고, 굳이 찾자면 추모사업회를 춘천 문제가 해결되면 하자는 것인데, 단순히 기금 모으는 것 외에 추모사업을 하자고 하는 것도 아니고 당장 준비할 수도 없는 것은 누구나 아는 문제인데, 왜 춘천문제를 이유로 드는지 알 수 없었다. 오히려 대책위에 학생들도 함께 하기에 학생들이 주체가 될 향후 추모사업을 위해서도 기금이 모여 있다면 더욱 힘을 받을 수 있는 긍정적인 효과가 있을 뿐이라 생각됐다.

이러한 문제 제기는 결정한 다수의 사람들이 당황할 수 있으며, 결정된 것을 집행하는 사람은 기운이 빠질 수밖에 없었다. 결정사항을 뒤집는 것이 그리 쉽게 될 수 있는 것인지, 도무지 다른 사람들은 이해할 수가 없었다. 더구나 이자놀이나 공산국가와 같은 말도 안 되는 단어를 써서 비판하는 것은 옳지 않았다. 최영도 대변인은 S와의 문자대화 내용을 공개하면서 다음과 같은 당부의 말을 남겼다.

"향후 책임지지 않을 결정은 결단코 하지 않았으면 합니다. 대책위의 주체는 우리 모두입니다. 누구는 끌고 가고 누구는 따라가는 것이 아닙니다. 결정하고 실행하는 것은 모두의 몫이지 몇 사람의 책임이 아닙니다. 대책위는 동네 청년모임도 아니고 아무렇게나 결정하거나 들락날락 할 수도 없는 애초 목적을 지닌 모임임이 분명한 것입니다." 아무도 이의가 없었고 S를 제외한 9가족이 기금을 납부하였다.

3. 돌출 행동

대책위는 강원도와 교섭이 열리면서 '이광준 시장은 규탄 집회 등을 통해 고립시키고, 강원도와 적극적인 교섭을 하며 춘천시의 문제는 강원도에 일임한다' 는 입장을 정하고 일을 추진해 왔다. 이 기조를 바꾸려면 전체 회의에서 새롭게 논의해 보아야 하는 사안이었다. 그래서 이광준 시장이 보자고 해도 외면했던 상황이었는데, 아무런 상의도 없이 최영찬 대표가 먼저 이광준 시장에게 만나자고 연락을 하는 사태가 발생하였다. 몇몇 사람들이 사전에 알고 만류하였지만 가서 만나고 온 것이다. 강원도로 넘어오면서 많은 기대를 했는데 기대만큼 빠르게 진해되지 못하는데 답답함을 느낀 돌출행동이었던 것 같다. 한창 강원도와 실무협의가 진행되는 가운데 벌어진 일이었다.

최영찬 대표는 11월 16일 수요일에 이광준 시장 비서실에 전화를 해서 면담 요청을 하였고, 그 다음날인 11월 17일 연락이 왔고 11월

22일 화요일 오후 5시 춘천시장실에서 만났다고 했다. 최 대표는 면담이 확정된 후 11월 21일(월)에 대변인에게 전화를 걸어 시장의 입장이 궁금하여 만나겠다고 하고 의견을 물었고, 부정적인 입장을 전달하자 조례문제를 중심으로 말할 테니 걱정 말라고 하고 유족에게(부상자 현빈이네와 다른 대책위원들 제외)만 면담 동참 문자를 보냈다. 11월 22일 17시 최대표, S, 김성규 셋이서 춘천시장을 만났다. 면담자리에는 춘천시의 담당국장과 과장이 배석하였고, 기자들이 함께 하였다고 한다. 이미 이광준 시장이 기자들을 참석하게 한 것이었다. 김성규는 조직내부의 분열이 우려되어 일단 같이 갔는데 기자들을 보고 이게 아니구나 싶었다고 했다.

이광준 시장은 '오늘 아침(11월 22일)에 강원도 국장으로부터 조례제정과 모금에 대해 들었다. 유족이 나를 상대로 시위를 해서 모금에 반대하였다. 시위 자제하면 모금이 좀 될 것 같다. 추모비 예산(1억 원) 시의회에 예산 승인 요청한 상태이며, 이 금액을 모금으로 전환할 용의가 있다. 초기 어떤 사람으로부터 1억 원을 성금으로 모금했는데 유족과의 사이 때문에 모 위원회에 기탁했다. 강원도의 특별조례와 관련 지원할 것은 하겠다' 는 요지로 발언하였다고 하였다.

그러나 이광준 시장의 발언은 모순이 있었다. 시위를 자제하면 어떻게 모금을 하겠다는 내용이 없었다. 검토한대로 강원도와 춘천시는 모금 당사자가 될 수 없다. 1억 원은 어디에 쓰겠다는 것인가? 추모비? 부지 확보? 총학생회장이 접촉한 실무자는 어떠한 의견도 제시하지 않았다. 이를 성금으로 내면 추모비는? 추모비 예산을 성금으로 전용이 가능한가? 지자체 예산 담당자들은 불가능한 일이라고 한다. 행정 공무원 출신의 이광준 시장이 내용을 몰라서 그렇게 이야기 하지는 않았을 것이다.

초기 1억 원은 언제인가? 강원대병원 시절? 조사위원회 과정? 조사위원회 해체가 9월 9일 이었다. 초기라 하면 언제를 의미하나? 예산 1억 원이 없어 조사를 못하겠다던 이광준이 1억 원을 타 기관에 기탁했다. 그건 조사위원회 해체 동기가 예산 때문이 아니었단 말 아닌가? 강원도가 조례를 만들면 도의회로 가지 춘천시로 오지 않을 것은 시장이 더 잘 알고 있을 것인데 뭘 지원한다는 것인지?

최 대표는 개인자격으로 갔고, 춘천시장에게도 유족의 입장에서 개인자격으로 왔다고 했다. 하지만 춘천시장은 이를 자신의 면피용으로 이용하였다. 순수한 유족들의 마음을 이광준 시장은 자신의 정치적인 입지를 위해 이용한 것이다. 조직적인 입장만 이야기 하면 있을 수 없는 일이지만 참사 때문에 급작스럽게 만들어진 조직에서는 있을 수 있는 일이다. 특히 정치인을 만날 때에 주의해야 할 점이다. 이광준 시장은 이 면담을 계기로 부활을 꾀했다.

일부 유족들의 의도와는 달리 강원도와의 협의에 문제가 생겼다. 협의 과정에서 춘천시 국장들을 배석시키겠다는 제안을 거부했던 대책위가 시장을 직접 만나고 협의 주체에게는 알려주지도 않는 상황이라면 도가 적극적으로 나설 이유가 없었다. 가뜩이나 내부적으로 반발이 많은 사안에 대해 최문순 도지사와 협상 당사자들의 입지는 더 좁아졌다. 이광준은 최 대표를 만난 결과를 공개하지도 않고, 도에 오히려 고압적인 자세를 보이고 있었다. 기자들에게는 유족대표가 자기를 찾아와서 사과했고, 자신의 설명을 듣고 이해하고 갔다고 했단다. 이제껏 도와준 조사위원(박창근 교수 등)들에 대한 배신행위였다. 박창근 교수 등은 대책위가 한다면 같이 명예훼손 소송을 할 의사를 밝혔었다. 또한 강원도지사 면담 등을 계획하고 있는 강원도 내 대학교수들이 안다면 어떤 반응이 올지 심히 우려스러운 지점이었다.

이광준은 강원대병원과 시장실 항의 방문 시 수모를 겪었다고 생각하고 있다. 이에 대한 대응으로 유족의 고립(학생, 외부단체와의 분리, 대책위도 유족과 비유족으로 구분, 유족도 직계와 방계의 분리 등)과 내분을 목적하고 있고, 이를 자신의 지지 세력에게 떠들고 다녔는데 일정 부분 성공이라 판단할 것이다.

이승원 조사위원이 소회를 밝혔다

"이제까지는 이견이 있으면 더디 가더라도 토론하고 조율하며 함께 가는 것이 좋다는 생각으로 왔지만 이제는 이런 상태로는 같이 가기 어려운 것이 아닌가 생각합니다. 대표가 이러한 돌출행동으로 이제까지의 노력을 반감하는 일을 했다는 것은 도저히 묵과할 수 없습니다. 이후에는 강원도와의 문제를 포함하여 전체 사항에 대해 대표를 위시한 이번 면담자들이 모두 떠맡아야 할 것입니다. 이러한 상황에서는 저 또한 어떠한 역할도 할 수 없으므로 실무협의 위원을 그만두고 벌여 놓은 서명 작업만 책임지고 그만 두겠습니다."

이어서 강원도 실무협의를 맡은 최영도 대변인과 이건학 조사팀장이 협의위원 사퇴의사를 표명하였다. 다른 참석자들이 나서서 모두 반대하였다. 이광준 면담 건으로 이미 정용재 팀장이 남원으로 내려갔는데 실무위원들의 총사퇴는 사실상 대책위 활동의 중단을 의미하는 것이었다. 인하대 강의실에서 대책회의를 하고 있는데 11월 25일을 넘어 26일에 접어들었다. 이 문제는 쉽게 정리하고 넘어

갈 문제가 아니었다. 최영찬 대표가 향후 대책위에서 결정된 사항에 반하는 활동을 하거나 사전에 전체 의견을 묻지 않고 활동하는 일이 없도록 한다고 하였으며, 그러한 활동이 있을 시는 스스로 대책위에서 탈퇴한다는 결의를 하였다. 이에 기존 실무협의회 참여자들이 의논을 한 결과 다른 참석자들의 의견에 따르기로 결정하고 수습하였다.

4. 대책위의 위기, 유족 제명

지난 11월부터 계속 문제 제기가 있었지만 강원도와의 교섭, 서명운동, 12월 14일 도지사와의 만남 등에 적극적인 대응을 위해서는 조직내부의 분열은 안 된다는 입장이 있었다. 그러나 12월 14일 도지사와의 만남을 통해 이제 가닥을 잡은 상황에서 내부 문제를 정리하지 않으면 더 심각한 문제가 발생할 수 있으리라는 판단도 있었다. 더구나 서명결과가 집계되고 나니 유족 중 본인도 서명하지 않은 사람이 있다는 사실에 모두 경악을 금치 못했다. 추위와 싸우며, 인하대의 설움을 참아가며 서명 작업에 앞장섰던 어머니들의 분노는 말로 할 수 없었다.

S에 대한 문제 제기는 이미 11월 25일 회의와 12월 10일 회의에서 논의되었다. 그 내용은 '대책위 규율에 관한 건' 이었다.

「최근 대책위 내 결정사항에 대한 미 이행과 합당한 사유 없이 회의 및 일인시위 불참이 발생하여 전체에게 미치는 영향을 고려하여 짚고 넘어가야 한다는 문제 지적이 있었으며, 이후 대응을 위해서도 규율을 바로 세우는 것이 중요하다는 인식에 모두 동의하였습니다.

문제가 제기된 개인에 대해 대책을 논의하였습니다.

S씨에 대한 문제제기의 건: 최영도 대변인이 S씨의 경우 합당한 사유도 없이 4차례 연속하여 회의에 불참하였고 11월 16일 제기한 문제에 대해 답변이 없었으며, 1인 시위 일정을 제안하였으나 1인 시위 참여에 대한 의사가 현재까지 없는 것으로 볼 때 대책위 활동에 대한 의지가 없는 것이 아닌지 의문이 든다고 하였으며, 대책위의 원활한 활동을 위해서 활동에 대한 의지가 없거나 대책위의 결정 사항을 비공식적인 통로로 문제제기하는 등 대책위 활동을 저해하는 사람이 계속 대책위에 잔류하는 것은 본인을 위해서도, 대책위 다른 성원들을 위해서도 바람직하지 않다고 이야기하였습니다.」

위와 같은 문제 제기에 대해 회의 참석자들은 다음 주 금요일(12월 2일)까지 S씨에게 명확한 입장 표명을 요구하고, 입장 표명이 없거나 대책위 활동에 대한 의지가 없음이 확인되면 제명할 것을 만장일치로 결정하였다. 문제는 본인이 참석하지 않아 소명의 기회도 없었고 제명하기에는 조금 무리가 있었기에 조건부 제명으로 결정한 것이다. S는 문자를 통해 앞으로 회의는 잘 참여하겠다며, 일인시위는 연가를 다 써서 못했다고 했다. 대책위는 12월 3일(토) 춘천회의에서 이 사항들을 확인하고 연가를 다 썼으면 내년 초에 금년에 빠진 것을 다하도록 권고하기로 하고 회의결과에 남겨 공지하였다. 그러나 S는 11월 26일 대변인에게 전화를 하여 폭언을 하고 회의와 일인시위에도 참여하지 않고, 대책위는 물론이고 일가친척들까지 모두 참여하여 최선을 다한 서명 작업에도 참여하지 않았다. 본인과 가족들도 서명을 안했다. 휴가가 없다는 등의 이유로 일인시위, 회의도 참석하지 않고, 도지사 면담도 전원 참여하기로 했음에도 참석하지 않은 사람이 이광준 춘천시장 면담에 참여하고, 대한민국 인재상 수여식에는 제일 먼저 참여의사 댓글을 달았다. 개인 밖에는 모르는 사람이었다. 12월 10일(토) 회의 시 몇몇 분들이 S에 대한 문제제기를 하였다. 12월 14일 기자회견 및 도지사 면담, 서명지 전달식을 놓고 조직내부의 문제를 토론하는 것이 바람직하지 못하다는 판단에 차기회의(12월 17일)에서 논의하여 결정하기로 하였다.

2011년 12월 17일 토요일 인하대 생활도서관 회의실에서 대책위 회의가 열렸다. 문제의 장본인인 S도 참석하였다. 공식 안건으로 다뤄 공식화하는 것이 조직내부의 규율을 세우는데 중요할 것이라는 입장에서 이승원 조사위원의 발제가 있었다.

의무 불이행자 징계에 관한 건

■ 징계 사유: 조직운영의 기본인 회의활동의 불참과 회의 결과에 대한 의무 불이행, 타 구성원에 대한 명예훼손 및 폭언 등으로 조직의 단결을 저해하고 모범적으로 활동하는 타 구성원들에게 심대한 영향을 미치므로 조직의 이후 활동을 위해 징계하여 규율을 세우고자 함.

■ 위반 사항

- 회의 불참 : 연속 7회
- 일인시위 불참 : 2회
- 토요일 집회 불참 : 연속 5회
- 기금출연 결정 : 미납
- 문자로 이미 결정한 사항에 대한 이의제기 및 조직 명예훼손 (공산주의 운운) : 첨부 자료 참조
- 서명활동 불참 및 본인/가족 서명 안함 : 서명 실적 0
- 11월 26일(토) 저녁에 대변인에게 전화하여 협박성 폭언을 함.

■ 징계 내용: 제명

징계 내용에 대한 이유: 조직 운영과 회의과정에서 의견 충돌이나 사소한 오해들은 민주적 운영 과정에서 언제든지 누구에게나 발생할 수 있는 사안임. 그러나 충

분한 의견 개진과 토론을 통해 결정된 사항에 대해서는 이행해야 하는 것이 민주적 조직 운영의 기본일 것임. (중략) 그러나 S씨의 경우 본인이 참여하여 결정한 사항에 대해서도 결정을 끝내고 집행을 이행하고 있는 집행책임자에게 문자를 통해 번복할 것을 강요하고 심지어는 전화로 비난까지 일삼는 행위와 폭언을 하였음. 이는 회의에 참여하여 결정한 모든 구성원들에 대한 모욕적인 행동이며 무시하는 행위임. 조직구성원으로 보면 비민주적인 행위이며, 자신의 주장만이 옳고, 다른 사람들의 의견은 무시하는 소아병적인 독불장군으로 밖에는 볼 수 없음. 이런 사람의 경우에는 함께 하기 어려운 것임. 또한 결정사항의 이행에 있어 건강이 안 좋은 어머니까지 참여하여 최선을 다하고 있으며 추위를 무릎 쓰고 서로를 위로하며 실행하고 있는데, 집안의 김장 등 대소사가 이 싸움보다 우선되고 불참의 변명거리가 된다면 이 싸움에 나설 사람은 아무도 없을 것임. 본인의 생각이나 판단이 잘못될 경우 그 책임을 본인이 진다면 문제가 없겠으나, 최선을 다해 열심히 하시는 분들에게 영향을 미친다면 같이 할 수는 없을 것임. 더구나 이번 서명은 너무나 열심히 하셔서 좋은 결과가 있었지만 S씨는 본인도 서명을 하지 않음. 이는 대책위 활동 전반에 동의하지 않는다는 의사표현으로 밖에는 볼 수 없음. 이상의 이유로 제명에 처함이 합당하다고 사료됨.

발제 내용에 대해 누구도 이의가 없었다. 이제 본인만이 이 문제를 풀 수 있었다. 본인의 소명을 듣자고 했다. S는 일어서서 소명을 하기 시작하였다.

"저는 자식을 잃었지만 또 한명의 자식이 있고, 가족을 부양해야 할 의무가 있는 사람입니다. 그리고 주변에 더 이상 슬픔에 젖어 있는 모습을 보일 수가 없습니다. 제 직업이 공무원이므로 빨리 원상태로 돌아온 모습을 보여야 하고, 그래서 함께 할 수 없었습니다. 앞으로 회의는 참석하겠지만 다른 부분의 참여는 어려울 것 같습니다. 그러나 대책위에는 함께 하고 회의 결정에 따르겠습니다."

황당한 이야기였다. 여기에 온 유족들 중에 일상으로 돌아가고 싶지 않은 사람들이 누가 있나? 그렇다고 이 싸움을 회피한다면 대책위를 해산하는 것이 맞는 것이다. S는 소명에서는 저렇게 이야기 했지만 쉬는 시간에 사람들에게는 다른 이야기를 하여 속내를 드러냈다. 나중에야 밝혀진 S의 발언은 이런 것이었다.

"아니, 서명은 왜 해? 서명하면 효과가 있어? 쓸데없는 짓이야!" 소수의 사람들에게 선동하는 발언이었다.

"아니, 근본적으로 조례 제정은 불가능한 거고, 고생만 하는 거라니까? 그렇게도 모르나?" 강원도와 춘천시를 상대로 싸우는 것은 불가능한 일을 하는 것이니 자기처럼 처신하는 게 실리적인 행동이라는 것이었다. 그러나 들은 사람들도 너무 엄청난 말이라 옮길 수가 없었다. 심지어는 최영찬 대표와 김문호(현빈이 아버지)에게 협박까지 하였다.

"내가 제명을 당하면 공무원직에 있으므로 모든 언론을 동원하여 대책위에 안티(반대 및 방해 행위)를 할 것이니 두고 봐요." 라고 이야기 하였다고 한다. 분명히 회의결정은 따르겠다고 하면서 밖에서는 협박을 일삼는 모습을 보여주었다.

회의가 속회되었다. S에게 나가줄 것을 요청하고 나머지 사람들은 심도 있는 토론을 했다. S에 대한 문제 제기에는 모두 동의하였다. 징계의 양형이 문제였다. 그래도 유족인데 제명까지 하면 되겠냐는 의견과 그래도 조직의 규율을 위해서는 제명해야 한다는 의견으로 갈라졌다. 더 이상의 토론은 의미가 없었다. 표결을 하자는 의견이 나왔고, 표결 방법에 대한 토론이 있었다. 직접 · 비밀 · 무기명 투표로 하고, 제명 안이니 2/3로 결정하자는 의견이 있었다. 모두 찬성하였다. 그러나 투표권을 한가족당 한 표만 주자는 안에 대해서는 논란이 있었다. 부부가 다른 의견인 가족도 있는데 너무 일방적인 주장이었다. 그러나 그렇게 정리되었다. 투표 결과 부결이었다. 투표 결과 11명 중 찬성 7, 반대 4 이었다. 한표 차이였다. 모두 할 말이 없었다. 물론 2/3 통과가 쉬운 것은 아니었으나 유족이라는 동질감이 크게 작용한 것이다.

이승원은 후회했다. 최영찬 대표가 이광준 시장을 만나러 간 사건이 있었을 때 그만 두었어야 했다. 후배 정용재가 고집을 꺾지 않고 남원으로 내려갔을 때 같이 그만 두었어야 했다. 누구하고도 이야기하고 싶지 않았다. 인하대 교정을 나오며 핸드폰을 껐다. 유족들의 마음도 무거웠다. 이 사안이 조직에 미칠 파장이 심상치 않았기 때문이다. 잊고 있었던 것이 있었다. S가 유족이라 제명하는 것이 너무한 것이라 생각했지만 S가 협박한 최영도 대변인 역시 유족이라는 사실이었다. 그리고 놀랐다. 부결은 되었지만 유족 중에도 상당수가 제명에 찬성하여 2/3 가까이 되었다는 점이다. 그렇게 주말이 지났다. 주말에 최영도(민하 아버지) 대변인과 정경원(민하 어머니)은 마주 앉아 술잔을 기울이며 오랜만에 대화를 나누었다. 각자의 직장일에, 대책위 일에 지난 5개월 간 개인 시간은 물론이고 서로 얼굴볼 시간도 없이 지내왔다. 서로 얼굴을 볼 시간은 투쟁 현장에서였다.

"나 이 싸움 여기서 포기해도 민하가 뭐라 하지 않겠지?" 최영도 대변인이 말했다.

"그만 두고 싶어? 그럼 그렇게 해." 정경원이 답변하였다.

"누구를 위해서 해 주는 거 아니잖아." 미친년처럼 뛰어다닌 결과가 이건가? 한창 엄마 손길이 필요한 고1 아들도 내팽개치고 돌아다닌 결과가 이렇게 끝나다니 말이다.

"열심히 했잖아, 우리가 무슨 문제겠어. 우리와 민하 때문에 함께 해 준 사람들에게 미안하지…." 말을 흐리는 정경원의 눈에서 눈물이 흘렀다. 민하를 보내고 나서 이 악물고 참았던 눈물이었다.

최영도는 이승원에게 전화를 하였다. 자신의 결심을 알려야 했다. 그만두겠다는 이야기를 하자 알고 있었다는 듯이 이야기했다.

"제 걱정은 하지 마시기 바랍니다. 괜찮습니다."

회의 다음날 저녁 최영도 대변인은 다음 카페(춘천봉사활동 인하대 희생자 대책위원회)에 다음과 같은 글을 올렸다.

제 역할을 접고 유족의 한 사람으로 돌아갑니다.

대변인 및 총무의 직을 그만두겠습니다.

1. S씨의 진정성을 전혀 알 수 없고 함께 할 수 있는 사람인지 의심만 더 커져가고 있는 상황과 S씨의 독선적이고 위협적인 태도를 고스란히 받아들일 만큼 저는 너그럽지 못함을 밝힙니다.
2. 11월 26일 S씨는 "나는 4대 독자를 잃어 눈에 보이는 것이 없고 민하 아빠를 보면 어떻게 할지 모르겠다"고 하였습니다. 그리고 어제(12/17) 본인의 뜻을 그대로 밝혔습니다. 지난 11/16 문자의 건을 사전에 말하지 않고 카페에 올려서 화가 났다는 취지였습니다. 저는 왜 S씨가 화가 나는지 알 수 없으며, 미안하게 되었다는 마지막의 말 또한 진정성을 전혀 느낄 수 없었습니다. 말이든 문자든 자신이 한 것은 자신이 책임지는 것이 마땅하며, 상처가 될 다른 사람들을 먼저 생각하는 것이 아닌 S씨 입장에서 화가 났다고 하니

여전히 이해할 수 없습니다.

3. 어제(12/17) 회의 중간, 쉬는 시간에 S씨는 최 대표와 현빈 아버지가 있는 자리에서 내가 제명을 당하면 공무원직에 있으므로 모든 언론을 동원하여 대책위에 안티(반대 및 방해 행위)를 할 것이니 두고 보라고 했다니 제대로 깨닫고 있는지, 조금이라도 반성을 하고 있는지 의심하지 않을 수 없으며 저는 그러한 발언을 용서할 수 없습니다.
4. 1인 시위 등 대책위 활동에 있어, 어떠한 이유에서든 참여치 않거나 열심히 하지 않을 경우 그에 대응할 아무런 장치가 없습니다. 없어졌습니다. 그냥 믿고 가거나 모른 척 하고 가야겠지요. 많은 사람들이 의지가 떨어져 마지막까지 책임 있는 활동이 없을 때, 그 모든 책임을 누가 져야 할지 심히 우려됩니다. 조직의 원리를 이해하지 못하면서 그냥 인간적이기만 하는 사람들이 과연 책임을 질 것인지 그 또한 의심이 갑니다. 이제 모든 의심을 내려놓고 그냥 유족의 한사람으로 남으려고 합니다.
5. 저 또한 사랑하는 딸을 잃은 아버지입니다. 다른 유족들의 입장을 이해하지만 위로하고 포용할 만큼 여유롭지는 않습니다. S같은 사람 때문에 제가 희생해야 할 이유를 모르겠습니다. S씨와 똑같이 저도 남은 가족들이 있습니다. 부부가 맞벌이를 하고 있고, 한참 돌봐줘야 할 고 1인 아이가 있습니다. 부모가 직장 생활에 대책위 활동, 주말이면 춘천과 일요일에는 밀린 일 하느라고 이제 고 1인 아이 밥 한 끼 못 챙겨주고 얼굴도 못보고 살았습니다. 어제의 결정으로 이제는 그럴 필요를 못 느낍니다. 어제 최영찬 대표께서 사업하는 사람보다 직장 생활하는 사람들이 어렵다고 하셨습니다. 개인적으로 동의하기 어렵지만 저도 직장생활을 하는 사람입니다. 회사의 총무, 회계, 세무, 자금 등 관리 업무를 총괄담당하고 있습니다. 사실 지금까지도 오후 2시까지는 회사에 제가 없으면 안 되어서 대책위 활동을 그 시간 이후로 잡고 대책위 일이 끝나면 저녁에 사무실로 돌아와 마무리하는 형태로 일을 했습니다. 그러나 연말에는 일이 몰려 있고 제가 회사에 없으면 안 될 상황입니다. 제 딸의 일이기도 하고 열심히 하시는 유족들을 보면서 위험을 감수

하며 해 보려고 했지만, 생업이 더 중요해서 일인시위도 서명도 못 받았다고 하는 사람 때문에 저와 우리 가족의 미래를 희생할 수는 없습니다.

6. 위의 여러 사유로 인해 대변인 및 총무의 직을 그만 두고자 하며, 다음 회의까지 대변인 및 총무의 일을 맡을 사람을 선정하여 전해주시길 바랍니다. 통장 및 해당 자료들을 모두 넘기도록 하겠습니다.

대책위를 대변하는 모든 일을 종료합니다. [중략]

실무협의회에 참여치 않겠습니다. [중략]

위에서 열거한 사항은 제가 진실로 드리는 것이며 어제(12/17일) 결정이 대책위에 어떤 문제를 발생하게 될지 잘 알기에 이렇게 결단할 수밖에 없었습니다. 저도 이제는 살아야겠습니다. S씨를 너그럽게 이해하고 받아 주셨듯이 저 또한 그렇게 이해해 주시리라 믿습니다.

최영도 대변인이 이야기했듯이 이제 조직의 규율은 무너졌다. 열심히 하는 사람들이 더 힘들어 해야 하는 구조가 된 것이다. 이 사태의 심각성은 이제까지 열심히 대책위를 꾸려온 사람들의 힘을 완전히 빼 놓은 것이다. 최영도 대변인의 글이 카페에 올라온 후 난리가 났다. 김용주(유라 아버지)와 신현범(슬기 아버지)이 일인시위 및 회의 불참, 대책위 탈퇴의 내용으로 댓글을 올렸다.

유라 아빠입니다. 지금까지 힘을 합쳐 잘해왔는데 한사람 때문에 이런 일이 생겼네요. 어제 S씨 감싸는 분들 때문에 생긴 일이니 그 분들이 알아서 책임지시기 바랍니다. 저 또한 1인 시위 및 회의 불참하겠습니다. 춘천시장이 이런 상황을 알면 참 좋아하겠네요.

슬기 아빠입니다. S씨 정말 해도 너무 하네요. 이유야 어떻게 되었던 고생하는 유족들에게 기본 양심이 있다면 조금이라도 미안한 마음이 있어야 되는 거 아닙니까. 아무리 마음에 안드는 일이나 사람이 있다고 해서 할 말이 있고 해서는 안 되는 말이 있는 겁니다. 저도 이런 대책위는 참여할 필요가 없다고 생각합니다. 이렇게 할 바에는 차라리 보상해주면 받고 해주지 않으면 안 받으면 되는 겁니다. 그렇지 않습니까. 굳이 이런 대책위까지 만들어서 서로 아옹다옹할 필요가 없다고 생각합니다. 그래서 저도 이 시간 이후로 자기 마음대로 행동하는 사람하고는 같이 갈수 없어 대책위에서 빠질까 합니다. 남으신 분들 좋은 결과 있기를.

이 분들은 대책위에 누구보다도 열심히 한 유족들이었기에 충격이 더 컸다. 부상자 현빈이 아버지 김문호가 나섰다. 김문호가 S에 대한 결정에 개의치 말고 하던 일은 해 나가자는 취지의 글을 올리고, 일인시위를 하러 춘천으로 향했다. 이어서 민은순(유신이 어머니)이 글을 올려 사람들의 마음을 되돌려 보려고 하였다.

먼저 제 입장에선 모든 것이 유감입니다.

이제까지 해왔던 모든 활동들은 자식을 먼저 보낸 우리 부모들의 천륜의 힘. 그러한 마지막 몸부림입니다. 같은 아픔을 지닌 채 표면에서 궂은 일을 하며 생각이 다른 유족에게 감정적인 얘기를 들은 민하 아빠께서 마음이 상하신 것은 백번 이해합니다.

그러나 떠난 자식들을 위해 움직였던 지금까지의 일들이 한 사람으로 인해 흔들릴 만큼 미약하지만은 않을 것입니다. 어차피 모두의 내면에 옳고 그름을 알고는 있는 것이니…. 그날 결과에는 마음을 접어 두셨으면 합니다. 역할을 대신할 사람이 없는 상황에 이러한 흔들림 또한 아닌 것 같구요. 잘못도 싸안고 가자는 애들 아빠의 표현에 조금 과한 면도 있었지만 하늘에 있는 아이들을 생각해 흩어지지 말자는 생각으로 받아들였으면 합니다.

몇몇 분들의 노력에도 대책위를 원래대로 되돌릴 수는 없었다. 물론 물리적인 시간도 부족했다. 12월 17일 회의 후 불과 3일 정도 지난 시점에 어느 누구도 수습책을 못 내놓고 있는 실정이었다. 가장 답답한 것은 유족들이었다. 포기하자고 생각했던 사람들도 억울했고, S를 감싸 안고 가자던 사람들도 답답하기는 마찬가지였다. 강원도지사가 약속했던 연말이 다가오지만 어떤 상황인지도 알지 못했다. 강원도는 아쉬운 것이 없었다. 아쉬운 사람들은 유족들이었고 먼저 연락하고 재촉해야 일이 진척이 되는 것이었는데 지금으로선 누구도 나서려고 하지 않았다. 대책위가 이렇게 분열되고 나니 힘도 나지 않고 더 힘이 들었다. 그러던 중 유족이 아닌 인하대 학생이 카페에 글을 올렸다. 인하대학교 동아리연합회 회장 왕의조였다.

문제는 해결하지 않으면 반복될 것입니다.

최근 대책위의 모습들을 보면서 가장 많이 드는 생각은, 문제는 역시나 해결되지 않으면 반복된다는 것입니다. 문제가 반복되는 원인은, 중요한 조직적 판단에 감정적인 사고가 더 많이 작용하기 때문인 것 같습니다. 저는 대책위의 명칭에서 '가족'이란 말이 빠지는 때가 그런 문제들을 어느 정도 분명하게 짚고 가는 분기점이 되었다고 생각합니다.

그것은 아직도 많이 부족하기는 하지만, 저 자신이 좀 더 책임감을 가지고 춘천에서의 일을 대하게 되는 계기가 되기도 했습니다. 그럼에도 학생들의 무게감 같은 이야기를 하실 때는 저도 서운한 것이 사실입니다. 아니, 오히려 저 개인의 서운함은 전혀 중요한 것이 아니라, 여전히 유족 분들이라는 위치가 대책위 내에서 특권으로 작용하는 것 아닌가 하는 걱정이 먼저 듭니다. 분명히 이제는 가족대책위가 아닌 희생자대책위인데 말이지요.

물론 아이들의 죽음에 대해서 느끼는 감정이라는 것은 많은 차이가 있을 수 있다고 생각합니다. 하지만 제가 대책위에 들어오게 된 것은 감정적인 판단이 아니었고 그것은 지금도 그러합니다. 무고하고 억울한 죽음들을 위로하는 방법이 단순히 눈물을 흘리고 비탄에 잠기는 일이 아니듯이, 저는 그러한 죽음들을 헛된 희생으로 만들지 않는 것이 가장 중요한 일이라고 생각합니다.

그렇기에 그 중요한 과정들에 문제가 생기는 지점들 또한 분명하게 해결해야 된다고 생각합니다. 사실 S의 협박에 대한 이야기를 읽고 나서는, 지난 회의 때의 생각이 더 강해졌습니다. 저는 그러한 폭언과 협박이 한 순간의 실수라고 여겨지지 않습니다. 그것은 대책위 활동에 대한 개인의 생각과 감정의 반영이며, 그 문제는 여전히 조금도 해결되지 않았다고 생각합니다. 폭력이 용인되는 조직에서는 똑같은 폭력이 반복될 것입니다.

동아리연합회장

이 투쟁을 주도했던 정경원(민하 어머니)도 카페를 통해 자신의 소회를 밝혔다. 조금 긴 글이기는 했지만 이 투쟁의 전 과정을 돌아보고 쓴 글이라 읽는 사람들의 눈시울을 적시고 생각하게 하는 글이었다.

후회스럽습니다. - 민하 엄마

많이 후회스럽습니다. 그냥 조용히 있을 것을. 경험 있는 분들, 주변에 도와줄 분들을 찾아다니며 도와달라고, 왜 그랬을까. 처음에는 민하가 비명 한번 지르지 못하고 간 게 억울하고 엄마로서 해주지 못한 것들, 살아있다면 해줘야 했을 것들을 몰아서라도 해줘야 한이 남지 않을 것 같아서 시작했습니다. 학교, 춘천시 모두 책임을 물어야 한다는 생각에서요.

학교 관련해서는 처음부터 생각 차이가 있었고, 심지어 "학교 문제 제기할 거면 나가서 따로 하라"는 이야기까지 들었지만 아이를 생각해서 참았습니다. 학교가 사심 없이 애들을 위해 나선다고 다들 생각하시기에 저도 문제제기 수위를 낮추기로 했습니다. 그러나 S씨가 학교를 다녀와서 내민 '확인서'를 보고 화가 나서 미칠 것 같더라고요. 자신들의 민·형사상 책임뿐 아니라 우리의 입까지 막으려는 파렴치한 요구를 어떻게 교육자들이 할 수 있는지 기가 막혔습니다.

조사위원회 해체 이후 막막했습니다. 자체 조사 이야기가 나왔을 때, 자청하여 다시는 가고 싶지 않은 끔찍한 사고 장소에 대여섯 번이나 갔습니다. 주민들도 만났고, 기억을 떠올리기 싫을 생존자들을 만나 잔인한 질문을 던졌습니다. 어떻게 죽었는지 알고 싶어서요. 그래야 할 일이 뭔지 찾을 수 있을 거 같아서요.

[중략]

사무실에서 프로젝트 두 개가 이 일로 인해 날아갔습니다. 여기서 월급 받는 사람들 1년 먹고 살 돈입니다. 그래도 아무도 뭐라고 하는 사람 없었습니다. 한없이 투쟁하라고, 그래야 더 열심히 살 수 있다고 서명 받으러 돌아다녀줬습니다. 서명지 번호 매길 때 보신 분도 있지만 아르바이트생들까지 나서서 스캔하고 번호 달고… 그런 분들 생각하면 아이들 명예를 회복하기 위해 끝까지 싸우고 싶습니다. 한이 남지 않도록.

그런데 이대로 가다간 더 큰 한이 남을 것 같아서 지난 몇 개월이 후회스럽습니다. 내가 너무 설쳤구나, 뭐 하러 밤늦게까지 머리를 싸매고 법을 뒤지고 자료를 찾아대고 했을까. 그래도 힘들지 않았던 건 열심히 하는 분들이 있었기 때문이었습니다. 그런데 그분들이 참고 참았던 불만을 서명 작업을 하면서 터뜨리셨고, 저도 그랬습니다. 눈물 없이는 받을 수 없는 서명이었죠. 남들한테 부탁하는 게 싫어서 못했다. 바빴다는 이야기는 서명을 받으러 다니며 눈물을 흘린 이들에게 용납될 수 없는 것입니다. 여러 분들이 다들 죽자고 하는데 하나도 안 한다는 게 말이 되나? 같이 할 수 없다고 하셨습니다. 이미 많은 분들이 투쟁과 눈물 속에서 변해있다는 것을 S씨는 모르더군요.

저는 '아이들 생각해서' 끌어안을 수 있는 정도를 넘었다고 생각합니다.

부모 일을 늘 믿고 적극적으로 지지하던 아들도 이 일이 장기화되고, 대책위 내부의 일을 전해 들으며 "그만 가정으로 돌아오시라"고 합니다. 누나를 생각해서 참았는데 자기도 고아는 아니라고 합니다. 아들까지 내팽개치고 뛰어다닌 결과가 본인 생각해서 서명 하나 안

받은 사람과 공유되는 것도 솔직히 싫었습니다.

그런 결과를 보느니 차라리 그만 두는 게 낫다는 생각도 했습니다. 민하도 원치 않을 것이라 생각합니다. 그래도 그만 두지는 않겠습니다. 조용히 한 사람의 엄마로 남겠습니다. 그동안 최선을 다해 대책위 결정 사항 집행을 보조했습니다. (그동안 그런 식으로 해왔으니 그냥 넘어갔지만 솔직히 투표권 제한할 때도 참으로 기분 나쁘더군요. 다른 엄마들도 그랬을 겁니다.) 이광준 시장과의 합의사항 붙들고 막막해 하던 유족들과 머리를 맞대고 싸워가며 여기까지 왔습니다. 다른 방법도 있고, 서명을 받은 효과가 무엇이냐는 S씨의 말에 할 말을 잃었습니다. 열심히 한 사람들은 모두 바보가 되고 말았습니다.

[생략]

비상시국이었다. 대책위 회의가 열렸다. S, 이승원, 총학생회장, 동연회장에게는 연락을 안하고 부상자 현빈이 아버지(김문호)와 아버지들이 대부분 모였다. 논의는 많았지만 해결책이 없었다. 주로 대책위의 의결권 문제와 S 문제에 대한 이야기가 오갔다. 이야기 말미에 신현범(슬기 아버지)이 이야기 했다.

"책임질 사람이 책임져야지 우리가 왜 이 고통을 받아야 합니까?"

"맞습니다." 다 같이 동의했다.

"S씨가 결단해야 하는 것 아닙니까?"

"제가 이야기 해 보겠습니다." 최영찬 대표가 답변하였다.

"이야기 하는 걸로 안 되고요. 본인이 스스로 안 나가면 제명 결정하겠다고 하세요. 지난번에 표결이 이상했어요. 정식으로 해서 제명하지요."

"알겠습니다. 그렇게 이야기 하지요."

시간이 없었지만 일단 최 대표에게 맡기고 주말까지 기다려 보기로 하였다. 21일 모임 후 최 대표는 여러 차례 S에게 전화 통화를 시도했지만 연결이 되지 않았다. 12월 22일 대한민국 인재상 시상식에서 만났지만 이야기 할 여건이 안 되었다. 그러다 12월 24일 토요일에 전화 연결이 되었다. 최영찬 대표는 대책위 회의의 결정 사항을 담담하게 전했다. 그리고 S씨가 자진 탈퇴해 주는 것이 대책위가 정상화되는 길임을 강조하였다. 어차피 거부하면 제명할 거라는 말도 잊지 않았다. 잠시 말이 없더니 알겠다고 했다. 12월 24일 밤 10시가 넘어 최영찬 대표는 카페에 S의 자진 탈퇴를 알리는 글을 올렸다. 이로써 기나긴 갈등은 마무리되었다. 어떻게 조직을 다시 활성화 시키느냐가 중요하였다.

인재상시상식

5. 아이디어뱅크 집행부와의 갈등

유가족들이나 대책위는 아이디어뱅크 회원들을 보면 자식들을 보는 느낌이었다. 그들은 바로 희생된 학생들의 친구들이었기 때문이었다. 특히 동아리 활동을 하는 학생들의 친분은 학과의 친구들 보다 더 긴밀했기 때문이다. 그래서 기대도 컸다. 대책위가 희생된 친구들의 문제로 싸우고 있으니 함께 할 것이라고 당연히 생각하였다. 초기에는 적극적으로 참여하기도 하였다. 대책위도 사망자들에 대한 부분 뿐 아니라 부상자와 아이디어뱅크 문제를 인하대와 제일 먼저 해결하려고 했고 춘천의 문제에서도 부상자 문제까지 같이 해결해 보려고 노력하였다.

그러나 아이디어뱅크 집행부는 참사 초기 강원도에서는 적극적이었지만, 이후 춘천시와의 싸움까지도 몇 명씩 오다가 점차 뜸해지더니 중간고사 기간이 되자 거의 참여를 안했다. 대부분 학부모인 대책위는 이해했다. 그러다가 11월 5일 집회에 대규모로 참석한 이후에는 일인시위는 평일이라 곤란하다고 할지라도 주말 집회에도 학생회와 동아리연합회는 오지만 아이디어뱅크는 나타나지 않았다. 그리고 방학이었다. 아무리 이해하려 하지만 쉽지 않았다. 물론 현빈이 아버지가 나서서 몇 명이 주말 집회와 선전전에 함께 결합하기는 했지만, 조직적인 결합은 없었다.

아이디어뱅크는 12월 4일(일) 오후 1시 30분에 여의도 국회헌정기념관 대강당에서 개최된 제6회 '2011대한민국 나눔대상' 시상식에서 나눔대상을 수상하였다. 아이디어뱅크가 이 상을 수상하게 된 것은 희생된 학생들이 큰 영향을 미쳤을 것이다. 그러나 대책위는 이 소식을 언론을 통하여 알았다. 아이디어뱅크에서 아무런 연락도 없었던 것이다. 또한 아이디어뱅크 회장이 바뀌었다는 소식이 들려왔다. 연락도 인사도 없이 집행부가 교체되었다는 소식에 내색하기는 어려웠지만 섭섭한 마음은 금할 길이 없었다. 집회에도 총학생회(단과대 간부들 포함)와 동연 학생들에 비해 아이디어뱅크 회원들의 참여가 현저히 떨어지자 유족들의 불만이 제기되었다.

"아뱅은 이 일이 지네들 일이 아닌가? 행사 중에 그렇게 많은 사람이 죽었는데?"

"그러게. 아뱅에 지원금 주고 부상자 장학금 주라고 무엇 때문에 싸운 거야?”

“애들이 아무리 어려도 그렇지….”

그냥 지나칠 문제가 아니었다. 이제 새학기가 시작될 것인데 새내기들이 들어오면 더 심해질 텐데 이렇게 놔둬서는 안 되었다. 아이디어뱅크 신임 회장이 민하 친구였던 장연하였다. 정경원(민하 어머니)이 나서서 연락을 하고, 2012년 2월 말 개강 직전 아이디어뱅크 모임에 몇 명이 갔다. 아이디어뱅크 희생자 중 가장 고참이었고, 동아리에 가장 애착이 강했던 민성이 아버지와 어머니인 이건학과 김미월, 민하 어머니 정경원, 이승원 등이 나섰다. 그 당시 총학생회 비상대책위원회 집행위원장을 맡고 있었던 왕의조 전 동연 회장도 함께 갔다. 이건학 조사팀장과 이승원이 대표로 이야기하였다. 학생들을 질책하기 보다는 집행부와 회원들의 책임을 강조하고 유족들의 입장을 설명하고 대책위와 밀접한 관계를 가져야 함을 강조하였다. 그리고 아직 투쟁이 끝나지 않았음을, 그리고 함께 해 줄 것을 당부하였다.

고학년을 중심으로 민성이 아버지를 위로하고 죄송하다는 분위기였다. 아이디어뱅크 회의에 계속 남아 있는 것은 회의 분위기를 무겁게 할 것 같아 자리를 비켜주었다. 그런데 문제가 생겼다. 대부분 큰 무리 없이 이야기를 듣고 열심히 참여하자고 했는데 참사 당시 회장이 반발하여 아이디어뱅크를 탈퇴하였다. 그러나 신임 장연하 회장을 중심으로 서로 결합 방법을 찾아 이후 아이디어뱅크는 대책위와 계속 함께 한다.

대처법 10

사소한 차이는 무마하고 가지만 기본 입장의 차이가 오면 반드시 정리하라. 조직이라는 것이 사람들이 모여서 만드는 것이니 구성원 간의 갈등이 없다는 것은 있을 수 없는 일이다. 특히 이런 조직은 참사가 나기 전에는 서로 알지도 못하는 사람들이 모여 만들게 된다. 본인들의 동질성이 있는 것이 아니라 희생된 자녀들이 같은 대학에 다녔고 같은 동아리에 소속되어 있었다는 것만이 유일한 공통점이었다. 서로 직업도 달랐고, 살아온 환경과 가정형편도 달랐고, 가장 중요한 것은 서로를 잘 몰랐다. 서로 무슨 생각을 하고 있는지 알기도 쉽지 않았다. 오로지 아이들의 억울한 죽음을 밝히고 한을 풀어주겠다는 생각으로 뭉친 것이다. 쉬운 것은 아니다. 글의 앞에서도 언급했지만 서로를 잘 아는 것이 중요하다. 전술상의 문제는 큰 문제가 아니다. 사태를 바라보는 관점과 대응방안이 문제였다. 그래서 투쟁 전술은 가장 어려워하는 사람에게 맞추면 극복되었다. 모두 동의하는 가장 낮은 수준을 택하여 함께 가면 되는 것이다. 문제는 이탈하는 사람들에 대한 문제였다. 조직은 규율이 있어야 바로 가는 것이다. 규율을 세워 서로 비판할 수 있을 때 조직의 기강이 서고 힘들어도 서로 이해하고 같이 가는 길이 열리는 것이다. 대책위도 2~3번의 고비가 있었다. 앞에서는 슬기롭게 해결되었으나 마지막 S의 건은 조직적인 위기로 닥쳤다. 단호한 처리로 조직을 다시 추스를 수 있었다. 이러한 판단은 주체들의 몫일 것이다.

제 7 장

인하대, 강원도와의 마무리

1. 강원도와의 결전

내부적인 문제로 강원도와 춘천시의 문제를 방치한 감이 있었다. 이승원은 강원도로부터 연락이 안와서 연락을 했다. 12월 26일에 전화를 했는데 강원도에서는 북한의 김정일 사망으로 인한 비상체제, 조례담당(자치행정과 소속)자가 지난번 보도자료 사건 직후 구안와사가 와서 병원에 입원하고 도지사가 물리적으로 시간이 안 되어서 연락을 못했다면서 춘천지역 교수들과의 면담도 서면으로 대체하기로 했다며 연내에는 도저히 불가능하다고 하였다.

다시 전화가 와서 연내에는 도지사 일정은 힘들고 실무협의는 어떠냐고 했고, 도지사가 불참한 협의는 의미가 없다고 하자, 두 시간 후 다시 전화가 와서 1월 5일(목) 17시가 30분 이상 낼 수 있는 유일한 시간이라고 하였다. 도지사가 2주 후에 보자고 했고, 어머니들이 신용이 없는 사람이라고 한 이야기도 전달하였다.

12월 29일에는 강원대 박태현 교수가 초안을 잡아 강원대 교수들이 연서명하여 조례제정을 촉구하는 서신을 보냈다. 법무법인의 법률자문서도 부지런히 받고 다녔다. 1월 5일 도지사 면담 전에는 마무리져야 할 사안이었다. 처음에는 많은 법률가들이 자신 있게 이야기해서 별로 힘들지 않을 것이라 생각했는데 막상 의견서를 써달라고 하니 난감해 하였다. 몇몇 법무법인은 소송을 전제로 하지 않으면 의견서를 줄 수 없다고 했고, 변호사의 자필이 들어간 의견서는 비용을 요구하였다. 행정법에 정통한 변호사도 그리 흔치 않았다. 민변, 법무법인 남산, 법무법인 청맥, 법무법인 이안, 법무법인 원, 박태현 교수 등 10군데를 방문하고 서면, 전화로 자문 요청 및 자료와 질의서를 20군데 이상 발송하고 나서야 간신히 잡을 수 있었다.

법무법인 남산과 법무법인 청맥에 적극적으로 요청하였다. 남산은 정미화 대표변호사가 법제처 법령해석심의위원회 위원을 4년간 역임하였고, 우리나라 10대 법무법인에 해당되는 규모였다. 청맥은 최강욱 변호사가 최문순 도지사를 잘 알고, 국가배상 소송으로 알려진 사람이었다. 특히 남산의 대표인 정미화 변호사의 부인은 미국변호사로서 정경원(민하 어머니)의 선배였다. 선배의 설득이 주효했다. 강원대 로스쿨 교수인 박태현 교수의 의견과는 별도로 법무법인 남산과 청맥의 자문서를 강원도에 통보하였다. 강원도 실무자의 반응은 아니 유족들이 무슨 돈이 있어서 이런 법무법인의 자문서를 받느냐는 것이었다. 이 사회에는 돈보다 더 소중한 가치가 있는 것 아니냐는 말에 놀랐다는 반응이었다.

법적 검토와 논리적으로 이제 밀릴 것이 없었다. 더구나 강원대학교 교수 여섯 분이 연서명하여 강원도에 조례제정을 촉구하는 서한을 도지사에게 전달하였고, 그 분들 중 박태현, 손미아 교수는 1월 4일 강원도 자치행정과와 건설방재국을 방문하여 조례 제정 및 이 사태의 해결을 촉구하였다. 그야말로 도지사와의 결전만 남았다.

새해를 맞이하여 1월 6일부터 2월 1일까지 춘천시청 광장 앞에 집회신고를 내고, 1월 7일, 14일, 28일에는 명동거리 내 맥도널드 부근에 냈다. 1월 5일 17시 강원도 도지사실에서 다시 만나게 되었다. 강원도에서는 도지사, 최형선국장, 자치행정과장 외 9명이 참석하였고, 대책위에서는 최영도, 이건학, 이승원, 김미월, 정경원이 참석하였다. 이승원은 사전에 강원도 측 실무자를 만나고자 했으나 최문순 도지사가 관련 부서장들을 16시 45분에 소집하여 이야기를 나누고 있어 만날 수가 없었다. .

도지사가 유족들의 의견이 산사태 관련 조례인가? 자원봉사활동 관련 조례인가?를 물었고, 대책위는 자원봉사 관련 조례라고 명확히 하였다. 배석한 서계장과 최명규과장(자치행정과장)이 안 되는 이유를 이야기 하였고, 대책위는 논리적으로 반박하였다. 그리고 법무법인 남산의 자문 결과를 설명하고 제시하였다.

남산 제 O2011-　호

2011. 12. 22.

수신 : 춘천봉사활동 인하대 대책위원회
제목 : 자치조례에 관한 질의 회신

귀 회가 질의하신 사항에 관하여 다음과 같은 의견을 드립니다.

질의의 사실

귀 대책위원회는 2011. 7. 27. 춘천시 신북읍 마적산 산사태로 자원봉사활동 중이던 인하대학교 동아리 아이디어뱅크 소속 학생들이 재난을 당한 사안과 관련하여 자원봉사활동 중 사고를 당한 희생자 등에 대한 지방자치단체의 예우와 보상에 관한 특별조례를 제정하는 것과 관련한 쟁점사항을 질의하셨습니다.

귀 대책위원회가 질의하신 사항 별로 다음과 같은 의견을 드립니다.

질의 1에 관하여

귀 대책위원회의 첫번째 질의내용은 자치조례와 위임조례의 성격과 내용 지방자치단체의 권한과 제한에 관한 것입니다. [일반적 사항이므로 생략]

질의 2에 관하여

귀 대책위원회의 두번째 질의는 대책위원회에서 제시하는 특별조례가 지금까지 선행되었던 6가지 사례에 비추어 볼 때 어떠한 내용과 성격의 자치조례에 해당하는지, 그리고 이러한 특별조례의 법률적 근거가 어떻게 되는지에 관한 것입니다.

대책위원회에서 확인한 특별조례는 인현동 콜라텍 사건, 화성 씨랜드 사건, 대구 지하철 화재사건, 화왕산 갈대축제 사건, 일본인 관광객 실내사격장 사건, 인천 연평도 피격사건 등 6개입니다. 이중 인천 연평도 피격사건을 제외한 나머지 5개의 사건은 주민의 안전과 건강을 책임지고 있는 지방자치단체가 주민의 보호의무를 소홀히 한 결과 발생한 사건이라는 점에서 공통된 특징을 갖고 있습니다.

따라서 이 자치조례들은 지방자치단체가 주민보호의무를 소홀히 하거나 지방자치단체에게 부여된 각종 행정규제나 안전조치에 관한 배려의무 등을 위반한 사항에 관하여, 일정한 부분은 국가배상법에 의한 국가의 책임으로 처리하더라도 그러한 처리의 방법이 일반적이고 광범위하게 확인된 피해자들의 보상이나 배상에 미흡하게 인정되는 범위 내에서 이들에 관한 문제를 일괄적으로 해결하기 위하여 지방자치단체의 조례의 모습을 빌어 관련 문제를 처리한 것으로 이해되기 때문에, 이 조례들은 구체적인 사안을 처리하기 위한 일회성 사건처리적 성격을 가진 특별입법이라고 보겠습니다.

그러나 인천 연평도 피격사건은 지방자치단체의 잘못 없이 외부의 침범사건으로 발생한 주민들의 피해를 지방자치단체가 특별한 조례로서 배상하기 위한 목적으로 만들어진 특별조례이기 때문에 이는 일종의 천재지변과 같은 재난사건에 대한 지방자치단체의 일회성 피해 배상처리 조례로 생각되는 것입니다.

따라서 상기와 같은 조례의 특징은 전형적인 의미의 고유사무에 관한 자치조례의 범위에 들어가고 기관위임이나 단체위임에 따른 상위법령의 집행과 관련한 위임조례의 성격을 갖는 것은 아니기 때문에, 특별한 법령의 규정이 없어도 지방자치법 제22조에서 정하는 바에 따라 지방자치단체가 보유하는 조례제정권의 범위 내에서 자치조례를 제정할 수 있는 것으로 해석하는 것이 타당하다 할 것입니다.

질의 3에 관하여

위 세번째 질의는 자원봉사 활동 중 사상자에 대한 보상을 한시조례로 제정할 경우 상위법과의 충돌이 발생하는지 여부를 질의하셨습니다.

자원봉사활동 중 사상자에 대한 보상을 특별히 규정한 상위법은 존재하지 않습니다. 대책위원회에서 제시한 자원봉사활동 기본법은 그 성격이나 내용상 국가가 자원봉사활동을 지원하기 위한 근거법령으로 만들어진 것일 뿐 자원봉사활동 중 상해를 입거나 피해를 당한 자를 보상하기 위한 근거법령으로 제정된 것이 아니기 때문에, 지방자치단체에서 자원봉사활동과 관련한 별도의 보상규정을 제정한다 하더라도 그것이 이 법을 위반하거나 이 법의 영역을 침범하는 것은 아니라고 보겠습니다.

특히 이 기본법은 제4조에서 국가와 지방자치단체가 자원봉사활동의 진행에 관한 시책을 강구하도록 정하고 있기 때문에 이 규정에 따라 지방자치단체가 상위법령에 없는 사항을 정하여 조례로서 이를 지원하도록 하는 것은 허용되는 것이며 다른 특별한 사정이 없는 이상 이러한 조례를 제정하는 것은 지방자치단체의 고유사무에 관한 성격을 갖는 것으로 볼 것 입니다.

질의 4에 관하여

위 네번째 질의는 자원봉사수요자가 자원봉사자 보호를 위한 보험을 들지 않은 것에 대하여 책임을 물을 수 있는지에 관한 것입니다.

자원봉사활동지원법령은 의무규정이 아니고 ‘자원봉사자 보호를 위한 보험및 공제에 ‘센터 또는 자원봉사수요자’ 가 들 수 있도록 하는 근거규정에 지나지 않는 것으로 해석됩니다. 따라서 지방자치단체는 동 법령에 의하여 보험을 제공할 의무를 부담하지 아니하기 때문에 상천초등학교가 보험을 들지 않았다거나 도지사가 보험료의 일부를 지원하지 않았다는 사실만으로 자원봉사활동과 관련한 지원의무를 불이행한 불법행위를 저지른 것으로 볼 여지가 없습니다. 또, 학교가 시설을 개방하지 않은 것과 사고간에 의미 있는 인과관계는 인정되지 아니하며, 지방자치단체가 법령에 위반하여 재난지역 또는 위험지역에 건축허가를 하였다는 등의 적극적인 귀책사유가 존재해야 그 책임을 물을 수 있을 것으로 판단됩니다.

질의 5에 관하여

위 질의는 대책위원회가 요구하는 특별(한시)조례를 제정하여 사상자보상에 대한 요구를 하는 것이 법률적으로 문제가 있는지에 관한 것입니다.

특별조례를 통한 사상자 보상에 대한 조례제정요구는 지방자치단체의 조례제정권의 범위 내에서 가능한 것이며, 위에서 본 것과 같은 사례도 있습니다. 다만, 이러한 일회적, 사건 처리적 성격의 조례제정은 예외적인 것이고, 사회적 현상이 발생할 때 마다 조례의 제정으로 문제를 해결하는 것은 바람직하지 않기 때문에 본 사안에 그대로 적용될 수 있는 것인지 신중한 검토가 필요합니다. 본 사안은 사회적으로 중요한 쟁점을 제기하고 있다고 볼 여지도 있는데, 이에 대해서는 대책위원회에서 쟁점을 발굴하고 사회적 여론을 확산시켜야 할 것이며, 이러한 여론의 지지가 있어야 희생자에 대한 별도의 대책마련을 위한 조치로서 조례의 제정이 논의될 수 있을 것입니다. 현재로서는 쟁점발굴이 미약한 것으로 보이고, 지속적인 여론의 확산이나 공감대로 충분히 확보된 것으로 보이지 않기 때문에 조례의 제정은 쉽지 않을 전망입니다.

이상과 같은 의견을 드립니다.

법무법인 남산
변호사 정 미 화

법 무 법 인 청 맥
서울 서초구 서초동 1699-3 신한국빌딩 6층
(전화:02-3477-3400, 팩스:02-536-8058,우편번호:137-070)

==

일시 : 2012년 1월 10일
발신 : 담당 변호사 최 강 욱, 남 성 원
수신 : 춘천봉사활동인하대학교희생자대책위원회
참조 : 강원도지사(자치행정과장)
제목 : 특별조례 제정의 위법성 여부 및 지방자치단체의 책임 여부 등에 대한 검토

==

『춘천봉사활동인하대학교희생자대책위원회(이하 '대책위' 라 합니다)』의 "특별(한시)조례 제정의 상위법 위반 여부 및 사상자 보상/배상에 관한 법적 문제" 에 관한 자문 의뢰에 대하여 다음과 같이 회신합니다.

[사실관계 및 법률검토 내용 1번은 일반적 사항이므로 게재하지 않음.]

■ 법률 검토 내용

1. 자치조례와 위임조례의 성격과 내용. 지방자치단체의 권한과 책임
2. 대책위에서 제안하는 특별(한시)조례의 법률적 근거와 성격
3. 특별조례로 사상자에게 보상을 규정하는 것이 상위법에 저촉되는지
4. 사상자 보상/배상에 관한 여타의 법률적 문제

특별(한시)조례의 법률적 근거와 성격

- 지방자치단체가 조례를 제정할 수 있는 것은 헌법의 규정(제117조 제1항)에 근거하는 것이므로, 개개의 법률에 근거규정이 없을지라도 지방자치단체의 사무라면 이를 조례로 정할 수 있습니다. 이는 국가 고유의 사무가 아니고 상위법령에 위배되지 않는 한, 지방자치단체는 자신이 수행할 수 있는 사무에 대하여 특별조례를 제정할 수 있다는 것을 의미합니다. 결국 특별조례는 그 특성상 자치조례에 해당하는 것이 대부분입니다. 위임조례는 이미 법령에 의해 제정하도록 위임되어 있으며, 굳이 특별조례로 할 필요가 없기 때문입니다.

보상을 정하는 특별조례가 상위법에 위배되는지

- 자원봉사활동으로 인한 피해를 보상해주는 특별조례의 제정 시, 저촉 여부가 문제되는 법령은 「자원봉사활동 기본법」과 「자원봉사활동 기본법 시행령」이 있습니다. 이하에서 여기에 위배되는지의 여부를 살핍니다.
- 위 기본법은 제4조에서 "국가와 지방자치단체는 자원봉사활동의 진흥에 관한 시책을 강구하여 국민의 자원봉사활동을 권장 · 지원하여야 한다"고 정하였으며, 제14조에서는 제①항에서 "국가와 지방자치단체는 자원봉사활동이 안전한 환경 속에서 이루어질 수 있도록 노력하여야 한다."고 하면서, 제②항을 통해 "자원봉사자에 대한 보험의 가입 등 보호의 종류와 내용에 관하여 필요한 사항은 대통령령으로 정한다."고 하였습니다.
- 위 시행령은 위와 같은 법 제14조의 위임에 따라 제10조 제①항에서 "국가와 지방자치단체는 법 제14조제1항의 규정에 의하여 자원봉사단체 및 자원봉사센터로 하여금 위험이 수반되는 자원봉사활동에 대한 안전교육 등 사전에 필요한 조치를 취하도록 할 수 있다."고 하면서 제②항에서는 "법 제14조제2항의 규정에 의한 자원봉사자에 대한 보호의 종류는 다음 각 호와 같다.

  1. 자원봉사활동 중인 자원봉사자의 신체적 보호

2. 자원봉사활동 중에 발생한 자원봉사자의 경제적 손실보호

3. 자원봉사활동 중에 발생한 타인의 신체 또는 재물손괴에 대한 보호"

라 정하고 있습니다. 그리고 제③항에서 국가 및 지방자치단체는 1. 자원봉사활동 중에 발생한 자원봉사자의 사망, 후유장애 및 의료 · 입원 · 수술비 등에 대한 보상과 2. 자원봉사활동 중에 발생한 타인의 신체 또는 재물손괴에 대한 보상을 할 수 있도록 하기 위해 보험 또는 공제에 가입할 수 있음을 밝히며, 제④항에서 "지방자치단체는 제3항의 규정에 의한 보험의 가입절차 및 방법 등에 관하여는 조례로 정한다."고 하였습니다.

- 이는 자원봉사활동 중에 발생한 자원봉사자의 사망, 후유장애 및 의료 · 입원 · 수술비 등에 대한 보상을 자원봉사자에 대한 보호의 내용으로 법과 시행령이 예정하고 있다는 점을 의미합니다. 따라서 법과 시행령에서 특별히 금지하고 있지 않은 이상, 지방자치단체는 보험의 가입에 관한 사항을 (위임)조례로 정하는 외에도 '자원봉사자에 대한 보호' 를 위한 각종 보상의 내용을 정하는 특별조례를 당연히 제정할 수 있는 것입니다.
- 따라서 만일 위 시행령을 들어 지방자치단체의 조례로는 보험 가입 등에 관한 사항만을 정할 수 있다고 해석하는 것은, 오히려 위 법령의 취지에 정면으로 위배되는 것이며 경우에 따라 불법행위 책임을 부담할 수도 있습니다. 같은 이유로 법 제14조 제2항을 들어 위 법령이 자원봉사자에 대한 보호를 위한 국가와 지방자치단체의 책무를 보험의 가입만으로 한정하였다고 해석하는 것은 헌법에 반하는 해석이 됩니다. 우리 헌법은 제34조 제6항에서 재해예방과 그 위험으로부터 국민을 보호하는 것을 국가의 책무로 정한바 있으며, 제37조 제1항에서 국민의 자유와 권리는 헌법에 열거되지 아니한 이유로 경시되지 아니한다고 하였기 때문입니다. 이는 국가와 지방자치단체가 여건이 허락하는 한, 주민의 보호를 위해 최선을 다한 조치를 강구하여야 할 의무가 있음을 천명한 것으로 해석되는 것입니다. 따라서 보험가입은 국가나 지자체가 행하여야 할 필수적인 최소한의 조치로 보험을 들고 있을 뿐, 보호조치를 보험만으로 한정한 것으로 볼 수 없습니다.
- 주지하는 바와 같이 『부패방지 및 국민권익위원회의 설치와 운영에 관한 법률』 제2조는 제5호에서 행정기관 등의 위법 · 부당하거나 소극적인 처분(사실행위 및 부작위를 포함한다) 및 불합리한 행정제도로 인하여 국민의 권리를 침해하거나 국민에게 불편 또는 부담을 주는 사항에 관한 민원을 "고충민원" 으로 규정하고 있습니다. 지방자치단체 공무원이 헌법과 법률의 취지를 도외시한 채 시행령

이나 지침의 제한에만 연연하여 소극적 처분을 하는 경우, 이는 분명히 시정되어야 할 부조리에 해당하는 것입니다. 실무상 이런 관행이 만연되어 있는 측면이 있으나, 앞서 설명한 헌법과 법률의 취지 및 국민에 대한 봉사자로서의 공무원의 책임(헌법 제7조)에 비추어 국민에 대한 보호를 부인하는 소극적 업무처리는 '공무원의 직무상 불법행위' 에 해당하거나 징계사유에 해당하는 것으로 봄이 타당하기 때문입니다.

- 더구나 자원봉사자에 대한 보호를 지방자치단체의 책무로 정한 위 법의 취지에 비추어, 보상의 내용과 절차를 규정한 특별조례가 법을 위반할 수 있다고 볼 여지는 전혀 없습니다.

사상자 보상/배상에 관한 여타의 법률적 문제

- 『재난 및 안전관리 기본법』제4조 제1항에 의하면 "국가와 지방자치단체는 재난으로부터 국민의 생명 · 신체 및 재산을 보호할 책무를 지고, 재난을 예방하고 피해를 줄이기 위하여 노력하여야 하며, 발생한 재난을 신속히 대응 · 복구하기 위한 계획을 수립 · 시행하여야 한다." 고 정하였습니다. 여기서 말하는 재난의 예방과 피해를 줄이기 위한 노력, 혹은 복구에는 필수적으로 재난의 원인을 찾아내 제거하는 것이 포함되어야 하는 것이 당연합니다.
- 위 법에 따른 장례비나 위로금의 지급은 전항에서 논한 보상의 문제와는 별개로 살펴야 하는 것이며, 위 법의 규정에 비추어 보면 오히려 산사태의 원인을 찾아내기 위한 조사가 제대로 이루어지지 않은 점 또한 국가와 지방자치단체의 불법행위로 볼 수 있는 여지가 크다 할 것입니다.
- 따라서 산사태이므로 위 법이 적용될 수 있을 뿐, 자원봉사자의 보상에 관한 특별조례가 제정, 적용될 수 없다는 해석은 어떠한 법리로도 불가능한 것이며, 단 구체적 보상 과정에서 2중 보상을 피하는 절차를 마련하는 것으로 충분합니다.
- 또한 자원봉사를 마치고 취침 중에 당한 사고여서 "자원봉사 활동 중" 에 해당하지 않는다는 견해 또한 목적을 도외시한 소극적 해석으로, 일반적 법해석 원리에 비추어 입론의 여지가 없습니다. 이번 사고는 자원봉사 활동기간으로 예정된 7. 26.~28.이 종료되기 전인 27일에 발생하였고, 취침장소 또한 행사 장소의 여건 불비로 인해 자원봉사자들의 의지와 무관하게 변경되었을 뿐이라, 인천을 떠나 춘천까지 와서 자원봉사활동을 위해 취침하는 사람들이 자원봉사 활동 중에 사고를 당한 것이 아니라고 볼 여지는 없기 때문입니다.
- 지방자치단체의 조례가 제정되었다 해도 그에 따른 적용을 받는 사람은 그 지자

체 소속 주민으로 한정된다는 견해가 있을지 모르나, 이 또한 인정될 수 없습니다. 본건의 경우 조례의 효력범위와 관련하여 특별히 인적 범위를 주민으로 한정해야 할 이유와 필연성이 전혀 없기 때문입니다. 손해배상이나 손실보상의 일반적 법리에 의하더라도 사고발생지를 관할하는 지방자치단체가 책임을 부담하는 법리가 있을 뿐, 사고발생지에서 거주하는 주민에 대하여만 배상이나 보상이 이루어질 수 있다고 볼 여지는 없습니다.

상호 대화가 격해지자 도지사가 발뺌하는 발언을 하여 전체적인 분위기가 냉각되었다. 대책위가 항의하자 도지사가 이 건은 정치적인 문제이고 조급히 서두른다고 되는 일이 아니다. 너무 채근하지 말라고 하였다.

대책위에서 다시 과거로 회귀하는 거냐? 이미 조례 제정, 모금, 조례 제정+모금의 세 가지 안에 대해 검토하기로 했는데 춘천시장 운운하며 부정적으로 이야기 한다면 이 협의가 무슨 의미가 있느냐고 항의하였다. 도지사가 그럼 대책위의 방안은 무엇이냐고 했고, 대책위에서는 '특별조례 제정+모금'이라고 하였다. 대책위는 조례는 아이들의 명예에 대한 것으로 액수를 떠나 반드시 제정 되어야 하며, 모금도 실효성이 있어야 한다고 했다. 도지사는 조례가 추가예산을 수반하지 않는다면 도의원들도 반대하지는 않을 거 아니냐고 배석한 국장에게 이야기 하고, 검토해 보자고 하였다. 도지사는 이어 구체적인 이야기를 하자고 제안하였고, 대책위는 제안에 방향을 결정해야 구체적인 논의가 될 것 아니냐고 했다. 도지사는 조례 문제는 행안부에 질의회시를 다시 받아보고 논의를 하면 될 것이고, 모금은 구체적인 금액을 이야기 하자고 하였다. 공식적인 자리에서 유족들이 논의하기는 그럴테니 유족 아닌 사람이 나서서 비공식적으로라도 이야기를 해야 해법이 생길 것이라고 누차 강조하였다. 강원도에서는 최형선 국장을 책임자로 지목하니 대책위에서도 사람을 정해 논의를 시작하자고 하였다. 대책위는 행안부 질의에 있어 질문을 어떻게 하느냐에 따라 결론이 달라질 수 있음을 경고하자, 도지사는 모두 공개하겠다고 약속하였고, 복구 작업과 관련하여 김○웅의 집에 대해 물어보자, 영업 시설로 분류되어 개인이 복구해야 한다고 답변하였다. 추모비에 대해 물었고, 춘천시에 알아보겠다고 하였다.

6시 10분경 협의를 마치고 도지사는 선약이 있어 이동하며, 저녁이라도 드시면서 더 이야기를 해 달라고 부탁하였고, 최 국장과 담당공무원들과 저녁을 먹으며, 이야기를 나누었다. 최형선 국장은 저녁 자리에서 본인이 생각하고 있는 모금의 복안을 설명하였고 대책위는 토요일에 회의를 해서 협의할 사람을 통보하겠다고 했다.

사실까지 왜곡시키는 자치행정과의 주장은 이후 조례 문제가 쉽지 않을 것을 예고하였다. 진행 속도에 따라 모금 부분을 병행해야 할 것 같았다. 모금은 강원도에서는 일반인의 모금은 불가능하다고 판단하고 강원도와 춘천시 간부급들의 판공비 예산에서 할당하고, 강원도 내 기업들을 직접 방문하여 모금하는 방식을 고민 중이라고 하였고, 모금 주체를 알아보는데 상천초등학교 동문회를 접촉했으나 난색을 표명했다고 하였다.

협의 결과는 진일보하였다. 이제는 구체적인 이야기가 진행되어야 한다. 대책위 회의에서 이승원을 협의대표로 선정하기로 결정하였다. 이 문제는 보상에 대한 부분까지 포함되어 법률적인 대표성이 필요했다. 이승원은 유족들과 대책위의 공식적인 위임이 필요한 사항이라 유족 개개인의 위임장을 요구하였다. 탈퇴한 S를 제외한 나머지 9가족과 부상자 아버지인 김문호의 위임장이 도착했다. 강원도지사의 권한을 위임받은 최형선 국장과 이승원이 만났다. 최 국장의 의견은 어차피 시간이 가서 모금은 일반인 대상으로 안되니 계획한 대로 할 수밖에 없다. 조례를 선추진하고 모금은 시간을 갖고 하자는 의견이었다. 이제 더 이상 미룰 수가 없으니 빨리 해보자는데 뜻을 모으고 조금 시간을 갖기로 하였다.

그런 과정에서 가장 큰 고민은 자치행정국이었다. 자치행정국은 국장부터 실무진까지 특별조례에 대해 부정적인 입장을 가지고 있었고, 그 저변에는 산사태의 문제를 건설방재국에서 자신들에게 떠넘기려 한다는 피해의식이 깔려 있었다. 도지사가 나서서 설득하는데도 실무진들이 기고만장하였다. 최문순 도지사는 자기의 생각으로 밀어붙이는 사람이 아니었다. 과장, 계장, 심지어 말단 직원의 의견도 가감 없이 듣고 토론을 통해 결정하는 사람이었다. 너무 민주적이어서 탈일까? 몇 차례의 도지사 면담에서 과 · 계장들이 거짓말도 불사하였다. 유족들이 오히려 거짓말을 지적해 주니 도지사의 입장에서는 수모였다. 1월 초 강원도에 인사이동이 있었다. 국장급 인사이동이었고, 자치행정국장이 교체되었다. 이어 1월 11일 자치행정과장이 교육발령이 나고 유재붕 과장이 발령이 났다. 담당계장을 제외하고는 일단 반대세력은 다른 곳으로 발령이 났다. 신임 국 · 과장들의 업무인수인계와 설 연휴, 도지사 업무보고 등이 겹쳐 협의가 지연되었다.

1월로 접어들자 할 일이 너무 많았다. 각자의 일도 많았고, 대책위의 일도 매듭짓고 갈 사항들이 많았다. 대책위는 이 기간 중 단합도 다지고, 인하대와의 문제도 정리하고 인하대 새내기들에게 이 참사에 대한 진실을 설명하는 자리를 기획하게 된다.

2. 대책위 숨고르기와 이광준 시장과의 확전

신임 자치행정국장과 두 번의 통화를 통해 조례 제정 의지를 확인했지만 강력한 반대의지를 표명한 서 계장이 아직도 담당 계장으로 있고, 강원도청 내의 전체적인 분위기로는 일부 반대 세력들이 있어 불안한 부분이 있었다. 그렇다고 정기 인사 이후 업무보고와 인수인계 작업에 정신이 없는 곳에 무작정 갈 수도 없었다. 유족들도 신년을 맞아 각자의 직장에서 무척 바빴고, 예년에 비해 설 명절이 빨라 1월 21일~24일까지가 연휴였다. 우리가 투쟁하는 것이 문제가 아니라 봐 줄 사람이 없었다.

대책위 내부에서도 제명사태 등 내홍을 겪은 뒤라 조금 맥이 빠져 있는 상황이었다. 거기에 춘천시청 앞에서 진행하는 사진전을 앞의 식당에서 시비를 걸어 왔다. 영업에 방해가 된다는 것이다. 유족들이 나서서 양해를 구하고 이해를 시키려고 했으나 식당 주인도 아닌 주인의 남편이 난리를 치고 협박을 일삼았다. 도무지 이해가 안 갔다. 1층에 있는 카페와 상점들도 가만히 있는데 지하식당에서 왜 이리 난리를 치는 것인지 말이다. 대책위는 그 식당의 출입구에서 조금 비켜서 하기로 하였다. 그래도 또 한 차례 시비가 있었다. 그래서 알아보니 그 사람이 춘천시청 직원이었다. 부인이 시청 앞에서 식당을 한다는 것을 빌미로 시청의 사주를 받고 한 짓이었다. 그 다음에는 우리도 맞섰다. 우리는 계속 해야겠으니 항의하려거든 이광준 시장에게 하고 합법적인 집회에 대해 간섭하지 말라고 하니, 불태워버리겠다느니 갖은 협박을 다 하였다. 하고 싶은 대로 하라고 했지만 말 뿐이었지 아무런 행동도 없었다. 처음에는 장사하시는 분에게 누가 되지 않나 위축되었던 유족들도 시청 직원이 한 짓이라는 말을 듣고는 분노에 차서 끝까지 해보자고 했다. 사실 1월 15일 일요일 이광준 시장이 다니는 교회 앞으로 집회를 가면서 춘천시청 앞 집회는 일인시위 또는 정리하는 방향으로 검토하였다. 그러나 이렇게 물러날 수는 없었다. 시청 직원의 준동으로 춘천시청 앞 사진전과 일인시위는 계속 이어가기로 하였다. 1월 8일 일요일에는 민성이 부모, 유라네 부모, 정희 아버지가 춘천 한림대 강당에서 열린 민주통합당 당대표 경선 유세에서 피케팅을 해서 9명의 당대표 후보들에게 이 문제를 알렸으며, 늦게 참석한 도지사도 만났다. 민주통합당 당대표 선출 유세는 인천에서는 13일에 인천고에서 열렸는데 인천의 유족들이 피케팅을 하였다.

대책위 내에서는 이광준 시장에 대해 거의 포기 상태였다. 도저히 대화가 안되는 사람이었다. 마지막 투쟁이라고 생각하고 집으로 가자고 했다. 유족 중 몇 분이 이렇게 주장하였다.

"시장이 입만 열면 자기도 자식 키우는 사람이라는데 그 자식들 좀 보자고."

"그래, 딸만 둘이라고 했나?"

"아이고. 속 터져 자식 키우는 놈이 어떻게 이럴 수가 있어?"

집에 가려고 알아보니 사택에 사는 것으로 알았는데 퇴계동으로 이사하였고, 자녀들은 유학설에 집은 서울에 있다는 소문이었다. 집을 확인하기 전에 갈수가 없어 대안으로 제시된 것이 일요일에 시장이 다닌다는 교회로 가는 것이었다. 일인시위 피켓만 들고 퇴계동의 춘천중앙교회로 향했다.

생각보다 교회는 컸고 교인들도 많았다. 일인시위 피켓도 바꿨다. 이광준 시장에게 약속이행을 촉구하기 위해 성경 문안에서 몇 구절을 인용하였다.

"억울하게 죽게 된 사람들 구하며…." (잠언 24장 11절) 자원봉사대학생 10명 사망, 20명 부상. 참사 진실 외면하는 이광준 시장은 회개하라 춘천봉사활동 인하대학교 희생자 대책위원회	"거짓말을 하는 자들아, 하나님이 너희를 어떻게 하며 너희에게 무슨 벌을 내릴 것 같으냐?" (시편 120장 3절) 유족과의 5대 약속 파기한 이광준 시장은 사죄하라!! 춘천봉사활동 인하대학교 희생자 대책위원회

교회앞 일인시위 피켓

교회 앞으로 간다는 건 쉽지 않은 결심이었다. 자칫 오해가 생겨 교회와 대립이 생긴다면 이 또한 역효과가 날 수도 있고 우리의 투쟁에 도움이 안 되는 것일 수도 있기 때문이다. 신중히 여러 번에 걸친 검토 끝에 그래도 가야한다고 판단하였다. 1월 15일에는 몇 사람이 갔고 그 다음 주는 설 명절이었다. 연휴를 보내고 대책위는 내부 정비와 단합을 위한 장이 필요하였다. 강원도도 시간이 필요했고, 전술적인 고민도 필요했다. 명절 연휴를 보내고 그 주말에 워크숍을 제안했다. 대부분이 동의를 했고, 1월 28일 토요일에 가평에서 워크숍을 하고 29일 일찍 춘천으로 가서 교회 앞 집회를 하자고 결정하였다.

1월 28일 워크숍은 대책위의 이제까지의 활동을 정리하고 이후 투쟁에 대해 논의하는 자리였다. 그 당시 논란이 되고 있는 인하대 추모비와 춘천 추모비에 대해서도 경험이 없는 대책위 내에서는 논란이 많았다. 남들의 것을 보기 위해서 워크숍 전에 마석 모란공원 민족민주열사묘역에서 만나서 추모비들을 보기로 하였다. 모란공원에서 열사들의 추모비를 몇 개 둘러보고 늦은 점심 겸 저녁을 먹고 가평으로 출발하였다. 솔낭구 펜션은 인터넷에서 본 것 보다 산 속 깊이 있었다. 숙소에 도착하여 이승원 위원의 발제가 있었다. 현재의 대책위의 상황과 이후 문제에 대한 것이었다.

"공동대표 1인의 사퇴, 일부의 춘천시장 면담 추진, 조직내부의 규율 문제 등으로 다소 불협화음과 시간의 지연이 있었으나, 전체가 슬기롭게 극복해 나가고 있으며, 강원도지사와 '특별조례+모금' 의 방식으로 추진하기로 하였습니다. 그러나 끝난 것은 아닙니다. 담당 국장과 과장을 교체할 정도로 조례제정에 대해 반발이 심했으며 인사발령 후에도 담당계장은 아직도 반대하는 입장을 취하고 있습니다. 신임 자치행정국장은 두 차례의 전화통화에서 도지사의 관심 분야이고 반드시 풀어야 할 사안으로 인식하고 있다고 이야기하고 있으나, 깊이 있는 업무 파악이 안 되어있고, 담당계장의 잘못된 정보 주입으로 헷갈려 하고 있는 상황입니다. 만날 약속을 추진하고 있으며, 유족 분들과 함께 가서 신임 국장, 과장 그리고 계장과 따져봐야 할 것입니다.
모금에 대한 협의는 조례 문제가 가닥이 잡히면 같이 추진하기로 최형선 국장과 협의하였고, 자치행정국의 조례 추진에 공동으로 대처하기로 했습니다. 조례문제만 정리되면 일괄 타결하는 상황을 만들 수 있을 것 같습니다."

이후 방향에 대해 이어서 발제하였다.

"다들 느끼시겠지만 돌아보고 살펴보면 특별조례라는 것은 초기에 생각지도 못한 것이었습니다. 투쟁 가운데 열심히 학습하고 원하면 길이 열리는 것입니다. 이러한 것들은 책상머리에서 얻어지는 것이 아닙니다. '무' 에서 '유' 를 창조하는 것! 정확히 말하면 창조가 아니라 발견이겠지요. 쉽지 않지만 의지가 있다면 어려운 것도 아닙니다. 다만 잊지 말아야 할 것은 어느 순간 긴장을 놓고 게을리 한다면 없어지는 것이 이러한 결과입니다. 신기루와 같은 것이지요. 눈앞에 있다고 생각이 들 때 최선을 다해야 합니다. 방심하시거나 느슨해져서는 안 됩니다. (중략) 이광준 지지파와 그렇지 않은 사람들이 나뉘어져 있는 것과 같습니다. 그리고 반대의 입장에 서 있는 사람들이 심지어 공격까지 하게 됩니다. 그러나 시간이 지나면 결국 뜻과 의지가 있는 사람이 승리하게 되고, 대중은 그 승자에게 찬사를 아끼지 않는 것입니다. 마음 상하는 이야기들, 상처, 미움들을 용서하고 포용할 수 있는 것은 승자만이 누릴 수 있는 것입니다.
싸움의 방법에 있어서도 여러 가지 방법이 있을 수 있겠지만 이 문제가 아이들의 죽음과 명예의 문제이기에 사회적으로 가장 바람직하고 건강한 정공법을 택할 수밖에 없습니다. 앞으로 남은 것은 조례제정과 모금을 통해 보상금을 받는 것이고, 다음은 아이들을 사회적으로 남기는 작업입니다. 일단 우선은 조례제정에 집중하고 최선을 다해야 할 것입니다."

조례제정에 대해서는 왜 총선 전에 해야 하는지, 과정과 절차 그 가운데 우리가 해야 할 일들을 정리하였다. 투쟁의 성과가 단지 우리만의 노력이 아니라 지지 세력과 사회적인 공감대가 있었기 때문이라는 점과 강원도 문제 정리 이전에 인하대와 추모비, 동아리지원, 부상자 장학금 문제 등을 말끔히 정리해야 함을 지적하였다. 만약 인하대에서 수용을 거부한다면 방학 중 충분히 대화하고 새학기에 맞추어 투쟁할 준비를 해야 한다는 것이었다. 그리고 모든 것이 정리되면 아이들을 위해 추모사업 보다는 기념사업회를 할 것을 제안하였다. 기념사업회의 활동방향으로는 다음 세 가지를 제안하였다.

"첫째, 추모제입니다. 매년 기일을 챙기고 사람들에게 이들의 죽음의 의미를 알리는 일입니다. 위령제 등 다양한 행사도 함께 할 수 있겠지요. 둘째는 출판 및 교육사업입니다. 백서를 제작하고 출판하는 일입니다. 이 참사와 그 결과를 널리 알리는 일입니다. 셋째는 아이들의 뜻과 정신을 계승하는 사업입니다. ① 발명캠프에 대한 지원과 활성화입니다. ② 자원봉사활동 제도의 개선을 위한 사회활동들을 진행하는 것입니다. ③ 장학사업 입니다. 그리고 기타 부대사업들이겠죠."

오늘 결정하자고 제안한 것은 아니다. 이후의 문제를 대책위 전원이 머릿속에 그릴 수 있어야 한 몸처럼 움직여 나갈 수 있기 때문이었다. 장시간의 발제와 질의응답, 토론이 있었고 준비한 삼겹살과 해물을 구워 술잔을 나누었다. 생면부지의 삶들이었지만 지난 6개월 동안 친형제들만큼 친해졌다. 내일 일찍 춘천으로 이동해야 하는 부담에 아쉬웠지만 술자리를 마치고 잠자리에 들었다.

교회앞

춘천중앙교회 앞 피케팅이 시작되었는데 교회 주차봉사 하는 분이 와서 집회신고는 한 건가요? 등을 묻는다. 물론이라고 답변하고 피케팅 영역을 나누어서 하고 있는데 저쪽에서 이광준 시장이 나타났다. 꼬아보면서 부인과 지나치는 모습이 카메라에 잡혔다. 알고 보니 이광준 시장이 이사한 집이 교회 바로 앞의 아파트였다. 다음 주에 또 가니 춘천시청 총무과 직원이 나오고 반응이 있었다. 이번에는 소형 앰프와 이광준 시장의 얼굴이 새겨진 플래카드도 준비했다. 인하대 학생들도 함께 와서 발언도 하고 예배가 끝나서 사람이 없자 유족 분 중 한 분이 앞장서서 이광준 시장이 사는 아파트를 순회하였다. 속은 시원했다고 하지만 출입문이 굳게 닫힌 아파트는 삭막하기만 했다.

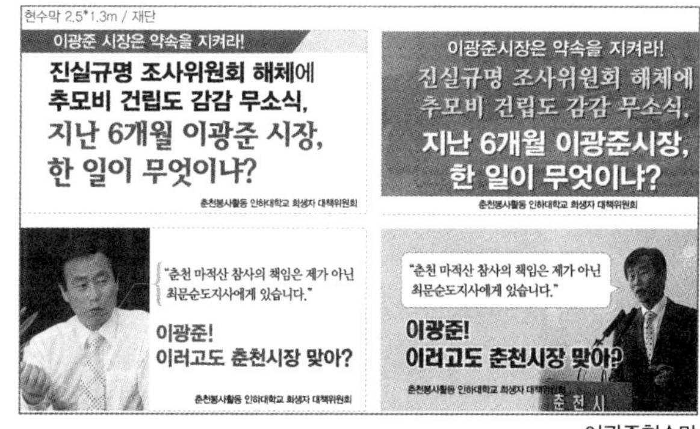

이광준현수막

교회투쟁은 반응이 있었다. 한 주는 이광준 시장이 지나가다가 유신이 어머니에게

"나에게 돈 달라는 겁니까?"라고 말했다. 황당한 이야기였다. 자신이 한 약속을 지키라는 유족들에게 이광준은 돈 달란 거냐고 물은 것이다. 너무 기가 막힌 일이었다. 다들 흥분해서 한마디씩 했지만 무엇이 무서운 지 이광준 시장은 뒤도 돌아보지 않고 부인과 찻길을 건너 집으로 들어갔다. 투쟁 강도를 높이기로 했다. 인원도 증가시키고 앰프도 예배에 지장이 없을 정도의 성능으로 향상시키고 학생들이 율동도 준비하고 정식 집회를 하기로 했다. 몇 주째 오지만 우

려했던 사항은 없었다. 초기에 2~3명이 와서 시장이 개인이냐? 법이 안 되는 것을 어찌하라고 등 시비가 있었지만 많은 교인들이 손도 흔들어주고 수고하라고 하며 음료수도 주었다. 자신감이 생겼다. 2월 둘째 주에는 교회에서 김 장로라는 분이 나왔다.

"여기 대표되는 분이 누구십니까?"

"왜 그러시죠?" 이승원이 나섰다.

"좀 봅시다." 함께 교회 안으로 들어갔다. 휴게소로 안내되어 가니 변호사라고 신분을 밝힌 교인이 함께 나왔다. 김 장로가 물었다.

"유족입니까? 아닙니까?"

"그게 대화의 조건입니까?" 되묻자

"그게 아니라 저기 있는 사람들은 유족이 아니라 전문가들이라고 해서."

"누가요? 이광준 시장이 그래요? 유족의 범위가 어디까지인지 몰라도 저기에는 유가족, 인하대 학생들, 고인들의 친구, 지인들이 모두 와 있습니다. 묻는 의도가 무엇입니까?"

"그런 뜻이 아니라 대표성이 있는 분이지요?"

"그렇게 물으셨어야죠. 유족 모두의 법적 위임장을 갖고 있는 사람입니다."

"교회 입장에서 너무 곤란합니다. 저희가 중재를 설까 하는데 시위를 중지해 주시면 고맙겠습니다."

"이광준 시장과 교감이 있었습니까?"

"오늘 새벽 예배를 보고 목사님을 만나고 갔습니다. 괴로워하고 있습니다."

"와서 집회하는 것이 괴롭겠지요. 입장 바꿔 여기에 와 있는 부모

교회앞

들의 심정을 이해하는 것은 아니겠죠?"

김 장로는 자기도 이광준 시장을 잘 아니 자기가 나서 보겠다고 했다. 이승원 혼자 결정할 문제는 아니었다. 대책위 회의를 통해 결과를 알려주겠다고 했다. 김 장로의 노력을 인정해서 2주간 집회를 안했다. 그러나 결과는 마찬가지였다. 이광준 시장은 김 장로가 이런 사안에 유족 보상 없이 어떻게 해결 하냐고 하며 액수가 문제라면 자기가 협의해 보겠다고 까지 했으나 이광준은 끝까지 똑같은 답변을 했다. 조례는 강원도가 할 거고 모금하면 협조할 거고 보상은 못한다는 거였다.

교회와 장로의 중재에도 불구하고 이광준 시장은 점점 더 어긋난 길로 달려갔다. 대책위도 이광준 시장에 대해서는 기대보다는 응징을 선택할 수밖에 없었다. 다른 문제는 강원도와 푼다고 해도 본인이 공언한 추모비는 춘천시가 하겠다고 하고 삭감되었다고 해도 의회에 예산을 올리기까지 했으니 강원도나 다른 곳에서 섣부르게 나설 수도 없었다. 행정 책임자의 발언이라는 것이 공신력도 있고 자신의 자존심에 관한 문제라 다른 사람이 내가 한다고 하기는 어렵기 때문이었다. 또한 대책위도 이광준 시장이 이건 책임져야 한다는 입장이 다수의 의견이었다. 교회 앞 집회는 다시 시작되었고 김 장로는 전화를 받지 않았다. 나이 드신 분이 얼마나 힘들었을지 이해가 간다. 대책위에 아쉬운 소리도 했지만 이광준 시장 앞에서는 대책위의 입장을 이해시키느라 힘들었을 것이다. 그리고 이광준 시장이 꽉 막혔으니 대화가 될 리가 없었다. 오죽 할 말이 없으면 감사인사를 하러 몇 번이나 전화를 했지만 받지 않았다. 그리고 대책위는 교회 앞 집회 시에 일부를 이광준 시장이 사는 아파트 앞으로 배치하여 규탄시위를 지속하였다.

3. 인하대 문제 정리

강원도 문제도 잠시 소강상태이고 교회 집회도 김 장로가 나서서 잠시 쉬는 과정에서 빨리 인하대 문제를 정리해야 했다. 인하대에서 먼저 연락이 왔다. 최영찬 대표에게 추모비 제막식을 2월 24일 졸업식 직후에 할 계획이니 참석해 달라는 연락이 2월 4일 날 왔다. 대책위는 아니 비문 문제 때문에 논의하다가 중단되었는데 갑자기 무슨 제막식이며 부상자 장학금 등 제반 문제는 어떻게 해결되는 것이냐는 의문이 제기되었다. 최영도 대변인을 대표로 학교와 협의를 진행하였다. 학교에서 대책위의 의견을 존중하여 추모비를 세울 것이니 추진하자는 것이었다. 공문을 요구하였고 학교로부터 공문이 왔다.

내용은 부상자 장학금은 ① 장애판정을 받은 학생은 등급과 관계

없이 졸업 시까지 매학기 2/3 장학금을 지급하고, 장학금 외 매학기 해당 학생에게 추가 지원을 할 수 있는 방안을 마련하도록 노력하겠다. ②20일 이상 입원학생 장학금 : 졸업 시까지 매학기 1,000,000원(단, 학점 2.0 이상) ③30일 이상 입원학생 장학금 : 졸업 시까지 매학기 1,500,000원(단, 학점 3.0 이상), 단 3.0 미만, 2.0 이상일 경우 학기 당 1,000,000원. ④장학금 지급 기준은 2011년 2학기부터임. ⑤8학기 해당 학생도 위의 ②, ③, ④항에 의거 소정의 장학금을 지급한다. ⑥성금 중 2천 5백만 원 이상을 부상 정도가 심한 김현빈 학생에게 지급하며, 추모비 등의 비용은 성금 1천 5백만 원과 부족분 발생 시 학교에서 부담하고 성금 지급은 추모비 제막식 후 김현빈 보호자와 협의하여 지급하도록 한다. 추모비 문안과 장소는 대책위원회의 의견을 존중하겠으며, 동아리지원 문제는 대책위원회에서 제안한대로 각 동아리 회장의 장학금 지급과 동아리발전기금 증액 문제는 동아리발전협의회를 통하여 논의하도록 하겠다고 공문으로 통보하였다.

동아리 문제는 동아리발전협의회로 넘어갔고 나머지 사항들은 모두 대책위의 의견을 수용한 것이었다. 대책위는 흔쾌히 학교의 제안을 수용하였다. 이제 추모비가 학교 안에 서면 일정 부분 교육의 역할을 담당할 것이다 그러나 벌써 새내기들이 들어오는데 그들은 2011년 참사를 알 수가 없었다. 특히 그 당시 이들은 입시생이 아니었던가? 대책위 차원에서 논의하여 유족들이 나서기로 하였다. 새내기들의 오리엔테이션에 참석하기로 하고 인하대 총학생회의 지원을 요청하였다. 중앙운영위원회에서 논의하여 각 단과대학별로 진행하는 새내기 새터에 유족들의 시간을 15분에서 20분 정도씩 배정하기로 하였다. 각 단과대학의 새터 일정과 담당은 다음과 같았다.

아태물류 2.16~18 유라네 충주 켄싱턴
경상대 2.16~18 민하네 원주 치악산 드림랜드 유스호스텔
생활대 2.18~20 민하네 원주 치악산
의과대 2.16~18 슬기네 홍천 가랑밸리
사범대 2.16~18 유신네 제천시 박달재수련원
IT공대 2.16~18 정희네 충북화양 청소년수련관
경영대 2.15~17 현빈네 포천 염광수련원
문과대 2.17~19 경철네 황둔 유스호스텔
공대 2.16~18 민성네 속초 사조리조트
자연대 2.16~18 용규네 원주청소년 수련원
예체 2.24~26 민하네 포천 염광수련원
사회대 2.18~20 민하네 제천시 박달재수련원

단과대별 참여 시간 등 구체적인 사항은 참여자와 단과대별 담당자와 연락을 취해 결정하였다. 사전의 준비가 필요했다. 단과대별로 200명에서 700여명이 참여하는 행사였다. 대책위에서는 시간 절약을 위해 통일 교안을 만들어서 카페에 올렸다. 각자 자신의 것으로 소화하여 내용 요약 후 숙지하고 가라는 뜻이었다.

우리는 왜 춘천참사를 기억해야 하나

들어가며....
먼저 여러분의 인하대학교 입학을 진심으로 축하드립니다.
저희는 작년 7월 27일 인하대학교 아이디어뱅크라는 동아리 소속으로 춘천 상천초등학교에 초등학생 대상의 발명캠프 자원봉사를 갔다가 마적산 산사태로 목숨을 잃은 인하대학교 학생들의 문제 해결을 위해 모인 [춘천봉사활동 인하대학교 희생자 대책위원회]입니다. 지난 1월 27일로 참사가 난 지 6개월이 지났건만 우리

아이들의 문제는 아직도 해결되지 않고 있습니다. 아이들을 잃은 슬픔도 접어두고 저희들이 왜 춘천시로, 강원도로, 인천으로 돌아다니며 싸우고 있는지를 여러분께 알리기 위해 소중한 시간을 할애 받아 이 자리에 섰습니다.

: 희생자 명단

- 김유신(20 · 신소재공학부/1)
- 이경철(20 · 전기전자공학부/1)
- 김재현(26 · 기계공학/3)
- 성명준(20 · 생명화학공학부/1)
- 신슬기(22 · 여 · 생활과학부/1)
- 최용규(21 · 생명화학공학부/2)
- 이민성(26 · 섬유공학/4)
- 이정희(25 · 컴퓨터공학/3)
- 최민하(19 · 여 · 생활과학부/1)
- 김유라(20 · 여 · 생활과학부/1)

사건의 경위는 이렇습니다.

2011년 7월 27일, 춘천 마적산 산사태로 13명이 죽고, 26명이 다쳤습니다. 그 중에서 사망자 10명과 부상자 20명은 인하대학교 학생들이었습니다. 19살에서 26살까지의 학생들이 초등학생들의 창의력 향상을 위한 발명캠프를 진행하고 숙소에서 자던 중 산이 무너져서 죽고 말았습니다. 산에 올라간 것도 아니고, 비가 온다고 민박집 안에 있다가 죽은 것입니다. 너무 기가 막힌 일이었고, 아무 생각도 없던 시기였습니다. 강원도지사가 오고, 춘천시장, 인천시장, 인하대 총장, 한나라당 원내대표 등 정치권과 행정책임자들이 다 오고, 대통령도 한마디 했습니다. 아이들은 억울하게 죽었지만 다 알아서 해 주는 줄 알았습니다. 모든 사람들을 믿고 인하대에서 제안하는 대로 합동장례식을 치렀습니다.

그러나 장례를 치르고 나니 정부에서 준 것은 사망자 1인당 장례비 500만원과 위로금 500만원이었습니다. 장난하는 것도 아니고 너무 기가 막혔습니다. 인하대에서는 여행자 보험도 안 들어 준 상황이었습니다. 참사 직후 다 해결해 줄 것 같이 이야기 하던 사람들이 모른 척 했습니다. 어이가 없었고 어디다가 하소연 할 곳도 없었습니다. 그래서 아무것도 모르던 부모들이 인하대 총학생회와, 동아리연합회, 아이디어뱅크, 그리고 뜻을 같이 하는 분들과 모여 [춘천봉사활동 인하대학교 희생자 대책위원회]를 꾸렸습니다.

이 참사의 책임자들은 이렇습니다.

이번 참사는 자원봉사활동 중 산사태로 발생했습니다.

자원봉사활동에 대해서는 인하대학교, 상천초등학교, 발명진흥회 등이 책임주체이며, 산사태와 관련해서는 춘천시와 강원도, 국방부(산사태 발생지점에 군부대

시설인 방공포대가 있었음)였습니다. 인하대학교는 발빠르게 움직여 부상자들의 치료비를 책임지고, 사망자들의 장례비용을 지원했습니다. 책임은 없지만 도의적으로 추모비 건립과 모금을 통해 유가족을 지원하겠다고 했고, 약속을 이행하고 있습니다.

그러나 책임 주체인 춘천시는 유족과 합의했던 진상규명을 위한 조사위원회를 예산을 핑계로 해체시키고, 시장이 유족들에게 막말을 하는 등 막 나가고 있습니다. 이광준 춘천시장은 초등학생 무상급식을 강원도 전 지역에서 금년부터 실시하는데 춘천시만 거부한 사람입니다. 독선과 아집으로 가득합니다. 우리에게 자신이 잘못했다는 법원의 판결을 가지고 오라고 합니다. 오죽하면 여 · 야 국회의원들이 국정감사를 통해 질타하고 최문순 강원도지사가 나서서 문제를 해결하라고 했겠습니까. 지금 대책위는 강원도와 협의를 진행 중입니다.

무엇이 문제인가?

어려운 입시 관문을 통과하고 당당하게 합격하신 여러분이 이 이야기를 어떻게 받아들이실지 모르겠으나 우리도 이런 일이 있기 전에는 이 사회가 이런 줄은 몰랐습니다. 여러분이 대학생활을 시작하며 가지신 꿈과 함께 현실도 분명하게 아셔야 할 것 같습니다.

먼저 자원봉사활동의 문제입니다. 우리나라에는 [자원봉사활동기본법 · 시행령]이라는 법이 있는데, 이 법에 의하면 국가와 지방자치단체가 자원봉사자를 보호할 의무가 있고, 학교와 기업체가 자원봉사활동을 권장하고 인정하도록 되어 있습니다. 그런데 국가와 지방자치단체가 해 주는 것은 신청하면 보험에 들어주는 것밖에 없답니다.

고교입시에도 80시간의 봉사시간을 채워야 하고, 대학입시에 봉사활동 특별 전형이 있고, 대학에 입학해서도 봉사학점이 필수화되어 있고,(인하대는 간호대와 생활과학대만 교양필수임) 봉사활동 졸업인증제, 장학금 제도를 운영하며 장려하고 있지만 정작 사고가 나자 책임이 없다고 합니다. 지방자치단체도 자원봉사활동기본법의 내용은 강제사항이 아니라 자신들은 책임이 없다고 합니다. 이건 국가와 지방자치단체가 전국민을 대상으로 사기를 치는 것입니다. 실제로 노동자가 일을 하다가 다치면 산재처리를 해주고 소방관이 불을 끄다가 다쳐도 보상을 해 주는데, 대학생이 봉사활동을 하다가 죽어도 어떠한 보상도 예우도 없는 나라입니다. 말로만 숭고한 봉사정신이라고 떠들지만 결과는 개죽음인 것입니다.

인하대학교도 버스도 빌려주고 지원도 했지만 보험조차 안 들어주고 아무런 책임이 없다고 합니다. 유족들은 인하대학교에 우리 아이들은 갔지만 남은 학생들에게 이런 일이 또 있어서는 안 된다는 생각으로 전체 학생들에게 단체보험을 들어 줄 것을 요구하였고, 동아리 활동 지원과 부상자들의 장학금 문제를 제기하였습니다.

두 번째 자연재해의 문제입니다.

산사태 위험지역의 경고문제, 건축물의 인허가 문제 등 많은 문제가 있는데, 담당 공무원들은 무조건 버티기입니다. 억울하면 법에 호소하라는 것입니다. 그런데 이런 산사태의 경우 법정에서 요구하는 감정(기술조사)비용이 최소 1억에서 2억입니다. 그리고 이제까지 아무리 인재라고 해도 비가 어느 정도 이상 오면 불가항력이라는 판정이 대부분이었습니다. 사법부가 이런 상황이니 이광준 시장 같은 사람이 버티는 것입니다. 이광준시장이 조사위원회를 해체시킨 후 유족들이 조사팀을 꾸려 조사했습니다. 명확한 책임은 산허리를 깎아 방공포대를 설치하고 군사도로를 냈다가 철수 후 방치한 국방부, 산사태 위험 지역에 배수로도 없이 건축허가를 내준 춘천시, 이전에도 산사태('90, '99)가 났던 지역인데 제대로 방재를 못한 강원도, 불법 민박집을 조립식으로 지어 산사태에 방어조차 못하고 쓸려간 집을 지은 민박집 주인에게 있습니다. 그런데 법적으로는 아무 문제가 없다고 합니다.

이렇게 싸우고 있습니다.

최근 대책위는 인하대와의 문제는 일단락 짓고, 춘천시를 상대로 매일 시청 앞에서 일인시위를 하고 있으며, 토요일은 닭갈비 골목으로 유명한 춘천 명동에서 선전전을 하고 있고, 일요일은 이광준 시장이 다니는 춘천중앙교회 앞에서 집회를 하고 있습니다.

대책위는 법적으로 보호받지 못하는 사람들을 위해 특별조례를 만들어 해결한 사례들을 찾아냈습니다. 인천 인현동 호프집화재, 부산 실내사격장 화재, 화성 씨랜드 사건, 연평도 포격 사건, 대구지하철 화재, 창녕군 갈대축제 화재 등이었습니다. 조례를 제정하여 아이들의 명예를 회복시키고 정당한 보상을 하라는 것입니다. 이를 위해 지난 6개월 간 일인시위, 집회, 항의방문, 행정안전부, 정당 등 안 찾아간 곳이 없으며, 5만 명에 달하는 국민서명을 받아 조례 제정 청원을 한 상황입니다.

성과도 있었습니다.

우리의 투쟁으로 인하대학교는 금년부터 전교생에게 단체보험을 들어 주기로 약속하였고, 동아리 지원과 부상자 장학금 문제를 합의했습니다. 강원도와는 마적산에 재발 방지를 위해 119안전센터 건립, 마적산 복구시 방공포대 철거(이미 철거했음), 전석수로 설치, 강원도에 190개소의 경보시스템 증설 등을 합의하여 재발 방지책을 수립하였습니다.
이제 특별조례를 제정하여 아이들에 대한 예우와 보상을 하는 것만 남았습니다. 여러분은 이제 인하대학교 학생들이 되셨습니다. 춘천 참사가 학우들의 문제임을 인식하시고 잘못된 사회제도를 바로 잡아 나가는데 관심과 참여를 부탁드립니다. 교정에 가시면 후문 쪽에 추모비를 보실 수 있을 것입니다. 2월 24일 졸업식 후 제막식을 합니다. 그냥 지나치지 마시고 그들이 어떻게 희생되었고, 그 결과 어떤 것이 개선되었는지를 분명하게 아셨으면 좋겠습니다.

춘천의 문제가 해결되면 여러분과 기념사업을 함께 하고 싶습니다.
춘천의 문제가 해결되면 끝나는 것이 아니라 대책위원회를 해산하고 기념사업회를 만들 계획입니다. 무엇보다도 언제 끝날 줄 모르는 춘천에서의 싸움을 반드시 이겨야겠습니다. 관심 가져 주시고 함께 해 주세요. 그리고 다시는 이 사회에 이런 불행한 죽음이 없기를 바라며, 안심하고 자원봉사활동을 할 수 있는 사회, 죽은 이들의 뜻을 기리는 과학 발전 창의 봉사의 참 뜻을 사업을 통해 펼칠 계획입니다. 여러분의 성원과 지지 부탁드립니다.

위의 본문에 경과를 첨부하였다. 충분한 내용이었지만 시간이 문제였다. 집중력 있게 들을 수 있도록 강의할 사람들이 소화해서 재정리가 필요했다. 유족들은 너무 훌륭하게 소화했다. 이상섭(경철이 아버지)과 이건학(민성이 아버지)은 자료를 파워포인트로 재작성하여 학생들에게 설명하였고, 모두 열심히 정리하고 대학 새내기들에게 유익할 이야기들을 첨언하여 자료를 만들어 교육하기도 하였다. 반응도 좋았다. 다소 길게 해서 행사 진행자들로부터 불만이 제기되기도 했지만 대부분 학생들의 분위기는 감동적이었다. 이 결과는 이후 대책위 투쟁에 인하대 단과대 학생 간부들이 적극 참여하는 모습으로 발전되어 갔다. 이 모습은 1주기 추모식까지 지속되었다.

인하대추모비

인하대 추모비는 후문에서 가까운 2호관 남쪽 도로변에 설치되었다. 2월 24일 14시 졸업식이 대강당에서 진행되었고 졸업식 가운데 희생된 10명의 명예졸업식 수여식이 있었다. 그리고 오후 3시 반 이동하여 추모비 제막식이 있었다. 유족들은 또다시 눈물의 바다였다. 누구도 추모비를 제대로 볼 수 없었다. 어떻게 진행되었는지도 기억하지 못할 만큼 경황 중에 제막식을 마치고 이본수 총장과 마지막 인사를 해야 했다. 아직 임기가 남았는데 오늘자로 이본수 총장이 물러났다.

인천에 사는 유족들이 인하대 추모비에 그 다음날 가 보았다. 그런데 자세히 보니 문제가 많았다. 카페를 통해 이건학(민성이 아버지)과 김용주(유라 아버지), 김현철(유신이 아버지)이 문제점을 올렸다.

1. 추모비 외벽/내벽 측에 거칠기가 너무 거칠어 청소도 못하게 되어 있음. (매끈하게 연마 처리해야 할 것 같음)
2. 추모비 내부 원형에 글자 누락. (아이디어뱅크를 아이디뱅크 로 씀)
3. 추모비 내부가 지면보다 낮음. (추모비 내부를 지면보다 올리고 배수구를 2~3곳 설치)
4. 상단에 이름이 큰 원형으로 되어있어 큰 원을 따라가며 이름을 새겨야 하나 직

선으로 하여 보기가 좋지 않음.

5. 추모비가 10개의 조각으로 되어있는데 각 조각 모서리가 깨져 있고 서로 틈이 벌어져 있고 뒤틀려 있음.
6. 꽃병을 놓을 수 있는 2개소 바닥면 추가 요청.
7. 울타리 연장 요청.

세 사람이 본 것만 이랬다. 이후로도 다른 분들이 댓글을 달아 문제를 지적하였다. 보완할 문제가 아니라 부실 공사였다. 학교에 항의하였다. 업체에서도 나왔다. 말을 맞추어보니 너무 급하게 서두르다가 부실 공사가 되었다는 것이다. 서두른 이유는 총장이 교체되는데 전임 총장에게 다 정리하고 가라고 하는 바람에 부랴부랴 서둘렀다가 일이 이렇게 되었다는 것이다. 학교에서는 재시공할 터이니 미안하다는 입장이었다. 추모비만의 문제가 아니라 전총장의 퇴임과 동시에 마무리하려는 의도로 보였다. 유족들은 신임 박춘배 총장과는 한 번도 만나지 못했다. 4월 6일 추모비를 재시공함으로써 인하대와의 문제는 일단락되었다.

4. 강원도와의 합의와 마지막 춘천 집회

강원도 인사발령 이후 신임 자치행정국장이 적극적으로 추진한다는 말만 들었지 실제 진척 내용을 알 수 없었다. 만나자고 했다. 인사나 하겠다고 했지만 대책위는 만반의 준비를 하였다. 반대의 중심에 서 계장이 있었다. 실무자를 설득하지 못하면 일은 진행하기 어렵다. 여성이고 어머니가 그 반대의 중심에 있다는 것이 어머니들의 감정을 건드렸다. 어머니들이 나섰다. 민은순(유신이 어머니)과 유신이 이모, 이정자(유라 어머니), 정경원(민하 어머니), 김미월(민성이 어머니)이 나섰다. 최영도(민하 아버지) 대변인과 이승원 위원이 동행하였다. 2월 1일 16시 강원도 자치행정국장실에서 만났다. 도에서는 국장과 유재붕 과장, 서 계장, 전경희가 나왔다. 명목은 신임 국장과의 인사였지만 목적은 신임 국 · 과장에게 대책위의 분명한 입장을 보여주고 서 계장과 담판을 짓지 위해서였다. 신임국장에게 방문 목적과 그간의 문제를 설명하고, 유신이 이모가 서 계장에게 직격탄을 날렸다.

"왜 반대하는데, 말 좀 해 봐." 이 말을 시작으로 어머니들이 집중포화를 날렸다.

"아니, 왜 말을 못 해? 도지사 앞에서는 말도 잘하더구만."

내용을 잘 모르는 과장이 끼어들었다가 어머니들에게 욕만 먹었다. 서 계장은 고개를 숙인 채 자신의 다이어리에 낙서만 하고 있었다. 국장이 잠깐만 시간을 달라고 양해를 구한 뒤, 과장을 불러서 바깥으로 나간 후, 어머니들이 아무리 물어봐도 말 한마디 하지 않는 서 계장에게 언성을 높였다.

"우리를 무시하는 거야? 말 좀 해 봐." 다그치자 서 계장은 말도 없이 일어서서 나가버렸다. 순간적으로 일어난 일이라 어이없어 하는데 유신이 이모님이 재빨리 쫓아가서 서 계장을 잡았다. 어머니들이 같이 일어서서 쫓아갔다.

"어딜 도망가?"

"입 닥치고 있으면 다인 줄 알아?" 어머니들의 몸이 떨렸다. 백지장 같이 하얀 얼굴이 된 유신이 어머니가 소리쳤다. "너도 자식 키울

거 아냐?" 서로 서 계장을 잡으려고 했다. 도망가는 서 계장을 이정자(유라 어머니)가 붙잡자 서 계장은 유라 어머니를 물려고 했다. 모두 놀랐다. 아니 누구를 물려고, 제정신인가? 옆에 있던 국장이 놀라서 말렸다. 서 계장을 밀고 밀치는 가운데 유라 어머니는 전치 2주의 부상을 당했다. 서 계장도 도망치다가 넘어지고 혼쭐이 나서 도망쳤다.

서 계장은 도망가고 국장실에서 다시 모였다. 자치행정국장이 자기는 해야 한다는 의지를 갖고 있으니 한번 믿어달라고 했고, 어머니들이 다들 말은 그렇게 하고 돌아서면 모른 척이라고 못 믿겠다고 했다. 다음 주 초에 연락을 하겠다며, 다른 방안도 고민하는 것이 있다고 했다. 처음 만났으니 믿어 보겠다고 하고 다음에도 이런 상황이면 가만있지 않겠다는 경고로 자리를 마무리했다. 끝나고 건설방재국장실에서 최형선 국장과 이후 문제에 대해 대화를 나눈 후 돌아왔다. 최 국장은 조례제정 보다 모금이 앞서면 도의회에서 혼선이 벌어질지 모르니 모금은 준비하고 있다가 조례안이 통과되면 바로 하는 것이 좋겠다는 의견을 제시하였고, 이승원은 춘천시에 추모비 문제를 알아봐 달라고 했다. 최 국장은 새로 온 자치행정국장이 괜찮은 사람이고 의지가 있으니 따로 만나 이야기해서, 조례는 자치행정국장이 책임지고 모금과 추모비는 자기가 책임지도록 하겠다고 했다.

자치행정국장은 그 다음날 아침에 산하 과장들을 불러놓고 이렇게 이야기했다.

"이 문제는 책임과 원인을 따지고 할 문제가 아니다. 도지사가 분명한 의지가 있으니 되는 쪽으로 적극 추진하라"고 했다. 쓸데없는 이의 달지 말고 되는 방향으로 추진하라는 뜻이었다. 서 계장은 병가를 내고 입원했다. 이정자(유라 어머니)의 부상에 대해 어찌해야 하나 고민이 있었지만 일이 추진되는 것을 보고 대응하기로 하였다. 동행하였던 이승원과 최영도는 면목이 없었다. 같이 못 간 사람들도 마찬가지였다. 어머니들이 전면에 나서서 싸우게 하다니 너무 미안했다. 그러나 그 날 이후 급속도로 일이 추진되었다.

강원도는 조례와 모금을 추진하기 위한 절차와 안을 수립하기 시작하였다. 서 계장이 병가를 내고 업무에 복귀를 안하니, 유재붕 과장이 일을 다 떠맡았다. 조례안을 직접 만들고 도의회 의원들과 협의하고 대책위와 협의까지 담당하면서 사면초가였다. 이승원 위원이 대표로 협의를 진행하게 되었다. 한 달 만에 핵심적인 사항들은 모두 정리하고 쟁점만 남게 되었다.

교섭은 조례에 따른 위로금, 모금액, 모금 방법, 모금 비용 처리건, 지급 방식, 추모비, 자원봉사자 예우 등으로 나누어 진행하였다. 조례 위로금과 모금책임액은 연동되어 있어 논의 끝에 결론이 안나, 나중에 논의하기로 하고 다른 것부터 처리하였다. 부상자 처리는 '중상자 중 학업에 지장을 초래한 자, 장애 또는 후유증이 남은 자'를 대상으로 하기로 하고, 대상 인원과 지급률을 확정하였다.

김현빈(사망자의 50%), 김동현, 길혜준, 박미리, 양창모(이상 사망자의 30%), 김인철, 박기영(정액 100만 원)이었다. 부상자들의 현황은 다음과 같았다. 김현빈(128일 입원) - 장애등급 6등급, 군 신체검사 5급(면제), 김동현(99일 입원) - 재수술, 피부이식, 재활 치료 중, 길혜준(52일 입원) - 골반뼈 골절, 빗장뼈, 박미리(36일 입원) -

척추 골절, 흉추 9번에 철심이 박혔으나 척추 부위라 제거 없이 살 수밖에 없음이 의사 소견임.(조금 서 있으면 통증 호소), 양창모(32일 입원) - 쇄골, 대퇴부 골절, 여름방학에 철심 제거 수술 예정, 김인철, 박기영은 30일 내외의 경상자에 해당되나, 졸업을 연기하여 정액지급 대상으로 선정하였다. 학교에서 지급하는 장학금이 상대적으로 고학년 수혜기간이 적어 경상자는 두 사람만 포함시켰다.

모금은 '인하대학교 사망자를 위한 모금' 으로 확정하고 방법은 적십자사 강원지부에서 추진하되, 강원방송에서 KT와 함께 ARS모금을 추진하고, 방송을 통한 홍보 등의 분위기를 확산하면서 대상기관의 모금을 추진하기로 하였다.

추모비는 강원도와의 교섭에서 빼기로 하였다. 강원도는 대신 조례에 추모사업에 대해 지방자치단체가 할 수 있는 범위에서 지원하기로 하였다. 추모비는 춘천시가 책임지기로 하였다. 강원도는 교장도 바뀌었으니 춘천시와 안 되면 이야기 하라고 하였다. 교육청에서 해결하겠다고 하며 관리도 걱정하지 말라고 하였다.

조례에 담은 사항은 총4호로 수정하여 결정하였다. 1호는 「강원도 포상조례」로 정하는 바에 따른 포상, 2호. 도정기록 및 홍보물 발간시 공적 게재, 3호. 추모사업에 관한 사항, 4호. 그 밖에 희생자에 대한 예우가 필요하다고 도지사가 인정하는 사항.

위 사항을 충족시키기 위해 조례의 효력을 시행일 이후 2년으로 하였다.

대책위의 요구는 대부분 관철되었으나 핵심적인 지급 총액에서 차이가 났다. 강원도에서는 조례는 예산에서 지급되니 위로금을 높게 책정하면 도의회 통과가 어려워 최소화하고 모금액을 최선을 다해보자는 것이었고, 대책위는 조례+모금액의 책임액을 분명하게 하자는 주장이었다. 도지사는 모금액이 목표에 미달하면 기간 연장 등 다른 방안들도 강구할 수 있지만, 모금이라는 명목을 두고 액수를 확정 합의하는 것은 여러 가지 문제가 있다고 하였다. 대책위는 불확실한 상황에서 합의는 있을 수 없음을 분명히 하였지만 조례안을 상정하려면 강원도와 유족간의 합의가 있어야 했다.

조례를 검토하면서 두 가지 문제가 발생하였다. 한 가지는 형평상 일반인에게도 위로금을 지급해야 한다는 것이었다. 조금 억울한 것이었지만 할 수 없었다. 또 한 가지는 부상자에 대한 문제였다. 결국 초기부터 울타리를 쳤지만 수혜는 모두 같이 받게 된 것이다. 고생한 사람들만 억울한 것인가?

최종적인 합의를 놔두고 자치행정국장이 만나자고 했다. 모금에 대한 계획을 설명할 수는 있지만 합의는 곤란하다는 것이었고, 춘천시가 추모비와 모금에서 일정액은 책임지겠다고 하니 춘천시장 집과 교회, 시 앞에서의 집회는 중단해 달라는 요청이었다. 거기에는 춘천시 이현호 산림과장이 배석하고 있었다. 그냥 끝낼 수는 없었다. 그래서 3월 31일 춘천시청 앞에서 이광준 시장 약속이행 촉구 결의대회를 기획하여 대규모 집회 후 춘천에서의 투쟁을 정리하게 된다.

3월 31일 토요일 오전 11시부터 하루 종일 춘천시청을 거점으로 전 지역에서 진행할 계획을 세웠다. 인원은 유족과 일가친척, 인하대 학생 등 150명 규모였다. 인하대에서 버스 3대를 지원하여 인하

집회_ 3월 31일 춘천시청 앞

대에서 2대, 부개역에서 1대가 출발하였고, 수원과 서울에서 각자 출발해서 온 사람들도 있었다. 마지막 집회가 될 수 있다는 생각도 있었으나 무엇보다도 이광준 시장이 오판하게 해서는 안되었다. 춘천경찰서가 긴장했다. 조사위원회 해체 직후 있었던 상여시위 이후 가장 예민한 집회였다. 시청 앞에 이렇게 많은 사람이 오는 것도 그랬지만 이제까지 춘천시장이 보여 준 언행들이 유족들의 감정을 너무 다치게 해서 무슨 일이 발생할지도 모른다는 우려가 있었기 때문이었다. 그렇다고 이제까지의 집회가 내용에 비해 적법하고 평화롭게 진행되었으니 집회를 불허할 수도 없었다. 아침부터 집회 준비를 위해 차량이 들어왔다. 방송차가 들어오고 공연 준비가 한창이었다. 인하대 록밴드 인디키(INDKY)와 노동계의 질라라비 밴드 공연이 있어 준비가 복잡했다. 경찰은 만약의 사태를 대비하여 집회 주관자와 협의하여 폴리스 라인을 설치하고 차량을 통제하여 안전한 집회를 보장하였다. 이는 춘천시청으로 진입할 것을 대비한 방어막이기도 하였다.

버스가 도착하고 사람들이 앉기 시작하였다. 대책위 측과 경찰이 집회장소 확보를 갖고 실랑이가 있었지만 바로 경찰 측이 양보하여 집회는 순조롭게 시작되었다. 왕의조 인하대 비대위 집행위원장의 사회로 진행되었다. 왕의조 집행위원장이 집회의 취지에 대해 설명하였다.

"오늘 집회가 끝은 아닙니다. 오늘은 춘천 참사 해결을 위해 투쟁을 1차 마무리하며 참사 해결 외면하고 진상을 은폐, 외면하는 이광준 춘천시장과 시청을 규탄하고, 약속이 이행되지 않는다면 다시 싸울 것을 결의하는 자리입니다." 이어서 왕의조 집행위원장의 선창으로 참가자 모두가 한 목소리로 구호를 외쳤다.

"춘천시장은 유족과의 약속을 이행하라"

인하대 인디키의 공연으로 집회가 시작되었다. 인디키는 록밴드이다. 집회 참여자들 중 나이 많은 사람이 있다는 것을 감안한 선곡이었지만 유가족 중 대부분은 무슨 노래인지 이해할 수 없어도 열심히 박수를 치며 호응하였다. 이어서 '춘천참사 희생자 대책 완전 해결 및 춘천시장 약속이행 촉구 결의대회'의 시작을 알리는 사회자의 발언이 있었다. 모두 자리에서 일어나서 인하대 희생자에 대한 묵념이 있었고, 민중가수 최도은의 선창으로 '임을

위한 행진곡' 제창이 있었다. 최영도 대변인이 나와 경과보고를 하였다. 김용주(유라 아버지)의 구성진 색소폰 연주가 이어졌다. 최영찬 대표는 대회사를 통해 "우리가 다시 온다면 우리의 모습은 지금과 같지 않을 것임을 분명히 밝혀둡니다. 또다시 약속을 지키지 않는다면 춘천시청을 접수하러 오겠습니다. 우리가 다시 춘천에 올 때 싸우러 오는 것이 아니라, 아이들의 뜻을 기리는 기념사업을 위해 오기를 희망합니다" 라고 강하게 이야기하였다. 질라라비 밴드와 민중가수 최도은의 공연, 정경원(민하 어머니)과 성기웅 동연회장, 인하대 단과대 대표의 결의 발언과 유신이 부모님의 결의문 낭독으로 집회를 마무리 하였다. 공연이 곁들여진 집회는 참여자들의 심금을 울리며 강한 메시지를 전달하였다. 집회가 끝나고 참여자들은 김밥으로 점심을 먹고 20개조로 나뉘어 선전물 5,000부를 가지고 명동시내 선전전에 돌입하였다. 3시까지 선전전을 진행한 후 뒤풀이 장소로 이동하였다. 닭갈비 집 한 곳을 통째로 빌려서 소회를 발표하고 서로를 위로하는 자리를 가졌다. 부모 세대와 같은 나이 차이가 있었고, 서로 얼굴만 아는 사이였지만 모든 것을 극복하고 하나가 되는 감동의 시간이었다. 서로 이후를 결의하고 서울, 인천, 수원으로 아쉬움을 달래며 헤어졌다.

5. 조례 제정과 모금

대책위와 강원도 사이에 쟁점이 되었던 모금의 책임 한도에 대한 공방은 계속 끌 수 있는 사안이 아니었다. 모금은 목표액은 있을 수 있으나 책임액이 있을 수는 없다. 물론 강원도에서 일반인들의 모금 참여 보다는 기업이나 단체들의 모금을 계획하고 있어 예측 가능성은 있었으나 그래도 확정하기는 곤란하였다. 법적 위임을 받은 이승원이 자치행정국장을 만나 협의하고 조례제정 작업부터 진행하기로 하였다. 합의까지 이르기가 어려웠지 그 다음은 행정절차였다. 다만 [조례안 입법 절차]에 의하면 상당한 시일이 소요될 것이 문제였다. 대략 절차와 소요기간을 보면 사상자(사망자는 가족, 부상자는 본인 _미성년자인 경우 친권자)와의 합의 절차 ➡ 입법 예고(20일 이상) ➡ 법제 담당부서 심사 ➡ 조례 · 규칙 심의회 의결 ➡ 조례안 확정(도지사 결재). 공시 ➡ 조례안 의회 제출 ➡ 위원회(기획행정위원회) 회부 ➡ 전문위원 검토 및 의견 제출 ➡ 위원회 심의 ➡ 본회의 심의 ➡ 의결 ➡ 강원도지사에게 송부(의결 후 5일 이내) ➡ 강원도지사는 접수 후 [행정안전부장관에게 보고(5일 이내), 장관은 관계 중앙행정기관장에게 통보], 20일 이내 조례공포안 작성, 조례심의회 심의를 거쳐 공포 ➡ 조례 부칙 시행일에 시행. 시행일이 없는 경우 공포 후 20일이 지나면 시행 효력 발생순으로 처리된다. 계산해 보면 3월에 추진하여도 빨라야 6월 초였다. 이외에도 두 가지 문제가 있었다. 하나는 조례가 통과되면 추경예산을 확보해야 한다는 점이었고, 이제까지 도의회에서는 이 문제의 관할이 경제건설위원회였는데 자치행정과에서 담당하면서 기획행정위원회로 바뀌었다는 것이다. 도의회 기획행정위원들은 황당해 하고 있었다.

조례안을 만들기 전에 행안부 질의회시가 필요했다. 강원도 자치행정과에서 이번에는 민간협력과가 아닌 자치행정과로 질의를 넣었다. 행정안전부 내에서 조례제정이 불가하다는 의견은 없었으나, 부서별로 논란이 있고, 파급효과에 대한 우려가 있어, 강원도 자치행정국에서는 대책위에서 제출한 두 개의 법률 자문서를 첨부하여 법제처에 질의하였다. 법제처 회신 결과는 법리적으로 문제될 것은 없으나, 자원봉사활동 중 사망은 분명하지만, 사망의 원인이 산사태라 인하대 학생들만 할 경우, 같이 사망한 일반인(3명)과의 '형평의 원칙' 에 위배될 수 있음을 지적하였다. 이에 강원도 자치행정국은 이번 조례를 산사태 및 자원봉사자 희생에 대한 예우로 설정하고, 일반인을 포함하여 사망 13명 부상 6명을 대상으로 조례 제정을 추진하기로 하였다.

자치행정국은 이 일의 특성상 일괄 타결이 불가피함을 주장하여 도지사의 허락을 받아 조례제정, 모금, 추모비, 기타 관련 사업에 대한 주관을 자신들로 일원화하였다. 건설방재국은 모금에 조력하는 관련 부서의 지위로 전락하였다. 건설방재국은 조례안에 산사태가 들어간 것에 아주 당혹해 하고 있으나, 자치행정국 추진 주체들이 일을 추진하며 실제적으로 가능한 부분들을 풀어 나가고 있어 눈치만 보고 있는 상황이었다. 다만 산사태가 들어가니 도지사나 도의회에서도 위로금 수준에 예민한 상황이 되었다. 연례행사가 될지도 모르는 산사태를 이제 모두 책임져야 하는 것 아니냐는 문제 제기가 나오고, 불만의 소리들이 표출되고 있었다. 또한 조례에 일반인이 포함되자, 위로금 액수에 대한 문제제기들이 나오는 상황이었다.

박용욱 자치행정국장은 뚝심 있게 밀어 붙였다. 그러나 저항은 만만치 않을 것으로 보이고, 담당계장이 아예 병가를 내고 사보타지를 하고 있어, 뒷수습도 만만치 않은 상태였다. 자치행정국은 대책위와의 합의가 굳히기의 방법이라 생각하고 대책위를 압박하였다. 대책위의 묵시적인 동의에 조례는 급진전하여 초안을 만들었고 강원도가 발의하는 것보다 좀 더 매끄럽게 하기 위해 국 · 과장이 의원들을 설득하여 의원입법으로 전환하였다.

강원도에 인사발령이 있었다. 담당계장이 새로 온 것이다. 이동춘 계장이었다. 나이도 50대에 경험이 많은 사람이었다. 대북관계 사업을 하다가 중단되어서 감사실에서 일했는데 이번에 이 일을 맡게 되었다는 것이다. 글도 쓰고 사회문제에 관심이 많은 사람이었다. 협상력도 있고 아마도 도에서 일부러 배치한 것 같았다. 유재붕 과장도 짐을 덜게 되었다. 자치행정과를 총괄하면서 이 문제를 책임지려니 꽤나 힘들어 했는데 사람이 보강된 것이다.

2012년 3월 28일 춘천 신북읍 참사 현장이 지역구인 김용주 의원이 의원 23명의 동의를 받아 대표로 '강원도 춘천시 신북읍 천전리 산사태 사상자 위로금 지급 등에 관한 조례안' 을 발의하였다. 이 조례안은 3월 29일에 회부되어 제218회(4월 18일~4월 25일) 강원도의회에 상정되었다. 4월 19일 기획행정위원회에 상정되어 의결되었으나 '사상자' 의 범위 등에 논란이 있었다. 그래서 조례명의 '사상자' 를 '희생자 등' 으로 제1조 '사상자' 와 '그 가족' 을 '봉사활동 희생자' 와 '그 가족' 으로 수정하여 조례 제정의 취지를 보다 명확히 한 후 4월 24일 기획행정위원회에서 다시 통과시켰다. 조례안은 행정 절차를 거쳐 5월 11일자로 그 효력을 발생하였다. 도의회에서는 제219회(5월 9일 ~ 5월 23일) 회의에서 추경예산을 통과시켜 조례에 의한 집행은 문제가 없었다. 조례는 다음과 같았다.

강원도 춘천시 신북읍 천전리 산사태 희생자 등 위로금 지급 등에 관한 조례

(제정) 2012-05-11 조례 제 3554호

제1조(목적) 이 조례는 2011년 7월 27일 춘천시 신북읍 천전리 산사태로 인한 봉사활동 희생자 등에 대한 예우 및 위로금 지급에 관한 사항을 정함으로써 봉사활동 희생자 및 그 가족 등을 위로하고 지역사회 안정에 이바지함을 목적으로 한다.

제2조(정의) 이 조례에서 사용하는 용어의 뜻은 다음과 같다.

1. "사상자"란 2011년 7월 27일 춘천시 신북읍 천전리 산사태 사고(이하 "산사태 사고"라 한다)로 발생한 사망자와 부상자를 말한다.
2. "봉사활동 희생자(이하 " 희생자 "라 한다)"란 제1호에 따른 사망자 중 자원봉사활동 중에 사망한 사람을 말한다.
3. "위로금"이란 사상자에게 지급하는 일체의 금품을 말한다.

제3조(위로금의 지급대상) 위로금의 지급대상은 산사태 사고로 인한 사상자로 한정한다.

제4조(위로금심의위원회) ① 산사태 사고에 관한 다음 각 호의 사항을 심의하기 위하여 강원도 춘천시 신북읍 천전리 산사태 사상자 위로금심의위원회(이하 "위원회"라 한다)를 둔다.

1. 사상자에 대한 위로금 결정에 관한 사항
2. 그 밖에 위로금 지급과 관련한 사항

② 위원회는 위원장 1명을 포함한 10명 이내의 위원으로 구성한다.

③ 위원회의 위원장은 행정부지사가 되고 부위원장은 위원 중에서 위원장이 지명하되 위원은 다음 각 호의 사람 중에서 강원도지사(이하 "도지사"라 한다)가 임명 또는 위촉한다.

1. 강원도 소속 공무원
2. 춘천시 부시장
3. 강원도의회 의장이 추천하는 의원
4. 강원도 고문 변호사
5. 그 밖에 위로금 지급에 관하여 학식과 경험이 풍부한 사람

④ 위원장은 위원회를 대표하고 업무를 총괄하며 위원장이 부득이한 사유로 직무를 수행할 수 없을 때에는 부위원장이 그 직무를 대행한다.

⑤ 위원회의 회의는 위원장이 필요하다고 인정할 때 소집한다.

⑥ 위원회의 회의는 재적위원 과반수의 출석으로 개의(開議)하고, 출석위원 과반수의 찬성으로 의결한다.
⑦ 위원회의 사무를 처리할 간사 1명을 두되 자치행정과장을 간사로 한다.
⑧ 위촉직 위원에게는 예산의 범위에서 수당과 여비를 지급할 수 있다.
⑨ 이 조례에서 규정한 것 외에 위원회의 운영에 필요한 사항은 위원회의 의결을 거쳐 위원장이 정한다.
제5조(수령권자) 위로금을 신청하고 수령할 수 있는 사람(이하 "수령권자" 라 한다)은 사망자의 경우에는 「민법」에 따른 법정상속인으로 하고 부상자의 경우에는 본인으로 한다.
제6조(지급결정) 위로금은 위원회의 의결을 거쳐 도지사가 결정한다.
제7조(지급결정 통지) 도지사는 제6조에 따라 위로금 지급을 결정하면 지체 없이 수령권자에게 개별 통지하여야 한다. 다만, 통지서가 반송된 경우에는「민사소송법」의 송달규정을 준용한다.
제8조(위로금의 청구) 수령권자는 위로금 지급결정 통지를 받은 날부터 30일 이내에 위로금을 청구하여야 한다. 다만, 수령권자가 해외여행이나 해외거주 또는 그 밖의 부득이한 사유로 기간 내에 청구할 수 없는 경우에는 위원회의 결정으로 그 기간을 연장할 수 있다.
제9조(희생자 예우 등) 도지사는 희생자가 보여준 지역사회 공헌의 숭고한 뜻을 기리기 위해 다음 각 호의 필요한 조치를 할 수 있다.
1. 「강원도포상조례」에 따른 포상
2. 도정기록 및 홍보물 발간 시 공적 게재
3. 추모사업에 관한 사항
4. 그 밖에 희생자에 대한 예우가 필요하다고 도지사가 인정하는 사항

부칙 〈제3554호, 2012.5.11〉
제1조(시행일)이 조례는 공포한 날부터 시행한다.
제2조(유효기간)이 조례는 위로금 지급이 완료된 날부터 2년간 효력을 가진다.

조례가 공포되었지만 유족들에게는 허탈감만 더했다. 다만 제9조의 내용은 이제까지의 노력이 헛수고가 아님을 명확히 해줬다. 제9조 희생자의 예우 등은 도정기록에 공적을 기록하고 추모사업과 도

지사가 인정하면 희생자에 대한 예우사업을 한다는 내용이었다. 바로 이것을 위해 지난 1년을 투쟁해 온 것이다. 아이들의 죽음이 헛되게 하지 않겠다는 약속을 이제야 조금이라도 지킨 것 같아 안심이 되었다.

이동춘 계장은 이승원 위원이 춘천에 오자 만나서 자기도 자녀 둘이 모두 대학생임을 밝히고 최선을 다할 것을 약속한다. 그리고 모금 계획을 설명하고 추진해 나갈 것을 제안하였다. 이승원은 노력하는 것으로는 안되고 도지사가 약속한대로 보상의 대안이 되어야 함을 강조하였다.

적십자사모금

모금의 명칭은 '춘천시 천전리 산사태 봉사활동 동아리희생자 위로를 위한 성금모금'으로 정해졌다. 기간은 2012. 5. 1~ 5. 31(1개월간)까지 1개월간 진행하고 필요시 연장하는 것으로 하였다. 접수처는 대한적십자사 강원도지사로 하고, 모금계좌는 농협 301-0105-6211-XX(기부자는 소득공제 및 손비인정됨), ARS모금은 060-700-05XX, 2,000원/(통화당, 하루 3통화 가능) 하도록 하였다. 도에서는 5월 2일 오후에 KBS 춘천방송, 강원방송과 홍보방안에 대한 최종 협의를 하였다. 도지사 주재 국장급들의 모금대상기관 분담회의도 열렸다. 산하 자원봉사센터에서 중앙자원봉사센터로 협조 공문을 보냈다. 시간이 많이 지나서 쉬운 일은 아니었다. 그리고 인하대가 작년에 이미 성금 모금을 한 상태라 어려운 조건이었다.

모금에는 (주)그래미, 신한은행, 강원건설협회, 도 공무원, 소방공무원, 산림부서 공무원, 강원도자원봉사센터, 생활공감정책 주부모니터단, 강원도 교육청 등에서 참여하였다. 모금액이 부족하여 모금 기간을 한 달 연장하여 진행하였다. 농협중앙회 등이 추가로 참여하였다. 문제는 춘천시였다. 조례가 제정되고 모금이 진행되자 춘천시는 언론으로부터 공격을 받았다. 이제까지 이광준 시장이 주장한 것이 이제 보니 변명에 불과한 것이었고 모금에 적극적으로 할 것처럼 공언을 하더니 아무것도 안하는 것이었다. 추모비도 시의회에 아무런 계획도 없고 산출근거도 없이 1억 원을 제출했다가 삭감되었다.

6. 춘천시장의 잔꾀와 마무리

강원도와 지역사회에 '추모비 건립은 책임지고 모금에 적극 협조하겠다' 라고 공언했던 이광준 시장은 실제 조례가 제정되고 모금이 진행되자, 나름 잔머리를 굴렸다. 최선을 다했는데 안되었다는 핑계가 필요했다. 추모비가 안된 원인을 예산을 두 번 씩이나 삭감한 시의회와 부지 선정에 있어 비협조적인 상천초등학교, 참사 현장 주민들에게 돌렸다. 시의회에서 작년(2010년)에 추모비 건립부지 확보 여부를 춘천시에 묻자, 춘천시가 상천초등학교 증축공사가 끝나야

가능하다고 했고, 그게 언제냐고 하니 2013년 후라고 해서 삭감하였다고 한다. 2012년에는 아무런 계획도 없이 1억 원을 요구해서 삭감한 것이었다. 조사위원회 기술조사가 1억 원이 소요된다고, 예산 때문에 안 된다던 사람이 근거도 없는 추가경정 예산으로 추모비 1억 원을 올렸다는 것은 삭감될 것을 알고 올렸다고 볼 수밖에 없다. 할 마음이 있었으면 추경이 아니라 2012년도 예산에 반영해야 했다. 이광준 시장의 쇼에 불과했다.

모금을 회피한 방법은 진짜 기상천외한 방법이었다. 본인은 휴가를 내고 출근을 안 한 상태에서 춘천시 전 직원의 봉급에서 강제 각출하는 방안을 지시하고 노동조합에 이를 흘린 것이다. 노조가 반발하는 것은 당연했다. 아무리 좋은 취지라 해도 강제적으로 급여에서 공제하는 것을 동의할 노동조합은 없을 것이다. 강원도도 간부급들은 회의를 통해 결정해서 공제하고 노조원들은 자발적으로 동참하는 사람들에게만 받았다. 전국공무원노조 춘천시지부는 성명을 발표하여 강제 공제의 문제를 지적하고 대책위에는 물리적 투쟁을 자제해 줄 것을 요청하였다. 대책위는 강제 공제 거부는 동의하지만 헌법이 보장하는 권리를 제약하는 대책위에 대한 의견은 간과할 수 없어 성명을 내고 직접 만나게 된다. 노조의 항의를 받은 이광준 시장은 바로 조합원은 공제안하겠다고 발표하였다. 그래서 모금은 노동조합을 핑계 대며 책임을 방기하였다. 대책위와 강원도가 춘천시에 모금을 협조하라고 한 것은 직원들의 등을 치라는 것이 아니라 유족을 만나서 '한 곳에서 1억 원을 희생자들을 위해 쓰라고 받았는데 기분이 나빠서 다른 단체에 주었다' 고 자랑했듯이 이광준 시장의 춘천 내 정치조직만 동원하여도 충분히 할 수 있는 것이었다. 이광준 시장의 목적은 교회나 집 앞에서 집회만 못하게 하는 것이었다.

또한 이광준 시장은 춘천시 공무원 4명을 해고한 사람이다. 노조에 대해 잘 알고 있었고, 이용할 줄도 알았다. 대책위를 지원하던 춘천시 해고자들도 나서서 지부에 문제제기를 해서 대책위 차원에서 만나게 되었다. 이미 우리의 의견이 전달되어서 노조도 잘 알고 있었다. 시청 앞 카페에서 만났다. 노조는 미안하다고 했다. 그럴 의도는 아니었다고 말이다. 대화는 잘되었고 새로운 사실을 알게 되었다. 추모비의 장소로 상천초등학교가 안되었던 이유를 알게 되었다. 이광준 시장은 학교 증축 때문에 안된다고 했지만, 학생 수가 늘어도 지금 학급당 학생 수가 기준 인원보다 적어서 증축은 없을 것이라는 사실을 확인하였다. 정작 이유는 직전 동문회장이 춘천시 직원이라 학교 운영위원회에서 계속 반대하여 못했다는 것이다.

이광준 시장은 도저히 상대할 수 없는 인간이었다. 예정된 교회 집회도 취소하였다. 상대하지 않기로 하였다. 그런 인간이 추모비를 한다는 것도 아이들의 명예에 해가 될 것 같았다. 무시하고 가기로 하였다. 대책위에서 유족들이 따로 모여 모금 액수가 적어도 이광준 시장의 것은 안받기로 하였다. 추모비도 안하면 안했지 춘천시에는 맡기지 않기로 하였다.

대책위는 춘천중앙교회 집회를 철회하고 북한산으로 향했다. 간단한 산행과 이후 문제를 논의하기 위해서였다. 우이동에서 만나서 김밥을 한 줄씩 나누고 둘레길을 걸었다. 참사 이후 처음 있는 산행이었다. 간단한 산행 후 4·19국립묘지 쪽으로 내려와 삼각산 재미난 학교에서 회의를 하였다. 지금까지의 상황에 대해 서로 공유한 후 기념사업회 결성을 위한 이야기를 했다. 이제까지 논의 해 왔기에 특별히 반대는 없었다. 일단 기념사업회 결성과 1주기 추모제 준비를 위한 준비위원회를 결성하기로 하였다. 물론 준비위원회가 강원도와의 문제를 마무리하는 역할도 해야 했다. 일할 수 있는 체제를 만들어야 했다. 준비위원회는 대책위 활동에 대한 전반적인 활동을 승계하고, 기념사업회의 결성을 위한 조직, 재정, 홍보, 기획사업 등을 주도적으로 추진하는 것으로 현재의 대책위 성원(유족+학생 등)과 자발적인 희망자로 구성하기로 하였다. 활동 시한은 자동적으로 2012년 7월 27일 기념사업회 결성 시까지 였다.

조직은 아래와 같이 두고 준비위원장에 이승원, 집행위원장에 정경원을 선출하였고, 유족협의회 의장에 최영찬, 부위원장에 김현철, 이상섭, 최영도, 기획홍보팀장 왕의조, 총무팀장 민은순, 조직1팀장 김용주, 조직2팀장 성기웅, 조직3팀장 장연하, 대외협력팀장 이건학, 그리고 김미월, 김영순, 전온순, 이정자는 총무팀에서, 신현범, 이상규, 김문호는 조직팀에서 활동하고, 그 외 준비위원들은 각 팀에 배속하는 것을 원칙으로 하였다. 예산은 일단 1,000만 원을 책정하고 1주기 추모식을 준비해 나가기로 했다. 1주기 추모식은 1주기이니 만큼 참사 현장에서 참사 당일에 하는 것으로 하고 기념사업회 발족식도 함께 하기로 하였다.

준비위원회는 크게 세 가지 일을 추진해야 했다. 첫 번째는 대책위에서 진행하던 참사 마무리 부분이었다. 아직 해결되지 않은 부분은 유족보상 문제(조례는 제정되었으나 후속 조치들이 안 되어 있었고, 모금은 진행 중이었다)와 추모비 건립, 이광준 시장에 대한 응징이었다. 이광준 시장에 대해서는 유족들의 소송을 검토하기로 하였다. 민사소송으로 유족 당 500원 배상 소송을 추진하기로 하였다. 둘째는 7월 27일 제1주기 추모제 준비였다. 마적산 참사 현장에 가보니 복구공사가 추모제 이전에 끝날 지도 의문이었다. 공사 책임자는 비가 변수라고 했다. 일정상으로는 문제가 없는데 비가 오면 장담할 수 없다는 것이었다. 셋째는 기념사업회 준비작업이었다. 회칙을 만들고 사업계획과 예산, 집행부를 만들어내야 하는 작업이었다.

제일 먼저 강원도로 향했다. 조례 및 모금에 대해 마무리해야 했다. 강원도와 공식적인 합의가 필요했다. 또한 춘천시와 추모비를 안하기로 했지만 추모비를 아예 포기할 것이냐의 문제도 고민해야 했다. 도지사는 춘천시가 안하겠다면 강원도가 하겠다고 했다. 만약의 경우를 생각해서 3,000만 원의 예산도 확보했다고 하였다. 이제 버릴 것은 버리고 정리할 것은 정리해야 했다. 일단 강원도와 조례안에 의한 위로금 지급 합의를 했다. 5월 31일이었다.

합의대로 행정 처리를 한 후 7월 3일 강원도에서 조례에 의한 위로금이 지급되었다. 행정 처리는 복잡하지 않았으나 ARS모금이 통신사에서 적십자사로 두 달 뒤에나 전달되어 많이 늦어졌다. 7월18일 이승원 준비위원장, 정경원 집행위원장, 김용주(유라 아버지) 조직팀장, 이건학(민성이 아버지) 대외협력팀장, 민은순(유신이 어머니) 총무팀장, 이정자(유라 어머니)가 강원도를 방문하여 도지사를 만나고, 적십자사를 방문하여 성금 전달식을 하였다. 적십자사에서는 성금에 대한 전달식을 약식으로 진행하였고, 유족들은 그 당시 적십자사 회원이면서 물에 빠진 아이를 구하다가 숨진 고 이재홍(계룡공고)군의 유족에게 전달해 달라고 성금을 전달하였다. 아픈 사람

합 의 서

2011년 7월 27일 강원도 춘천시 신북읍 천전리 산사태 사고로 인한 자원봉사활동 중 희생을 당한 사상자(이하 "봉사활동 사상자"라 한다)에 대한 위로금 및 예우와 관련하여 '강원도'와 '춘천 봉사활동 인하대학교 희생자 대책위원회(이하 "대책위원회"라 한다)'는 다음 사항을 합의한다.

1. 강원도가 봉사활동 사상자에 대하여 예산으로 지급하는 위로금의 수준은 다음과 같다.

   ○ 사망자(10명) : 1인당 — 15,000천원

   ○ 부상자는 부상 정도에 따라

   - 부상상태 심각(후유장애) 1명은 — 사망자의 67% 수준 — 10,000천원
   - 부상상태 중간(재수술등) 4명은 — 사망자의 40% 수준 — 6,000천원
   - 부상상태 경상(수업장애) 2명은 — 사망자의 20% 수준 — 3,250천원

2. 강원도는 예산으로 지급하는 위로금 이외에 봉사활동 사상자를 위한 성금 모금을 유가족 측과 공동 추진하며, 「기부금품 모집 및 사용에 관한 법률」에서 정한 범위 내에서 모금이 될 수 있도록 상호 노력한다.

3. 강원도는 「강원도 포상조례」에 의한 표창, 도정기록물에 공적게재 등 봉사활동 희생자에 대한 예우를 위하여 필요한 사항을 적극 추진한다.

4. 대책위원회는 상기 1·2·3항 이외에 추가로 봉사활동 희생과 관련하여 어떠한 금품 및 예우 등에 관한 요구를 하지 아니한다.

2012. 5. 31.

강원도지사 , **대책위원회 대표 이 승 원**

합의서

들만이 아픈 사람의 마음을 이해하는 것인지 모르겠다. 전달식이 끝난 후 참사현장에 들렀다. 복구는 거의 마무리 단계였지만 문제였다. 불과 10일 후인데 다 정리가 될지도 의문이었고, 방치된 민박집에는 벌집이 생겨 유라 아버지와 민성이 아버지가 벌에 쏘였다. 추모제를 하려면 다 제거해야 할 것이었다. 더 큰 문제는 재발방지책으로 수로가 놓였는데, 그 폭이 2미터 깊이가 1미터였다. 행사장 딱 중간에 있어서 행사를 치르기가 만만치 않았다.

복구작업중인 사고현장

추모비 문제를 제외한 모든 문제가 정리되었다. 허탈하기도 했지만 1주기가 다가오고 있으니 가만히 있을 수가 없었고 다른 생각을 할 겨를이 없었다. 이제는 준비위원회의 힘을 기념사업회 출범과 추모제 준비에 집중하였다. 여건 상 추모제의 재정적인 부담이 너무 많았다. 생각지도 않았던 수로를 막아야 했고 민박집 옆의 닭갈비집에서 점심을 거부하는 바람에 멀리서 음식을 공수해 와야 했다. 화장실도 문제였다. 250~300명을 예상하는데 막막했다. 집회와 공연무대를 전문으로 하는 친구들에게 자문을 구했다. 사람이 하는 일에 불가능은 없었다. 수로는 막고 앞에 무대를 세우기로 하고 발주를 하였다. 화장실도 전문 업체에 의뢰하였다. 자체 예산 1,000만 원에 부족한 재정은 강원도에서 500만 원, 인하대에서 버스와 500만 원, 발명진흥회에서 300만 원을 지원하여 할 수 있었다.

대처법 11

방향이 결정되면 전방위적으로 몰아쳐라. 조례제정이 가능하고 강원도와 춘천시가 할 수 있다는 것을 확인한 후 대책위가 해야 하는 것은 이것을 사회적으로 확산시키고 강원도가 하게 하는 방법이었다. 선전물을 만들어 뿌리고 언론에 조례제정만이 대안이라고 알리고 전 국민 서명운동을 전개하였다. 그리고 법률전문가들의 자문을 받아 강원도를 압박하였다. 강원도민 6천여 명을 포함하여 5만여 명의 서명은 강원도를 놀라게 하였고, 강원 지역 교수들의 조례제정 요구 서한 발송 및 강원도청 방문, 정치권 압박 등은 강원도에 대책위의 의지를 분명하게 보여주었다. 강원도 실무진의 저항에 어머니들이 나선 것도 성과를 내는 데 주효하였다. 이광준 시장에 대한 응징으로 가게 된 시장이 다니는 교회와 집 앞 집회는 강원도의 입지를 강화하고 이광준 시장이 준동하지 못하게 하였다. 지역 선후배 사이고 정치적인 입장이 다른 도지사와 시장은 이 참사에 있어서도 상반된 입장과 행동을 보여 초등학교 무료급식 문제와 함께 지역 내 갈등의 핵심문제로 떠올랐었다. 최문순 도지사가 나서서 해결하려고 하면 이광준 시장이 비협조적으로 나오거나 도지사가 나서서 유족들이 말도 안되는 요구를 한다는 등 훼방을 놓았다.

제 8 장

기념사업회 출범과 후속 조치들

1. 추모제와 기념사업회 출범

추모제를 앞두고 악재가 모두 터졌다. 가장 큰 것은 행사 장소문제였다. 7월 26일에 이승원과 왕의조는 작업을 위해 먼저 춘천으로 갔다. 인천에서 오는 무대작업 팀과 만나기로 했기 때문이다. 작업 차량이 행사장에 들어가니 바퀴가 빠졌다. 아직 땅이 굳지 않은 것이다. 그런데 행사장에 큰 돌들이 놓여 있는 게 아닌가? 공사 감독자를 찾아 물어보니 만약을 위해 포클레인을 대기시켜 놓았다고 했다. 그리고 돌은 민박집 주인 김○웅이 갖다가 놨는데 행사가 있으니 치워 달라니까 내 땅에 내가 갖다가 놨는데 누가 뭐라 하냐고 못하겠다고 한단다. 아니 이런 몰염치한 사람이 있을까? 불법적인 민박에서 아이들이 얼마나 죽고 다쳤는데 추모제를 방해하다니 말이다. 김○웅이 어디 있냐고 찾으니 맞은 편 하천부지에 새로 신축하는 집이 김○웅이 하는 거고 거기에 가면 있을 거라고 했다. 이승원이 쫓아가 보니 없었다. 자신의 민박집에서 젊은이 10명이 죽고, 이제 1주기

민박집 주인 김O웅 신축건물_참사현장 맞은편

인데 참사 현장 맞은편 하천부지에 새로운 건물을 건축하다니 양심도 없는 사람이었다. 포클레인으로 땅을 다지고 돌을 민박집 옆으로 최대한 밀었다. 불안했다. 수로를 막는 것은 문제가 아니었다. 지반이 약해 무대가 견딜 수 있을지 걱정이었다. 전문가들을 믿을 수밖에 없었다. 바닥에 돌과 나무조각을 받치면서 비계를 쌓기 시작했다. 올라가서 뛰어 보니 괜찮았다. 민박집 주인의 행패로 마음이 무척 상했지만 내일 행사 걱정이 앞섰다. 작업이 정리되자 너무 더웠다.

이광준은 끝까지 말썽이었다. 1주기 추모제를 맞아 춘천시와 강원도 관계자에게 초청장을 보냈다. 이광준 시장과 춘천시 간부들만 빼고서 보냈다. 행사 1주일 전 쯤 춘천시에서 이승원 준비위원장에게 전화를 했다. 춘천시장에게 초청장을 일부러 안 보낸 것이냐고 물었다. 참 기가 막혔다. 본인이 한 짓을 생각하면 당연한 것 아닌가? 아니 몰라서 전화를 했냐고 반문하였다. 확인 차 전화했다는 것이었다. 안 보낸 것이 사실이고 이광준 시장이 참석하면 추모제 진행에도 문제가 있고 시장의 안전을 보장할 수 없어 안보냈다고 했다. 그리고 이런 전화 할 여유가 있으면 약속불이행에 대해 사죄하라고 전하라고 했다. 유족들에게 알리니 어처구니 없는 일이라는 반응이었다.

마지막으로 대책위에서 제명되었던 S가 강원도에서 받은 돈의 일부를 인하대 아들이 다니던 과에 장학금으로 기탁했다. 강원도와 타결이 임박해서 다른 유족들이 낸 기금을 부담하고 이제는 같이 하자는 제안을 거절하고, 강원도에 백날 가고 서명 받아봐야 아무 성과가 없을 것이라던 사람이 강원도에서 받은 돈 전부가 아니라 일부만 아들 이름으로 기탁했다는 소식에 유족들은 몸서리쳤다. 자기 자식

추모제_연합뉴스

의 이름으로 장학 사업을 하고 싶지 않은 사람이 누가 있을까? 아이들의 명예 회복을 위해 다같이 하자고 기념사업회를 만들고 함께 하는 것인데 참여도 않고 유족들 마음을 아프게 하다가 고생한 사람들은 안중에 없고 자기 생색만 내다니 열심히 투쟁했던 사람들은 기운이 빠지는 상황이었다. 더구나 인하대는 장학금 기탁 사실을 칭송하며 언론에 보도자료를 뿌렸다. 다른 유족들에게 한이 맺히게 하는 일이었다.

추모제는 400여 명이 모인 가운데 성황리에 치러졌다. 적십자사의 회원들이 천막을 치고 신북읍 회원들은 시원한 음료를 봉사해 주었고, 참사 때 고생한 119대원들이 함께 해 주었다. 정경원(민하 어머니)의 사회로 시작된 춘천봉사활동 인하대 희생자 1주기 추모식은 유족들의 분향을 시작으로 엄숙하게 진행되었다. 사회자의 내빈소개가 있었다. 강원도, 강원도의회, 민주통합당 강원도당, 춘천시의회, 상천초교(총동창회), 적십자사강원지사, 발명진흥회 등에서 참석하였다. 김현철(유신이 아버지)의 아이들 약력소개와 경과보고가 있었다. 참석하겠다고 약속했던 최문순 도지사가 런던올림픽 참석 때문에 오지 못해 김상표 강원도 경제부지사가 추모사를 대신하였다. 아이디어뱅크 회원들이 단체로 올라와서 추모가를 합창하였다. 어머니들이 울기 시작하였고 학생들도 울었다. 바로 이곳이 참사현장이었다. 이어서 인하대 진인주 부총장이 총장의 추모사를 대독하였다. 전국발명동아리연합회에서는 아이디어뱅크 희생자들의 활동을 회고하는 CD를 제작하여 유족들에게 전달하였다. 이어진 민하의 남동생 최준하가 기타반주를 하고 그의 선배 윤건형이 노래한 '마른 잎 다시 살아나' 는 참석자들에게 잔잔한 감동을 주었다. 이승원 준비위원장이 나와 아이들의 이름을 부르며 축원하고 준비한 추모사가 아닌 유족들의 가슴에 한이 남지 않도록 이광준 시장, 민박집 주인, S에 대해 이야기하였고, 내일 이광준 시장의 고소장을 접수한다고 발표하였다. 모두 놀라기도 했고 어이없어 했다. 이런 놈들이 있

추모제_진혼무

냐고 열들을 받았다. 이영숙님의 진혼무가 시작되었다. 공간의 제약으로 춤동작이 작았지만 아이들의 원혼을 달래는 진혼무가 시작되자 모두 숙연해졌다. 이건학(민성이 아버지)이 유족을 대표하여 인사말을 하였다. 헌화 시간에는 참석자들이 아이들이 숨져간 민박집으로 올라가 국화꽃을 던졌다.

준비된 콩국수로 점심을 먹었다. 너무 더운 날씨와 분위기 때문에 입맛들은 없었지만 이후 일정들을 위해서는 먹어야 했다. 점심을 먹고 기념사업회 출범식이 있었다. 회칙이 통과되고, 임원 선출이 있었다. 회장에 이건학(민성이 아버지)이 선출되었다. 부위원장에 김현철(유신이 아버지), 신태진(아이디어뱅크 졸업생), 성기웅(동연회장), 집행위원장에 왕의조가 선출되었다. 유가족협의회 의장으로는 김용주, 회계감사에 최영도가 선출되었다. 운영위원은 회계감사를 제외한 임원은 당연직이었고, 선출직 운영위원은 김문호, 박미리, 유정인, 이성우, 이승원, 정경원, 이상규가 선출되었다.

창립총회

의장 교체가 있었다. 기념사업회 회장으로 선출된 이건학은 "감사합니다. 아이들의 명예에 걸맞은 사업을 진행하도록 하겠습니다. 여러분의 참여와 지지 부탁드립니다"라는 짧은 인사로 결의를 밝혔다.

이어서 사업계획 및 예산안 설명이 있었다. 사업목표는 ○ 희생자들의 추모사업을 책임진다. ○ 참사의 진실과 희생자들의 참뜻을 널리 알린다. ○ 기념사업회의 안정적인 운영체계를 조기에 확보한다. ○ 자원봉사제도 개선과 산사태 예방을 위한 활동에 참여한다. 의 네 가지로 설정하였고, 주요추진사업은 1) 참사의 진실을 알리는 사업(추모사업, 백서 발간 사업) 2) 희생자의 정신과 뜻을 함양하는 사업(발명캠프의 발전적인 개최, 장학사업) 3) 법 · 제도 개선 사업(자원봉사활동 관련 법령의 개정 추진, 산사태의 예방 및 현실적인 문제점 개선 노력 단체에 연대하고, 사회적인 경각심을 갖도록 노력한다) 4) 기타 자원봉사 및 발명 활동 관련 지원 사업으로 계획하였다.

특히 2013년은 초기 연도로 공적비 건립 추진, 발명 캠프 확대 발전 지원, 기념사업회의 안정화 사업, 참사 책임자 대응 사업(이광준 시장 소송 대응, 민박집 주인 대책 마련과 대응)을 당면사업으로 추가하였다. 사업계획과 예산이 통과되고 기념사업회 출범식이 폐회되었다. 인하대 총학생회와 학생들이 참사의 진실이 수록되어 있는 1주기 추모제 자료집을 천전리 일대 집집마다 방문하여 배포하였다. 일행들은 버스를 타고 인하대학교로 이동하였다. 도착하자마자 인하대 추모비로 가서 왕의조 집행위원장의 사회로 헌화와 분향이 있었다. 이건학 기념사업회 회장은 다음과 같이 마지막 인사를 하였다.

"오늘 무더위에도 참석하여 추모식을 함께 해주셔서 감사합니다. 약속드린 대로 참사의 진실을 알리고 아이들의 뜻을 이어가는 사업을 통해 여러분과 만나겠습니다. 아직 못다 풀어준 한, 1차 책임자인 이광준 춘천시장에 대한 소송도 끝장 볼 때까지 진행할 것입니다. 회원 사업을 통해 여러분과 함께 하고 싶습니다. 감사합니다."

학생식당에 뒤풀이가 마련되었다. 너무 덥고 힘든데다가 유족들은 마음도 지쳐 있었다. 추모제와 기념식에 참석하였던 사람들의 소회 발표가 이어졌다. 학생들의 이야기를 들으며 모처럼 흐뭇한 하루였다. 마음의 상처를 덜어내기는 힘들었지만 서로 기댈 수 있는 사람들이 생겼다는 것만으로도 지탱할 수 있는 힘이었다.

2. 이광준 시장에 대한 500원 소송

이광준 시장은 자신의 직무를 유기하고 유족에게 수모를 준 것 뿐 아니라 희생된 아이들을 모욕한 것이기에 용서할 수가 없었다. 자신의 경제적인 탐욕 때문에 산 밑에다가 부실한 건축물로 불법영업을 하다가 아이들을 비명횡사하게 한 김○웅 민막집 주인만큼 용서할 수 없는 사람이었다. 그래도 민박집은 재건축 허가가 안 나고 땅 한 가운데 수로가 나서 땅이 두 동강이가 나 경제적 손실이 많이 났지만 이광준 시장은 멀쩡히 시장으로 있는 상황이다.

유족들은 논의 끝에 유족 1인당 500원 소송을 제기하기로 하였다. 민사 뿐 아니라 형사 건도 검토하기로 하였다. 1주기 추모식을 기해 7월 26일 명예훼손과 직무유기로 춘천지법에 민사소송을 제기하였고, 7월 31일 춘천경찰서에 같은 이유로 형사 고소 고발하였다. 민사 소송은 당사자만이 할 수 있어 유족 중 희망자들만을 대상으로 하였고 형사 건은 고발조치가 가능해 유족들과 학생들, 지인들 중 희망자들이 하였다.

이광준 춘천시장에 대한 유족들의 민 · 형사상 소송 제기 건은 다음의 내용이었다.

▶ 형사건 : 직무유기 : 주민대피령 미발령으로 인한 다수의 사망, 부상자 발생
- 6,000년 만에 내린 폭우에 산림청의 주민대피령 무시

▶ 민 · 형사건 : 유족들에 대한 명예훼손
- 공개적인 거짓말 유포 및 유족과 유족 측 조사위원에 대한 명예훼손 : 춘천시장은 유족과 협의하여 구성한 사고조사위원회에 참석하여 왜곡된 거짓으로 조사위원들에게 모욕감을 주어 조사위를 결국 해체하게 하였고, 그 외에도 시의회,

국정감사, 춘천시보를 통해 거짓말을 유포하여 유족들과 조사위원들의 명예를 훼손함.

- 이광준 시장은 의회에서 춘천시민과 시청 홈페이지에 시장의 마음에 안드는 글을 썼다는 이유로 고성을 지르며 싸웠으며, 그 날 유족들에 대해 거짓으로 명예를 훼손함.

※ 춘천시의회 회의록(2011. 8. 30, 참조)

• 이광준 시장이 유족들이 먼저 인당 5억 원을 요구했다고 거짓 발언함.
• 유족들이 시장에게 엎드려 무릎 꿇으라고 했다고 유언비어 유포.
• 사고조사위에 참석하여 거짓으로 조사위원의 명예를 훼손함. 과업지시서를 허위로 작성한 것처럼 말하고 돈을 요구한 것처럼 매도했음.

※ 국정감사(2011년 9월 30일)에서 위증한 것들...

• 경고방송을 했다는 주장 : 춘천시가 내린 호우주의보는 2011. 7. 26. 20:10분에 발효되었고 춘천시 전직원, 리통장 등에게 SMS문자전송을 한 것임. 사고지역 통장님이 주의 방송을 했다고 하는데 그날 밤 경고방송을 들은 사람은 없음.
• ' 90. 9월에는 경미한 사고였고, 집주인이 알아서 처리했다는 증언 : ' 90. 9월 사태도 정확히 군사도로부터 시작한 산사태였으며, 이번에 반파된 집이 똑같이 반파되었음. 집주인이 구호품도 받고 사방공사도 있었음. 사고 규모가 작은 것은 그 당시에는 하부 지역에 반파된 집 외에는 없었고 그냥 밭이었기 때문임. 동네 사람들이 기억하지 못했다면 유족들이 어떻게 알았을까? 그 당시 그 지역에 거주하던 분들은 생생하게 기억하고 있는 사실임.
• 시장에게 사과와 보상을 요구했다는 주장에 대해 : 유족들은 춘천시장에게 사과를 요구한 적이 없음. 맨 처음 8대 요구에도 춘천시장의 조문을 요구했지, 사과를 요구한 사항이 없음. 오히려 참사가 난 지 42시간 만에 나타나 조문하겠다고 하고, 유족에게 폭력을 행사했음.
• 조사위원회 위원장에 대한 문제 제기 : 시측위원은 기술분야 교수 2인, 변호사 1인이었고, 유족 측은 기술분야 교수 1인, 법대 교수 1인, 사회학과 교수 1인이었음. 기술분야 위원장은 시측 추천위원인 유남재 교수가 맡고, 전체 조사위원회 위원장은 유족 측 추천위원인 박창근 교수가 맡았음. 모든 내용은 개인의 의견이 아니라 회의의 결과이고 위원들의 의견이 모두 반영된 것임. 별도 용역추진도 조사위원들의 합의 사항이지, 개인의 의견이 아님. 과업지시서도 기술 분야 위원들의 합의로 작성된 것이지 위원장이 일방적으로 작성할 수 없는 것임. 1차

과업지시서에서 춘천시가 예산이 너무 높다고 하여, 필수적인 항목으로 조정한 것이 용역비 110백만 원이었음. 춘천시는 애초에 20백만 원을 정해 놓고 말로만, 조사위원들이 합의하면 지원하겠다고 했던 것임.

- 유족들이 폭력을 행사했다는 주장 : 춘천시장은 참사발생 42시간 후인 28일 저녁에나 강원대병원 영안실에 나타났음. 그 당시 유가족들이 모두 저녁을 먹고 있었음. 유가족 중 고 김유라의 작은 아버지께서 시장에게 '유가족들이 식사 중이니 기다리라' 고 했고, 시장이 계속 들어오려고 해서 '아니 42시간 만에 나타나서 유가족 저녁 먹을 때까지 기다리라니까 무릎 꿇고 기다려도 시원찮을 사람이' 라고 하자, 오히려 시장이 고 김유라의 작은 아버지를 2~3차례 밀쳤음. 그래서 유가족들이 왜 사람을 밀치냐고 따지자, 병원관계자인 줄 알고 그랬다고 시장이 답변했고, 병원 관계자는 쳐도 되냐고 항의하자 시장이 미안하다고 사과해서 마무리 되었던 사건임. 그 때는 사과하고 지금에 와서는 마치 유족들이 시장을 무릎 꿇리고 모욕을 준 것처럼 떠들고 다니니, 춘천시장인지 자해공갈단인지 구분하기 어려움. 폭력을 행사한 사람은 이광준 시장이지, 유족들은 폭행은 커녕 욕설도 없었음. 이제까지 이광준 시장이 보여 준 언사와 행태는 공인답지 못했으며, 거친 언사로 유족들의 마음에 상처를 입혔음.
- 조사위원회가 조사항목을 결정해주지 않았다는 주장 : 조사항목은 이미 1, 2차 과업지시서를 통해 나왔음. 조사위원회 전체의 입장이었음. 특히 1차 과업지시서가 예산상 어렵다는 시의 요구를 수용하여 2차 과업지시서는 최소한의 항목으로 조정하여 제출되었음. 조사위원회 해체가 참사 후 44일만이었음. 예산을 주고 말고 할 사이가 없었다는 것은 말도 안 되는 거짓임.

※ 춘천시 시보 '봄내' (2011년 9월호)에 '천전리 산사태 사고조사위 해체' 춘천시 "조사내용부터 정하자", 유족 측 위원 "조사용역비용 1억 원 지원 약속하라" 라는 타이틀로 조사위의 과정과 해체 경위를 왜곡했음.

▶ 민사건 : 잘못된 행정 처리로 인한 사망 및 진실 은폐

- 산사태 경보 무시(산림청), 배수로도 없는 산사태 위험지구의 건축허가, 군 시설(방공포대) 철수 후 방치, 주민대피령 미발령, 불법적인 농어촌 민박 허가 등으로 학생들의 사망에 영향을 미쳤으며, 유족과 합의한 진상조사위원회를 의도적으로 해체함으로써 진실을 은폐하고자 하였음.
- 불법적인 농어촌민박 신고처리 : 농어촌민박은 농어촌정비법에 의해 '농어촌지역주민이 직접 거주하는 연면적 230㎡미만의 단독 또는 다가구 주택' 이라고 명

시되어 있어, 실제 농어민이 거주하는 집에 민박을 하는 경우에 한해 신고필증을 교부하도록 되어 있는 것이 법의 취지임. 그러나 김○웅은 부인(김○숙, 천전리 33-6번지)명의의 춘천펜션, 본인(천전리 38-6)명의의 춘천여행, 춘천민박(천전리 38-33, 참사현장, 2011년 3월 7일 아버지로부터 증여 받음)을 운영하고 있었으며, 당시 학생들이 계약을 하러 갔을 때에도 춘천여행에 묵으라고 했다가 인원이 많아지자 춘천민박을 쓰도록 하고, 학생들의 증언에 따르면 두 민박집의 주인이었고, 실제 거주는 하지 않았다고 함. 김○웅의 부친 김○수씨는 천전리111-8호에 거주하고 있으며(김○웅의 어머니 최○자씨 명의), 김○웅과 부인 김○숙이 거주하는 곳은 별도로 있음. 김○웅 부부는 인근에서 부동산을 운영하고 있음.

실 거주자인 농어민(부동산 업자)이 아니었고, 증여절차를 통해 김○웅이 두 곳의 민박을 소유하고 있었음에도 확인절차 없이 농어촌민박으로 신고를 받아주어 사고에 대한 대비도 없이 여행객의 생명을 위협하는 행위를 방치하고 법적요건을 갖추고 숙박업을 하는 선의의 사업자들에게 피해를 주었음. 이에 행정책임자인 시장의 처벌이 요구됨.

- 유족과 합의한 조사위원회 해체

위 내용을 중심으로 대책위는 민사소송과 형사 고소고발을 제기하였다. 형사 고소고발장을 접수한 춘천경찰서는 난감하였다. 현직 춘천시장을 조사해야 했다. 그리고 이 사항이 형사건의 직무유기에 해당되는지, 조사를 어떻게 해야 하는지 걱정스러우니 시간만 끌었다. 민사건도 변호사를 구할 수가 없었다. 강원대교수로 유족 측 조사위원을 해주셨던 박태현 교수는 현직 국립대 교수라 변호사지만 소송을 맡을 수가 없었다. 그리고 춘천에서는 시장을 상대로 소송을 할 변호사를 찾기 어려웠다. 서울에서 찾아야 했다. 양려원 변호사를 선임하였다.

민사 1차 공판은 9월 13일 14시 45분 춘천지법 법정에서 열렸다. 대책위에서는 변호사와 김용주(유라 아버지), 이정자(유라 어머니),

민은순(유신이 어머니), 정경원(민하 어머니), 김문호(현빈이 아버지), 이승원이 참석하였다. 이광준 시장은 불참하였고 법정대리인인 변호사와 시 직원이 나왔다. 김신유 판사가 담당이었다. 판사가 물었다.

"보상은 다 끝난 것입니까?"

"춘천시로부터 보상받은 것은 없습니다. 커피 한 잔 얻어 마신 적 없습니다."

단호하게 김용주가 답변하였다. 판사가 다시 물었다.

"명예훼손은 사실인 내용을 출판물에 의해 한 명예훼손입니까? 거짓을 유포한 것입니까?" 이구동성으로 답변하였다. "거짓말을 유포한 것입니다."

판사는 심각하게 고민하며 이야기하였다.

"마음이 무겁습니다. 유족 분들이 500원 청구 소송을 제기한 것은 돈을 목적으로 한 것은 아닌 것 같습니다. 제가 화해조정을 해서 이광준 시장이 진정성 있게 사과한다면 받으실 용의가 있습니까?"

"저희는 돈이 아니라 정당한 판결을 요구하는 것입니다. 방법에 대해서는 모르겠습니다." 정경원(민하 어머니)이 답변하였고 뒤이어 민은순(유신이 어머니)이 발언하였다.

"이광준 시장의 우리에 대한 왜곡된 발언을 아는 모든 사람들이 알 수 있는 방법이어야 합니다."

"알겠습니다. 피고 측은 받을 수 있나요?" 판사가 춘천시 변호사를 보고 물었다.

"유족들이 형사건도 제기하고 있어서…." 자신 없는 목소리로 변호사가 답변하였다.

"그건 조건으로 달면 되겠죠."

이대로 끝나는 줄 알았다. 유족들은 재판을 마치고 돌아오며 아니 사과를 어떻게 받지? 보기도 싫은데 라며 서로 걱정하였다. 그러나 역시 이광준 시장이었다. 판사의 유감표명을 하라는 조정안에 수정을 요구하였다.

「피고는 춘천시 신북읍 천전리 산사태 수습 과정에서 비통에 빠진 원고들이 다소 격앙된 행동을 했다고 하더라도 사고 발생지 시장으로서 원고들의 심정을 이해하여 충분히 수용하고 위로하였어야 함에도 불구하고 법률적인 책임소재와 관련한 사무적인 태도로 일관하여 원고들의 가슴에 상처를 준 점에 대하여 진심어린 유감의 의사를 표시한다.」

이광준은 자신이 시장이기 때문에 불가피했다는 것을 이유로 달았다. 자신은 개인이 아니라 시장으로서 그런 행동을 할 수밖에 없었고, 개인적으로는 사과할 수 있으나 시장으로서는 어렵다는 표현이었다. 그러나 유족과 더 이상 시시비비를 가릴 마음은 없어 문안을 수정해 달라는 것이었다. 유족들은 분노하였다. 다음과 같은 의견서를 판사에게 제출하였다.

[원고의 입장]

희생자 부모들은 이광준 시장의 이러한 태도에 참지 못할 분노를 느낀 것입니다. 이광준 씨가 춘천시장이 아니라 개인 이광준이었다면 저희와 아무런 상관도 없으며, 그에게 사과를 받거나 보상을 받을 이유가 없습니다. 저희를 볼 때마다 막말을 하고 시의회나 방송에서 유가족들과 진상조사위원의 명예를 훼손하는 발언을 일삼고도 개인적으로는 안타까우나 시장이기 때문에 들어줄 수 없고, 심하게 이야기할 수밖에 없다는 주장이었습니다.

저희는 이광준 씨가 시장이기 때문에 그에게 문제를 제기하는 것입니다.
그리고 시장이기 때문에 책임의 주체라고 하는 것입니다. 그냥 평범한 국민의 한 사람이었다면 그의 발언과 행동에 소송으로 대응하지는 않았을 것입니다. 피고의 주장대로 우리도 개인적 이해관계는 없습니다. 춘천시장으로서 해야 할 의무를 다하지 않았고, 유족들에게 약속(진상조사, 추모비 등)한 것도 지키지 않았으며 심지어 명예훼손까지 했기에 이에 대한 책임을 지라는 것입니다.
피고는 저희와 지난 사정들에 대해 시시비비를 가릴 생각이 없다고 했는데, 저희는 분명히 가려야 한다고 생각합니다. 피고가 당당하다면 못 가릴 이유가 없지 않습니까?
피고가 변경해 달라는 화해권고결정 문안은 다음의 이유로 받을 수 없습니다.
첫째, 저희는 이광준 시장에게 격앙된 행동을 한 적이 없습니다. 이광준 시장에게 손끝하나 댄 적이 없습니다. "춘천 시민도 아닌 것들이", "돈만 아는 것들"이라는 막말을 이광준 시장과 그 수하 국 · 과장들에게 듣는 수모를 겪었습니다. 오히려 이광준 시장이 유가족의 멱살을 잡고, 유족들에게 진상조사를 못하겠다고 하며 "왜 내 돈으로 조사를 해?"라며 큰소리를 쳤습니다.(MBC PD수첩 방영) 춘천시의 재정이 시장 개인의 것입니까? 그렇게 개념이 없으니 시장으로서 해야 할 일들을 구분 못하는 것 아닙니까? 저희는 시장에게 격앙된 행동을 보인 적이 결코 없습니다.
둘째, 저희는 시장에게 이해와 위로를 요구한 적이 없습니다. 인간의 양심과 시장으로서의 책무를 요구한 것입니다. 아직도 사태의 본질을 명확하게 모르고 있는 것 같습니다.
셋째, 저희는 이광준 시장에게 법률에 근거한 책임소재와 행정가로서의 자세를 요구했습니다. 그런데 원고는 법률적인 책임소재와 관련한 사무적인 태도로 일관하여 이 문제를 해결하지 못했다고 하니 기가 막힐 따름입니다. 저희가 춘천시와 대화가 안 되자, 찾아간 곳이 국회의원들이었고 강원도지사 및 강원도 공무원들과 행정안전부의 공무원들이었습니다. 참 갑갑했는데 행안부에서 이 문제를 풀 책임주체는 춘천시와 강원도라고 했고, 강원도는 도의회와 협조하여 조례제정을 통해 이 문제를 해결했습니다. 원고의 주장대로라면 강원도와 행정안전부는 불법을 저지르고, 감성적으로 이 문제를 풀었다는 말입니까?
넷째, 저희는 원고가 정당한 공무를 집행한 것에 대하여 문제를 제기한 것이 아닙니다. 이미 소장과 탄원서를 통해 밝혔기에 더 이상 언급은 않겠으나 시장으로서는 해서는 안되는 행동과 거짓과 폭력적 발언으로 훼손된 저희의 명예를 회복시켜 달라는 것입니다. 진심어린 유감의 의사가 있다면, 이미 법원이 권고한 대로 조건 없이 사과하여야할 것입니다.

김신유 판사는 다시 화해조정안을 내놓았다. 12월 15일까지 아래의 문안을 담아 사과하라는 결정이었다.

> 「피고는 2011. 7. 27. 춘천시 신북읍 천전리에서 발생한 산사태로 사망한 인하대학교 학생들의 유가족인 원고들에 대하여, 피고가 사고 장소를 관할하는 지방자치단체장으로서 위 사고를 수습함에 있어 원고들의 마음을 충분히 위로하지 못하고 원고들이 과도한 보상금의 지급을 최우선적으로 요구하는 것처럼 해석될 수 있는 발언을 하며 원고들의 부정적인 모습을 부각시키는 내용이 기재된 간행물을 발간하는 등 원고들에게 마음의 상처를 준 점에 대하여 진심어린 유감의 의사표시를 한다.」

이광준이 사과를 한다고 사과받으러 가려는 유족들이 고민이었다. 그런 사람의 사과를 받자고 그 먼 춘천까지 가는 것도 열 받는 일이었다. 차라리 그냥 12월 15일이 지나고 판결문을 언론에 공개하여 알리는 것이 더 나은 것이 아닐까 하는 생각도 하였다. 사과한다고 갔다가 또 싸우게 되면 어쩌나? 하는 걱정도 있었다. 춘천시에서 담당자가 연락이 왔다. 정경원(민하 어머니)이 담당하였다. 만약의 사태를 대비하여 문안에 대한 협의가 있었다. 형식적이고도 사무적인 유감의 표시 글이었다. 어차피 화해조정 결정문이 있으니 기대할 것 없이 협의를 마쳤다. 12월 15일 춘천은 비가 많이 내렸다. 유족들의 마음도 내리는 비만큼이나 착잡했다. 시장실에는 기자들이 가득 찼다. 카메라 기자들도 오고 강원도 전역의 기사거리였던 모양이다. 모두 들어가서 앉으니 시장이 차를 권했다.

"궂은 날씨에 고생하셨습니다. 차 한 잔 하시지요?" 비서가 차를 내놨지만, 아무도 건드리지 않았다. 싸늘한 분위기가 멋쩍었는지 이

이광준사과

광준 시장이 사과문을 꺼내들었다. 유족들이 놀랐다. 사과라는 표현을 두 번이나 하며 고개를 세 번이나 숙였다. 이건학 회장이 말을 받아 이야기 하였다.

> "잘 들었습니다. 오해가 없었으면 하는 것은 우리가 소송을 제기한 것이 이광준 시장에게 개인적인 감정이 있어서 한 것이 아니라는 점입니다. 우리가 사는 사회에는 사고와 재해의 위험이 항상 존재하고 있습니다. 이를 예방하고 피해를 최소화해야 할 의무가 지역의 행정책임자에게 분명히 있기 때문입니다. 그리고 안타까운 참사가 벌어졌을 때 이를 수습하는 것은 대화와 타협입니다. 이 교훈을 남기기 위해 소송까지 한 것입니다. 다시는 이런 참사가 없기를 바랍니다. 이것으로 다 끝난 것은 아닙니다. 영원히 잊지는 못할 것입니다."

이건학 회장의 말을 끝으로 바로 일어섰다. 시장실을 나오는데 이광준이 쫓아 나오려고 했다. 춘천시 직원에게 시장은 안나오는 것이 좋겠다는 이야기를 하고 1층으로 내려오니 기자들이 인터뷰를 요청했다. 이건학 회장은 참았던 울분을 토해내며 격하게 이야기하였다.

"백서도 만들고 영화도 만들어서 이광준 시장의 행태를 알릴 계획입니다. 이광준 시장의 법적 책임은 마무리 되었을지 모르지만 사회적 책임까지 끝이라고 생각한다면 오산입니다. 끝까지 할 겁니다."

이광준 시장은 춘천시의회 의장과도 공식적인 의회에서 막말을 하며 언성을 높이며 싸워 언론에 화제가 되었던 사람이다. 또한 장애인들의 부모들에게 막말을 해서 공개적인 사과까지 했던 사람이다. 장애인 부모들이 시청을 찾아와 기자회견을 하고 시장에게 장애인 시설을 확충해 줄 것을 요구했는데 원주의 사례를 이야기했더니 그곳이 좋으면 그리로 이사 가라고 했단다. 어떻게 춘천시의 시장이 지역 주민에게 이사 가라는 말을 할 수 있는지 기가 막히는 일이다. 더구나 그 날 기자회견을 시청 내에서 했다는 이유로 형사고발까지 했다. 결국 언론의 질타를 맞고 춘천시청 로비에서 공개사과 했다.

2013년 해를 넘겨서는 춘천시의회 의장과 복싱경기를 하겠다고 난리를 쳐서 화제가 되더니 유족들에게 접근하였다. EBS의 화해라는 프로그램에 춘천봉사활동 인하대 희생자 유족들과 화해프로그램을 하고 싶다고 한 것이다. 시청 직원이 유족 중 한 명에게 전화를 해서 본인을 확인하고 끊었는데 그 다음에 EBS 작가로부터 전화가 왔다. 너무 황당해서 거부 의사를 밝힌 후 기념사업회 회장의 연락처를 가르쳐 준 후 회장에게 이 사실을 알렸다. 이건학 회장은 유족들의 의사를 물을 필요도 없었다. 이광준 시장과 화해할 마음이 전혀 없었기 때문이다. 기념사업회에서 EBS 작가에게 연락을 해서 공식적인 입장을 전했다. 유족 개개인에게 접촉하여 프로그램을 추진한다면 EBS측에도 문제를 제기할 수밖에 없음을 경고하였고, EBS

측에서는 그런 염려는 하지 않으셔도 된다고 하였다. 그 이후 이광준 시장은 유족이 아닌 춘천시 의회 의장과의 화해를 추진한 것으로 확인되었는데 실제 방송이 되지는 않았다. 공명심인지 정치적인 입지 때문에 그러는지 이광준 시장의 행보는 이해하기 어렵다. 아니면 저질러 놓고 사과하는데 재미가 붙은 것인지 무슨 이유인지 모르겠다. 참사가 난 지 2년이 다 되어가지만 이광준 시장에 대한 감정은 평생 지워지지 않을 상처로 유족들 마음에 남겨져 있다. 아직도 이광준 시장이 다시 공직에 출마한다면 생업을 포기하고 낙선 운동을 하러 다니겠다고 이야기한다.

3. 공적비 제막과 강원도의 재난조례 제정

참사 이후 가장 진통을 겪은 것은 추모비였다. 이광준 시장이 자신이 하겠다고 공언하는 바람에 시간만 보내고 아무도 책임지지 않는 사안이었다. 유족들 중 상당수는 추모비를 꼭 원하는 입장이 아니었는데 이광준 시장이 약속을 모두 파기하니 이것만은 하게 해야 한다는 입장이었다. 그러나 1년이 넘도록 시의회와 추경예산 상정과 삭감을 반복하면서 의회에 책임을 전가하고 장소는 상천초등학교를 본인이 추천해 놓고 학교의 증축공사 때문에 안 된다고 주장하였다.

앞서 언급한대로 상천초등학교의 증축은 거짓이었다. 상천초등학교 운영위원이자 춘천시 직원인 동창회장과 지역주민 대표가 반대 입장을 갖고 있어 계속 부결된 것이었다. 시의회도 시장과 교감이 있었는지 모르지만 두 번이나 추모비에 대한 추가경정예산을 삭감하였다. 물론 1억 원을 근거도 없이 추가경정 예산을 올리는데 삭감하지 않을 의회가 어디 있겠는가마는 같은 정당 소속의 시장이 내놓은 추경예산을 같은 당의 의원이 삭감했으니 의혹이 생겼다. 상천초등학교의 문제는 실질적인 내용을 알고 나니 바로 해결이 되었다. 강원도가 나서기로 하였다. 이미 만약을 대비한 3,000만 원 예산이 있었고, 유족의 동의가 있어 강원도가 추진하기로 하였다. 더 이상 이광준 시장의 거짓말에 놀아날 이유가 없었다. 1주기 추모식이 끝난 후 자치행정과 이동춘 계장은 인사발령이 나서 다른 곳으로 가고 김정남 계장이 새로 왔다. 김정남 계장은 오자마자 상천초등학교를 직접 방문하여 적극적인 협의를 진행하였다. 대책위도 가서 교장선생님을 만나보니 전임 교장과는 달리 적극적인 의지를 갖고 계신 분이었다. 또한 추모비의 건립이 상천초등학교에도 도움이 되는 것이어야 한다는 생각으로 기념사업회는 강원도와 상천초등학교에 제안을 한다. 추모비 대신 공적비를 세우고 아이들이 친근하게 접할 수 있도록 설계하겠다는 것이었다. 기념사업회는 상천초등학교가 협조하면 초등학생들에 대한 장학사업을 할 용의가 있음을 밝혔다. 상천초등학교 운영위원회가 다시 열렸다. 역시 반대하는 사람들의 목소리가 컸다. 교무부장 선생님이 표결을 제안하였다. 교장 선생님이 표결을 하겠다고 하고 확인하니 반대는 극히 소수였다. 목소리만 높였지 실제 반대하는 사람은 아주 소수였던 것이다.

강원도의 김정남 계장은 이왕이면 기념사업회와 아이디어뱅크, 상천초등학교 3자간의 업무 협약을 맺는 것이 어떠냐는 제안을 하였다. 서로의 책임을 명시하여 협약을 체결하면 사람들이 바뀌어도 조

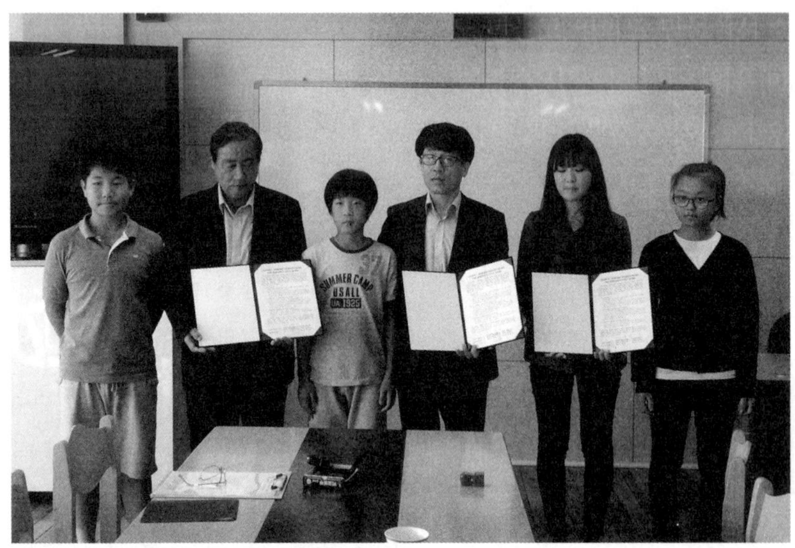

업무협약식(기념사업회/아이디어뱅크/상천초)

직이 계속적인 책임을 지게 되니 걱정할 것이 못되는 것 아니냐는 것이었다. 사실 상천초등학교에 공적비를 건립하며 가장 우려스러운 것은 임기제인 학교장의 잦은 교체와 선생님들의 이동, 학생들의 성장에 따라 졸업하면 이 참사를 기억하는 아이들이 없을 것이라는 점이었다. 조직적인 책임을 명시하면 상천초등학교가 존재하는 한 공적비는 길이 남게 될 것이었다. 아이디어뱅크는 상천초등학교에서 발명캠프가 지속적으로 개최되도록 책임지고, 기념사업회는 공적비의 최종 책임을 지고 장학사업을 담당하며 상천초등학교는 공적비 부지를 제공하고 관리 책임을 지는 것으로 협약을 체결하였다.

상천초등학교 · 춘천봉사활동 인하대희생자기념사업회 · 인하대 발명동아리(IDEA BANK)간 업무협약

상천초등학교와 춘천봉사활동 인하대희생자기념사업회, 인하대 발명동아리(IDEA BANK)는 2011년 춘천 상천초등학교에서 봉사활동 중 불의의 참사로 희생된 대학생들의 공적을 기리기 위해 강원도가 건립하는 공적비를 통하여 자원봉사에 대한 교육의 장을 마련하고, 향후 발명캠프와 장학사업 등을 통하여 젊은 대학생들이 가졌던 자원봉사의 숭고한 뜻을 발전·계승하고자 다음과 같이 상호간 협약한다.

□ 상천초등학교는

- 춘천봉사활동 인하대희생자 공적비 건립을 위한 부지제공 및 건립된 공적비의 유지·관리에 협조한다.
- 향후 발명캠프의 지속적 개최 및 장학사업 등이 원만히 진행될 수 있도록 춘천봉사활동 인하대희생자기념사업회 및 IDEA BANK와 상호 협조체계(봉사활동 기간 중 교내 체육관 개방 등)를 구축한다.

□ 춘천봉사활동 인하대희생자기념사업회는

- 건립된 공적비의 유지·관리에 대해 최종 책임을 진다.
- 상천초등학교, IDEA BANK와 상호 협조체계를 구축하여 향후 발명캠프가 춘천 상천초등학교에서 지속적으로 개최될 수 있도록 노력하며, 발명캠프에 참여하는 학생 중 선발하여 장학금 및 후원을 추진할 수 있도록 힘쓴다.

□ 인하대학교 발명동아리(IDEA BANK)는

- 상천초등학교, 춘천봉사활동 인하대희생자기념사업회와 상호 협조체계를 구축하여 향후 발명캠프가 춘천 상천초등학교에서 지속적으로 개최될 수 있도록 노력한다.

본 협약은 체결된 날로부터 효력을 발생하며, 별도 의사표시가 있을 때까지 계속 유효한 것으로 본다. 본 협약이 유효하게 성립되었음을 증명하기 위하여 협약서 3부를 작성하여 각 기관의 대표자가 서명 날인한 후 각 1부씩 보관한다.

2012년 10월 11일

상천초등학교	춘천봉사활동 인하대 희생자기념사업회	인하대 발명동아리 (IDEA BANK)
교장 황 희 연	대표 이 건 학	대표 장 연 하

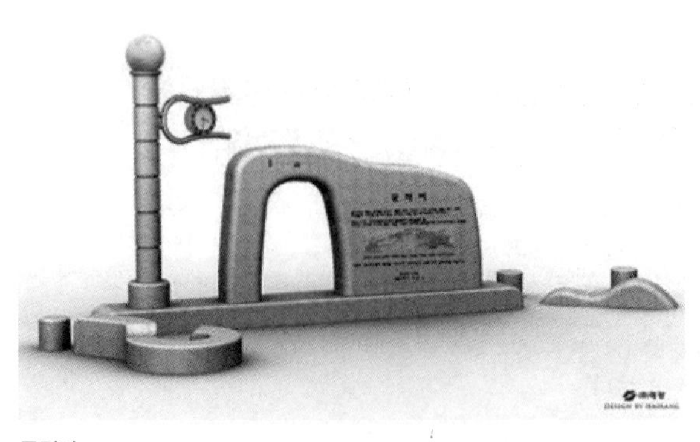
공적비

그리고 인하대에 추모비를 건립한 (주)해강과 협의하여 공적비를 다자인한다. 공적비는 초등학교에 세워지는 것인 만큼 어린 학생들에게 친근한 것이어야 했다. 기념사업회의 회장 이하 운영진들이 많은 고민을 했다. 희생 학생들을 추모하면서 초등학생들에게 창의정신을 심어주고 뛰어놀 수 있는 공간을 어떻게 만들 수 있나? 기존의 추모비와 공적비에서는 찾을 수가 없었다. 일단 실용성과 상징성을 갖추기 위해 시계탑을 세워 누구든지 필요에 의해 보도록 하였고, 발명을 상징하기 위해 바닥에 물음표(?)를 형상화하여 의자를 만들어 배치하였다. 또한 공적비 옆에 문을 내서 아이들이 놀 수 있도록 하였다. 희생 학생들이 둘러 앉아 회의하는 모습을 부조화하고 문안을 새겨 넣었다. 앞의 문안은 실무책임자였던 이동춘 계장이 직접 썼으며, 이동춘 계장은 공적비 제막식 날 강원일보에 아이들의 뜻을 기리는 글을 기고하였다.

「떨어지는 꽃은 열매를 남기고 열매 속의 씨앗은 다시 피어날 꽃을 품고 있듯 희생자들의 고귀한 봉사의 뜻은 전국의 고을고을 메아리되어 퍼지네…」

2011.7.27. 상천초등학교에서 발명캠프 봉사활동 중
마적산 산사태 참사로 짧은 생을 마감한 인하대 발명동아리 아이디어뱅크 학생들
김유라 김유신 김재현 성명준 신슬기 이경철 이민성 이정희 최민하 최용규
이들의 봉사와 창의 정신을 기리고자 강원도민의 뜻을 모아 공적비를 세웁니다.
2012년 12월 강원도지사 최문순」

공적비는 2012년 12월 21일 완공되었다. 그런데 춘천은 너무 추웠다. 눈도 많이 내려 학교운동장에서 제막식을 할 수 없었다. 제막

공적비제막식

식은 무기 연기되었고, 2013년 4월 11일 목요일 15시에 개최되었다. 아침부터 빗방울이 뿌렸지만 행사에 큰 지장은 없었다. 최문순 도지사가 직접 참여하였고, 조례를 발의한 김용주 의원, 참사 당시 고생하셨던 지금은 은퇴하신 조완구 춘천소방서장, 최원용 대한적십자사 강원도지부 사무처장, 정현래 강원도자원봉사센터 소장, 박종구 상천초등학교 교감, 변금옥 춘천교육청 학교운영과장이 참석하였다. 인하대 학생지원처장과 학교 관계자들, 총학생회장, 전국발명동아리연합회 회장, 발명진흥회 관계자, 상천초등학교 교사와 학생들도 함께하였다. 내빈들과 참석자들이 모두 나가서 제막을 하였다. 상징 의식으로 상천초등학교 학생들이 자신들을 가르치다가 희생된 대학생 언니들에게 보내는 글을 담은 풍선을 하늘로 날렸다.

공적비 제막식에는 뜻 깊은 일이 있었다. 유족 개개인에게 최문순 도지사가 감사의 글과 강원도 재난 조례를 담은 감사장을 증정하였다. 마적산 참사 이후 강원도 삼척에서 가스폭발 사고가 있었다. 도지사는 아예 원인을 알 수 없는 재난에 대비하는 조례를 제정하라고 하였고, 인하대 학생들 조례를 참조하여 조례를 만들었고 그 조례의 발효일이 공적비를 제막하던 4월 11일이었다. 아이들의 희생으로 조례안이 만들어졌다고 감사장을 전달한 것이다.

피어보지도 못하고 황망하게 쓰러져간 10명의 희생으로 이제 강원도에서는 재난에 대해 피해를 보는 사람들에게 적절한 조치를 할 수 있는 근거 법이 제정되었다. 아이들의 희생이 헛되지 않기 위해서는 이러한 법률적인 근거가 전국으로 확산되어야 할 것이다. 더 나아가 다시는 이런 참사가 없도록 예방하는 사회가 되어야 할 것이다. 10명의 희생이 씨앗이 되어 이 사회를 안전하고 재해로부터 인

전국최초 「강원도 지역재난 지원 조례」 제정

- 故 [illegible] 학생의 희생 영원히 잊지 않겠습니다 -

혹독한 추위를 견디어낸 나무만이 아름다운 꽃을 피울 수 있습니다.

2011년 7월 27일 너무나 비극적인 마적산 산사태 참사 이후, 강원도는 유가족들의 아픔을 조금이나마 위로하고자 「춘천시 산사태 희생자 위로금 지급 등에 관한 특별조례」를 제정하였습니다.

하지만, 특별조례가 제정되기까지는 너무도 많은 시간이 걸렸고, 큰 어려움이 따랐습니다. 특히 유가족 여러분들의 정성과 노력이 없었다면 절대 불가능했음을 잘 알고 있습니다.

그래서 다시는 이러한 일들이 되풀이 되지 말아야 한다는 강원도민들의 염원을 담아 전국 최초로 「강원도 지역재난 지원에 관한 조례」를 제정하였습니다.

이는, 도내에서 발생하는 각종 재난시 현행 법령과 제도 밖의 사각지대는 물론, 재난발생의 원인이 불명확하거나 책임주체의 배상능력이 부족한 경우에도 신속하게 피해자들을 위로하고 지원하기 위한 것입니다.

그동안 유가족 등 기념사업회가 기울인 정성과 노력, 그리고 학생들의 희생이 결코 헛되지 않았음을 보여주는 결과입니다.

다시 한번 온 강원도민과 더불어 유가족 여러분들에게 심심한 위로의 말씀을 전하며, 삼가 고인들의 편안한 안식을 기원합니다.

2013년 4월 11일

강원도지사 최 문 순

간의 생명을 보호할 수 있는 곳이 되도록 만들고, 마음 놓고 자원봉사 할 수 있는 토대를 만드는 것이 봉사활동 중 무책임한 난개발로 희생된 아이들을 편히 쉬게 해 주는 것이다. 바로 살아있는 사람들의 몫이다.

대처법 12

확실한 마무리가 필요하다. 이광준 시장에게 500원 소송까지 해야 했냐고 하는 사람들도 있다. 해야 했다. 우리가 이광준 시장에게 문제 제기한 것은 보상을 안 해 준다고 한 것이 아니다. 그런 사람이 행정책임자인 시장을 해서는 안 된다는 생각이었다. 그는 시종일관 춘천시의 돈으로 왜 조사를 하고 보상을 하느냐는 입장이었다. 춘천에 와서 봉사활동을 하던 학생들이 민박집에서 자다가 죽었다면 당연히 춘천시에서 무슨 문제가 있었는지 조사하고 유족들에게 사과하고 뒷수습과 장례도 치러줘야 할 것이다. 이미 밝혀진 사안으로도 적정한 보상이 이루어져야 했는데 이광준은 초기에 나타나지도 않았고 강원대병원에서의 병원비 등을 하나도 부담하지 않았다. 유족과 인하대가 부담하였다. 입버릇처럼 비가 많이 와서 자신은 책임이 없다고 하였다. 행정책임자로서 할 일이 없다고 하였다. 그럼 그 자리에 있으면 안 된다. 산사태가 있을 수도 있고, 폭우가 쏟아질 수도 있다. 그렇다고 사람이 꼭 죽는 것은 아니다. 자연재해로부터 안전하게 개발하고 피해를 최소화 하려고 노력하는 것이 바로 사람이 할 일이다. 지방자치단체, 국가가 적절한 조치를 취해 사람들을 보호해야 하는 것이다. 대책위(기념사업회)의 이광준 시장에 대한 응징은 소송이 끝이 아니다. 이광준 시장이 자연인으로 돌아가는 날까지 응징은 계속될 것이다.

네 꿈을 기억할게

제 2 부

네 꿈을 기억할게

김유라 · 김유신 · 김재현
신슬기 · 이경철 · 이민성
이정희 · 최민하 · 최용규

: 무지개빛 매력을 지닌 김유라

- 1992년 3월 3일 인천시 부평구 효성동에서 출생
- 1999년 3월 갈산초등학교 입학
- 2005년 3월 상동중학교 입학
- 2008년 3월 상동고등학교 입학
- 2011년 2월 상동고등학교 졸업
- 2011년 3월 인하대학교 생활과학부 입학
- 2011년 7월 27일 인하대 발명동아리 아이디어뱅크 봉사활동 중 춘천에서 사망

유라는 1992년 3월 3일 인천시 부평구 효성동 삼보아파트에서 아버지 김용주와 어머니 이정자 사이에서 둘째로 태어났다. 부모님 모두 의류업 일을 하셨기 때문에 이모네 가족과 함께 8명의 대가족이 살았다. 일곱 살 터울의 오빠와 일곱 달 반 차이의 이종사촌 언니 그리고 두 살 터울의 이종사촌 남동생과 함께 자랐다.

많은 형제 덕분에 자연스럽게 사회성을 키워 나갈 수 있었고 배려와 양보를 배웠고 특히 나이 차이가 나지 않는 언니와는 영어, 음악, 미술 등 다양한 분야를 배우고 경쟁하며 친구처럼 지냈다. 또 한편으로는 다른 사람보다 보살핌이 필요한 발달장애를 가진 사촌 남동생에게 유라는 유독 애정을 가졌다. 동생의 마음을 잘 알아주고, 이해력 낮은 동생에게 차근차근 게임을 가르쳐주며 놀아주고 동화책도 읽어 주곤 했다. 이런 유라의 모습을 본 이모는 유라가 특수교육을 하면 잘할 것 같다고 권유해 보기도 했다. 이렇게 형제 · 자매와 함께 지낸 유년 시절 덕분에 초등학교에 입학해서도 원만한 교우관계로 친구들과 잘 어울려 지냈다.

유라는 어려서부터 숫자에 관심이 많아 또래에 비해 산수를 잘했다. 유라의 이러한 흥미는 수학자가 되고 싶다는 꿈으로 이어졌고 가족들 역시도 유라의 꿈을 지지하고 응원해 주었다. 유라의 수학에 대한 관심과 열정이 꾸준히 이어져 중학교 때에는 과학 영재반 활동을 하며 적극적으로 자신의 목표를 이루어 나갔다. 특히 이 활동을 통해 다양한 실험과 탐구를 할 수 있게 되어 유라는 학교생활에 굉장히 만족해했다. 고등학교를 진학할 무렵 유라는 요식업을 하시는 부모님께 부탁을 했다. 고등학교 3년 동안 뒷바라지를 아낌없이 해달라고 했다. 때마침 아버지 건강이 안 좋아져 요식업을 접으시고 온 가족이 유라 중심으로 생활하며 집중했다. 다행히 고등학교에서 만난 담임선생님이 훌륭한 멘토가 되어 주셨다. 좋은 말씀도 해 주시고 고민도 들어주시고 진로 상담도 해주셨다.

유라는 고등학교에 가서도 수학에 대한 열정이 강해 문과를 권하는 가족에게 자신의 소신을 이야기하고 이과를 선택했다. 가족들의 지지와 응원 속에 열심히 학업에 전념하였다. 입시를 준비하면서 유라는 줄곧 하고 싶었던 수학을 전공하고 싶어 했지만 점수가 조금 모자라서 인하대 생활과학부를 지원한다. 생활과학부는 소비자아동학과, 식품영양학과, 의류디자인학과 총 3개 학과로 이루어져 있었다. 원하는 수학은 아니지만 평소 요리하는 것을 좋아하고 음식도 예쁘게 담아내고 아이들 가르치는 것을 좋아했기 때문에 충분히 적성에 맞을 거라고 생각했다. 그러나 이전부터 워낙 자신의 꿈이 확고했기 때문에 입학한 후로 유라는 계속해서 전과와 진로 고민을 했다.

이러한 고민을 그만두게 한 것이 아이디어뱅크였다. 자신의 관심 분야랑 너무나도 잘 맞았는지 집에 돌아와 가족들에게 동아리에 대한 이야기를 자주 했다. 때문에 동아리 활동에도 아주 적극적이었고 자발적으로 참여했다.

동아리를 통해 학교생활에 다시금 흥미를 붙이면서 유라는 많은 친구들을 만나며 즐거워했고 친구들 역시 유라를 좋아했다. 인하대 생활과학부 새내기 배움터에서 유라는 인기가 좋았다. 특히 동급생들은 유라의 피부를 부러워했고, 유라는 부모가 모르는 술 실력을 보여주었다. 친구들이 써 준 글 등이다.

"흰둥이 유라! 좋은 피부만큼 완전 순수녀. 술도 잘 마시고 배울 점이 많은 듯. 계속 계속 연락할거징? 새터 기간 동안 즐거웠어." [미라]

"유라~ LaLaLa~ 내 친구를 꼭 닮아서 ㅋㅋ 피부가 좋은 게 부럽구나. 모델도 잘 봤고 개강하고 또 보자꾸나~." [병은]

"피부 진짜 부럽다. 진심, 진짜, 레알. 앞으로 많이 친해집시당!" [동진]

"늘씬하고 수줍어하면서 술 잘~ 받아먹는 유라·.~ 예쁘다! 남친과

오래오래." [보영]

"패션쇼때 완전 이뻤음! 2박3일 동안 재밌었어. 입학하면 더 많이 친해지자." [종하]

대학 입학 전 새내기 배움터에서 유라는 피부와 미모, 술로 좌중을 사로잡았다. 그러나 대학생활은 유라에게 새로운 세상을 접하게 하였다. 부모가 돈 걱정하지 않게, 유복하게 키웠기에 부족함이 없었던 유라에게 전국에서 모인 대학생들의 생활은 놀라움이었다. 어머니에게 이렇게 이야기하곤 했다.

"엄마, 힘든 애들이 너무 많아. 엄마 고맙게 생각해. 고등학교 때는 애들이 다 잘사는 줄 알았는데, 대학 가보니까 정말 어려운 애들도 많고, 지방에서 온 애들도 있고 그렇더라. 엄마 아빠가 이혼한 집도 있고, 난 엄청 행복한 거더라고. 학교 가서 몰랐던 거 많이 알았어."

아이디어뱅크의 발명캠프는 유라에게 좋아하는 수학과 과학을 실습할 수 있고 아이들을 가르칠 수 있는 절호의 기회였을 것이다. 초등학생들에게 자신이 어떻게 비쳐질까 고민하며 미래를 꿈꾸었을 유라는 마적산 참사로 꿈을 실현하지 못하고 생을 접어야 했다. 유라를 생각하며 친구들이 남긴 글이다.

"유라야, 안녕(어색) ㅋㅋㅋ 농담이고. 너는 내 이름 항상 헷갈려 했지만 난 네가 너무 엉뚱하고 늘 미소 짓고 다녀서 이름을 기억했지. 그리고 정희 형한테 봄소녀라 부른 애라서 더더욱 기억에 남아. 동아리방에 무지개 조끼 입고 왔을 때 저런 옷이 있구나 했는데 네가 만들었다는 말 듣고 웃겼어. 4차원을 뛰어넘는 유라야, 거기서도 잘 지내

고 항상 웃으면서 지내, 행복해~!" [승훈]

"매력 터지는 유라야. 너의 웃음은 정말 신세계를 보는 듯 했어. 나보다 더 큰 키! 너는 진짜 내가 지금까지 봐왔던 여자들의 개념을 깨버렸어. 나한테 남자친구 자랑도 하고 진짜 내가 동아리에서 처음으로 장난 걸은 여자였어, 넌. 진짜 이제 딱 정말 친해지려고 했었는데! 아냐 친했어 !! 너도 그렇지? 또 그 웃음 보여줘~." [현빈]

"유라야! 유라야!! 4차원을 넘어서 20차원 유라야 귀요미 유라야 봄처녀 유라야 ㅋㅋㅋ. 너랑 주영이랑 성진이랑 정주형이랑 정희형 이렇게 모여서 조모임 하면 너무 재밌었는데, 생각해보면 다 네 덕분이었다. 아! 너 춤추는 영상 많은 사람이 보게 됐어. ㅋㅋㅋ너의 웃는 모습 다시 보고 싶다. 매력쟁이 유라야~." [동찬]

"유라야 잘 지내지? 나 주영이야~ 네가 나 얼마나 좋아했는지 기억하지? 우리 다음 학기 시간표도 같이 짜고 해외여행도 같이 가자고 엄청 좋아했었는데, 너랑 나랑 오티 패션쇼에서 멀뚱히 서 있다가 서로 눈 마주치고 웃음 터진 거 기억난다. 자주 만나지 못한 게 너무 아쉽다. 유라야~! 거기에서도 만날 웃어야 해~ 미안하고 사랑해, 친구야." [주영]

"발명캠프 때 같이 얘기 많이 하면서 조금은 친해졌다고 생각했었어. 너 엉뚱한 말투 생각난다. 엄청 귀여웠는데. 남자친구 사진 보여주면서 웃던 것도 생각나~ 발명캠프 끝나고 개강하면 더 친하게 지내야지 생각했었는데…." [미리]

"우리 같은 학부이면서도 엄청 어색했지. 만날 수업 들으러 다니면서도 얼굴은 엄청 많이 보는데 친해질 기회가 없었어, 흑흑. 처음에 네가 동아리 들어왔을 때 오!생활대! 이러면서 친해져야지 생각 많이 했었는데, 인사도 잘 못하고. 허허, 그래도 발캠 가기 전에 얘기도 많이 하고 많이 친해져서 기분 좋았는데. 일찍부터 먼저 다가가서 친해질 걸 그랬나봐. 사실 정말 친해지고 싶었어, 유라야~ 보고 싶어. 내 동기, 유라야!" [연하]

: 우리의 엄친아(엄마친구 아들) 김유신

- 1992년 9월 8일 인천 출생
- 1999년 3월 인수초등학교 입학
- 2005년 3월 만수북중학교 입학
- 2008년 3월 인제고등학교 입학
- 2011년 2월 인제고등학교 졸업
- 2011년 3월 인하대학교 공과대학 신소재공학과 입학
- 2011년 7월 27일 인하대 발명동아리 아이디어뱅크 봉사활동 중 춘천에서 사망

유신이는 1992년 9월 8일 인천에서 4남매 중 2남이었던 김현철과 3남매 중 2녀였던 민은순의 둘째로 태어났다. 유신이에게는 5살 터울의 누나가 있었다. 부모 모두 아이들이 원하는 것을 하도록 배려하였고 애정으로 아이들을 양육하였다.

유신이는 태어날 때부터 온순한 성격이었다. 웃음도 많았고 호기심이 많아 엉뚱한 질문을 많이 했고 가족들이나 주변 사람들에게 수수께끼를 잘 냈다. 그런데 그 수수께끼는 책에서 보고 내는 것이 아니라 스스로 창작하는 것이었다. 어머니에게

"엄마, 사람은 어떻게 해서 처음에 생긴 것 같아?" 하고 묻기도 하였다.

중학교에 진학해서는 아주 흥미롭게 클래식 기타를 배웠다. 중학생 때 시작한 기타는 대학에 진학해서도 좋은 취미였다. 운동도 잘하고 악기도 잘 다루고 모나지 않은 성격에 친구들과 잘 어울리던 유신이는 학교에서도 인기가 좋았다. 항상 웃는 얼굴은 사람들에게 친밀감을 주어 반장, 부반장에 선출되기도 하였다.

고교 진학 후에는 '또래 상담원'으로 활동하였다. 인제고등학교에만 있었던 제도로 학급에서 한 명씩을 선정하여 친구의 고민을 상담해 주는 제도였다. 같은 반 친구의 고민을 들어주고 상담해 주는 역할이었는데 졸업할 때

까지 계속 했다.

대표적인 엄친아인 유신이에게도 사춘기는 있었다. 어린 시절부터 아버지와 목욕탕을 잘 다녔는데 고등학생이 되자 아버지와 목욕을 같이 안 다녔다. 아버지가 때를 너무 빡빡 밀어 아프다는 것이 핑계였지만, 사실은 다 커서 아버지에게도 벗은 몸을 보이고 싶지 않았던 것이었다.

평소 과학에 관심이 많았던 유신이는 대학의 과를 각 분야에 필요한 신소재 개발 쪽으로 선택했다. 동아리 활동은 신중하게 생각하고 선택했지만 적성에도 맞고 고교 선생님의 권유를 받아들여 아이디어뱅크에 가입한다. 동아리 활동에 유신이는 적극적이었다. 밝은 성격과 친화력으로 친구들과 잘 어울렸고 뭐든지 하고 싶어 했다. 사회 경험을 위해 스스로 아르바이트도 하였다. 어머니는 이런 아들에게 고마워 한다.

"우리한테 자식으로 태어나서 유신이 때문에 웃으면서 살고, 짧게 있다 갔지만. 지나는 말처럼 내 친구들이 그놈 담배도 피고 놀러도 다니고 제 엄마 속 좀 썩이지… 속 썩인 자식도 마찬가지지 뭐, 군대 보낼 걱정만 하고 있었어요."

너무나도 착하고 부모 속을 썩인 적 없는 아들이었기에 주변 사람들을 더욱 안타깝게 하였다.

유신이를 아이디어뱅크 친구들은 잘생기고 공부도 잘하는 멋진 매너남으로 기억하고 있다.

"보고 싶다, 유신아. 항상 나 술 마실 때면 옆에서 잘 챙겨줬는데 아직도 많이 기억나. 잘 생긴 유신이 얼굴도 많이 기억나고 ㅋㅋ. 네가 우리 곁에 있었으면 지금은 어떤 모습이었을까? 나라의 부름을 받고 아마 입대를 했을 수도 있겠다. 그러다 간혹 휴가 나오면 술 한잔하고. 편지를 쓰면 쓸수록 네가 너무 보고 싶다, 유신아!" [성우]

"자칭 이준! 유신아 안녕 ㅋㅋㅋ 얼굴은 이준 좀 닮았지만 키가… 하하하, 농담이고. 잘생긴 유신아 잘 지내고 있지? 네 이름은 다시 생각해봐도 멋있는 거 같다. 김유신(뜬금) ㅋㅋㅋ. 나랑 친해지고 싶다며 와플 사줘서 고마웠어, 후훗. 같이 영화도 봤었지. 얼굴은 항상 진지한척 했지만 말은 엉뚱해서 웃겼어. 네가 좋아한 :D 처럼 항상 웃으면서 잘 지내고 있으렴. 안녕~." [승훈]

"유신아, 착한 유신아, 이준 닮은 유신아, 하지만 키는 나랑 같은 유신아. 명준이가 너한테도 깝죽대고 있겠지? 걱정 마, 경철이형이 때려줄 거니까. 유신아 너랑 많이 친해지지 못한 게 아쉬워. 그래도 술 취했을 때 너의 모습을 난 기억하고 있어, 참 무서웠어. 덩치 큰 고릴라한테도 쿨하게 대하

던 너는 참 멋진 사나이였어." [현빈]

"유신아 믿지 않겠지만 나 처음 들어왔을 때 너 닮았다는 말 들었었어. 너무 기분나빠하지는 마 ㅋㅋㅋ. 널 생각하면 훈훈이란 단어가 생각난다. 행동도 훈훈~ 얼굴도 훈훈~ 성격도 훈훈~ 너 싫다고 하는 사람 진짜 한 명도 못 봤어. 잘생긴 유신아, 23기 현재 얼굴은 현빈이다. 억울하지? ㅋㅋㅋ 너랑 많은 추억 쌓지 못해서 너무 아쉽다. 유신아 사랑해~ 서로 잊지 말자!" [동찬]

"나 주영이야. 나 기억하지? 설마 내가 일학년 때 동아리 활동 열심히 안했다고 나 모른 체 하는 거 아니지? 나는 동기들끼리 학기 초 행사하면서 많이 친해져야 할 때 혼자 공부한다면서 많이 참여 안한 게 너무 후회된다. 너랑도 속으로는 많이 친해지고 싶었는데! 내가 여고를 나와서 친한 남자 친구가 없어서 그랬나봐." [주영]

"유신아, 안녕. 너랑 같이 수업 듣고 했던 게 엊그제 같은데 벌써 내가 삼학년이넹 ㅎㅎ. 너도 징그럽징. 항상 잘 챙겨주던 네가 학교생활 할수록 제일 많이 생각나. 항상 학교에 네가 있다고 생각할게! 많이 미안하고… 보고 싶다, 유신아." [혜준]

"유신아, 지난번에 내가 쓴 편지는 받았어? 많이 보고 싶다. 너 생각하면 왠지 미안한 마음이 생겨. 그 때 내가 너 고민 잘 못 들어줬던 것 같아서 그것도 미안해. 학교 수업 들을 때마다 여기 네가 있었으면 어땠을까 생각해. 너 공부 잘하니까 같이 다니면서 재밌게 공부할 수 있었을 텐데. 아직도 실감이 안 나서 네가 군대 간 게 아닐까, 그래서 휴학한 게 아닐까 그런 생각도 가끔 해. 잘 지내! 앞으로도 많이 보고 싶을 것 같아." [미리]

"유신아, 안녕! 너랑은 참 사진 많이 찍었던 것 같아. 커플룩이라고 찍고~ 이유 없이 동방에서 찍고~ ㅎㅎ. 네이트온 들어가면 항상 있어서 쪽지도 많이 하고 그랬는데. 너랑 승훈이랑 셋이 영등포에서 영화 보고 보쌈 먹었던 거 아직도 기억나. 혼자 쏙 집에 가버리고 흥! ㅋㅋ 승훈이랑 요즘도 종종 그 보쌈집 가곤 해. 갈 때마다 너랑 가서 먹었던 게 엄청 생각난다! 정말 착하고 매너 넘쳤던 내 동기 유신아, 정말 보고 싶다!" [연하]

: 우리 아들 김재현은 출타 중

- 1986년 11월 21일 경북 경주시에서 출생
- 1993년 3월 신라초등학교 입학
- 1996년 3월 흥무초등학교 4학년 전학, 1999년 2월 동교 졸업
- 1999년 3월 경주중학교 입학
- 2002년 3월 경주 계림고등학교 입학
- 2005년 2월 경주 계림고등학교 졸업
- 2005년 3월 인하대학교 공과대학 기계공학부 입학
- 2006년 3월 휴학 군입대(해양경찰) 복무(2006. 4월 ~ 2008. 6월)
- 2009년 3월 2학년 1학기 복학
- 2011년 7월 27일 인하대 발명동아리 아이디어뱅크 봉사활동 중 춘천에서 사망

재현이는 1986년 11월 21일 경주에서 아버지 김성규와 어머니 정철옥의 첫째로 태어났다. 부모는 부부교사였다. 아버지는 고등학교 수학교사였으며 어머니는 초등학교 교사였다. 할아버지도 초등학교 교장선생님으로 정년퇴직하신 교육자 집안이었다. 재현이가 태어날 때 집에는 할아버지, 할머니, 삼촌, 고모, 아버지, 어머니가 다 함께 살던 대가족이었다. 어른만 여섯인 집에 아이가 태어났으니 큰 경사였다. 종손인 재현이에 대한 할아버지의 사랑은 동네에서도 유명했다.

재현이는 인큐베이터를 겨우 면할 정도로 약하게 태어나 잔병치레는 많았지만 가족들의 사랑 속에서 명랑하고 영리하게 커갔다. 대가족에서 자라 사람을 좋아하고 아이 답지 않은 언어를 구사해 주변을 놀라게 하며, 때로는 웃음바다를 만들기도 했다. 유치원 무렵부터는 퍼즐 맞추기와 조립에 관심이 많았고 높은 수준의 조립도 척척 해내서 칭찬을 받은 적도 많았다.

초등학교 3학년 때 불국사 주최 '부처님 오신 날' 글짓기 대회에서 절에 가시는 할머니의 모습을 사실적이고 섬세하게 묘사하여 대상을 받았고 경주시

초등학생 영어 말하기 대회에서도 금상을 받았다. 6학년 때는 함께 출전한 친구들에 비해 짧은 연습시간에도 불구하고 기계과학경시대회에서 금상을 수상했다.

중학교에 입학하여 실시한 학력진단평가에서 우수한 성적을 받아 주변 모든 사람들로부터 기대를 받았으나 그러한 기대가 부담으로 느껴졌던 재현이는 일탈을 꾀하기 시작했다. 특히 중학교 2학년 때 할아버지, 할머니로부터 분가하여 집에 혼자 있는 시간이 많아지자 교과서보다 판타지 소설과 컴퓨터를 가까이 했다. 그로 인해 목표한 고등학교에 진학하지 못해 좌절감에 빠지기도 했다. 가족들의 실망하는 모습에 심기일전 하는 듯 하며 초반에는 학업에 전념했으나 워낙 친구를 좋아하고 함께 하는 시간을 즐겼기에 학업은 다소 떨어졌다. 하지만 재현이를 평생토록 기억하고 추억해 줄 많은 친구를 얻었다.

청소년기의 암흑기라는 고교시절을 친구들과 우정을 쌓으며 서로가 격려하고 조언한 결과, 모두 나름대로 목표하던 대학에 진학하였다. 재현이도 자신이 지구력보다는 감각과 스피드에 강하다는 것을 알고 그에 맞는 진로를 선택하여 인하대 기계공학부에 합격하였다. 선생님들과 친구들, 주변 사람들은 결과에 모두 놀랐다.

2005년 2월 대학입학을 한 달 남짓 앞두고 부모님의 염려와 기대를 뒤로 하고 새로운 생활에 대한 약간의 두려움과 해

방의 설렘을 안은 채 인천으로 향했다.

대학 1학년, 재현이도 여느 신입생처럼 새 친구들과 대학문화를 섭렵하며 보낸 결과 20kg 이상 불어난 체중과 초라한 성적표로 부모님을 마주해야 했다. 부모님과의 의논 끝에 군에 입대하기로 하고 마침내 2006년 4월 해양경찰에 지원했다.

입대 후 훈련소에서 비만소대에 자원, 30kg 정도를 감량하여 면회 온 가족들을 놀라게 했다. 그 후 속초해양경찰서에 배치되어 다양한 경험을 하며 무탈하게 2008년 6월자로 2년 2개월의 근무를 마쳤다.

2008년 7월, 전역과 동시에 어머니의 권유로 필리핀으로 여행 겸 어학연수를 떠났다. 낯선 나라, 생소한 문화에 집 생각이 날 만도 하지만 특유의 친화력을 발휘하여 금세 많은 사람들을 사귈 수 있었다. 영어 실력보다 더 많은 사진과 추억을 가지고 그해 12월 귀국했다.

재현이는 새로운 마음가짐으로 2009년 3월 인하대학교 조선해양공학과에 복학했다. 그러나 밀린 학업 속에서 보고픈 친구들과의 교류, 동아리 활동까지 병행하는 것은 녹록하지 않았다. 고향집도 일

년에 한두 번 찾을 정도로 바쁜 나날을 보냈다. 오랜만에 집에 내려가더라도 부모님께는 인사로 반가움을 대신하고 인천으로 돌아갈 때까지 친구들과 시간을 보냈다. 재현이는 친구들을 이해하고 배려하는 멋진 친구이며 어머니께는 '고맙습니다' 하고 마음을 잘 표현

하는 효자였으며 동생의 논문 발표회 날에는 서울까지 축하 꽃다발을 사들고 찾아가는 자상한 오빠였다.

2011년 7월, 잠시 집에 들러 '열심히 공부하고 좋은 곳에 취업해서 어머니가 원하시는 정원 있는 집을 지어 드릴게요' 라고 말하고는 여느 때처럼 친구들과 시간을 보냈다. '며칠만 더 있다 가지' 라며 아쉬워하던 어머니를 말없이 안아주고 인천으로 돌아갔다. 며칠 뒤 아버지가 부쳐준 용돈을 받고 '잘 쓸게요, 고맙습니다' 라고 한 것이 부모에게 남긴 짧은 생애 마지막 말이었다.

이제 그는 바다가 보이는 고향선산에 누워 바다배를 하늘에 띄운다.

"내 친구 재현이에게

청천벽력 같았고 보고도 믿을 수 없고, 믿기지도 않던 그날도 내 의지와 바람과도 상관없이 시간은 흘러 어느덧 너를 보낸 지 일 년 하고 반이라는 시간이 지나 지금은 만물이 꿈을 품고 선 봄. 그 봄 햇살 아래 너를 불러 그려 본다. 이제는 스물하고 여덟이 되었을 정말 멋진 미남. 그 얼굴만큼 마음도 곱고 넓은 내 친구 재현아, 너의 그 표정과 말투가 정말 그립다. 지금도 내 곁에 있는 듯 내 마음의 주인인 내 사랑하는 친구야, 처음부터 함께 생활한 것처럼 느껴지는 우리가 사실은 고등학교에서 만났지. 처음 너의 인상은 무척 까다로워 보였단다. 유난히 비위가 약해서 처음에는 함께 음식을 먹지도 못하고 유별나게 깔끔 떨던 네가 언제부턴가는 우리와 하나가 되어 있었지. 함께 먹고, 자고, 운동하고 같이 했던 그 모든 시간들이 머리와 가슴에서 때때로 저절로 찾아온다.

야자시간 땡땡이에 함께 하던 벌 청소, 수능 100일 전 함께 했던 호프집, 공부를 핑계 삼아 함께 밤을 새던 철없고 꿈 많던 고교시절이 이제는 내 인생의 소중한 한 페이지가 되었구나. 노래를 좋아하고 사람을 좋아하던 네게는 언제나 많은 친구들이 함께 했지. 때로는 짓궂은 장난도, 실속 없는 다툼도 싫은 내색 하나 없이 잘 받아주었지? 친구들의 괴로움, 어려움에 언제나 힘이 되어주고 아낌없는 조언을 해준 그런 내 친구 재현아, 내가 해외배낭여행을 떠나기 전날, 부족한 용돈에도 불구하고 여행을 떠나면 잘 챙겨먹지 못한다며 나를 걱정하여 제일 맛있는 고기 집에 데려가 든든히 먹고 가라며 챙겨주던 너를 생각한다. 지금도 우리들이 만나면

하늘이는 널 따라 군대를 속초로 간 얘기로

형민이는 멀리 떨어져 한 대학생활의 아쉬움을 한잔 술에 더하고

취업한 승민이는 그동안 진 신세 한번 근사하게 갚으려 했다며 긴 한숨으로 잔을 잡고

규혁이는 함께 보낸 학창시절의 행복에 늘 미련을 둔다.

동훈이는 늘 함께 할 줄 알았다며

일영이는 경주에 내려오면 먼저 친구들을 불러 모으던 널 생각하고

연호는 무엇이든지 자기보다 잘 해 얄밉고 부러웠다는 얘기와 꿈속에 나타나주어서 고맙다는 이야기를 하면서 우리 모두는 너를 그리워한단다.

방학 때 우리끼리 철인 삼종경기 라며 낮에는 족구, 농구, 테니스 등 운동으로, 저녁에는 공부와 취업의 스트레스 속에 술잔을 잡고 슬픈 발라드를 뜨거운 가슴으로 불렀지. 그리고 한밤엔 마지막 경기로 게임방에서 한판 대결을 했던 그 취기 어린 우리들의 청춘은 아직도 남아 너를 애타게 찾고 있단다. 현아, 재현아! 내 친구 재현아, 너무도 보고 싶고 그립구나! 네가 즐겨 부르던 '보고 싶다'는 이제 우리들의 애창곡이 되어 추억을 부른다. 재현아, 넌 뭐가 얼마나 궁금해서 그렇게 먼저 멀고 먼 여행을 떠나버렸냐. 아직 함께 못해본 너무나 많은 경험들이 우리를 기다리고 있는데. 우리 다시 만난다면, 이번 생에서 못 다한 일들을 하나하나 함께 해보자꾸나! 내가 진심으로 사랑하는 친구 재현아! 거기서도 잘 지내리라 믿는다. [시훈이가]

"난 요새도 아직 실감이 안날 때가 종종 있어. 무엇을 하던 너와 함께 했던 기억이 떠올라서 즐겁다가도 허전한 기분이 들거든. 항상

학점 걱정에 취업 걱정으로 고민하면서 같이 술 한잔 기울였을 때가 엊그제 같은데 나만 이렇게 취업하게 되어서 하늘에서 질투하고 있는 건 아니지? 동아리가 점점 발전하고 서로 끈끈해지는 모습을 볼 때마다 너희가 우리에게 준 선물이자 축복이라는 생각이 들어. 이번엔 신입생들도 엄청 많이 왔더라. 무려 우리랑 8살 차이가 나. 나도 한번 신입생들한테 우리 17기의 위엄을 보여주러 가야 되는데 시간이 없네. 우리 동기들 다함께 같이 가자. 꼭 동참할 거라고 믿을게.

우리 잊지 말고 애들도 같이 잘 챙겨서 기다리고 있어. 그때 만나서 오랫동안 하고 싶은 이야기 다 할 거니까. 술 한잔 할 준비하고, 잘 지내! 안녕~." [인철이가]

"재현아, 요즘 왜 나보러 안와! 잘 지내니? 나는 하늘 보면 너를 생각한다. 너는 뭘 하고 있을까 너는 내 곁에서 없어지지 않았다고 나는 항상 생각하는데 그런 네가 지금 어디에 있는지 궁금하다. 2010년 12월이었을 거다. 네가 김동현이랑 초코파이 쌓아서 초 대신 담배 20개비 꽂아서 우리 집에 찾아온 날, 그날을 나는 절대 잊지 않는다. 그러기에 내 생일마다 네 생각이 나네. 2012년 내 생일에도 출근을 위해 일찍 잠든 나의 꿈에 네가 와서 같이 즐겁게 지냈다. 꿈에선 내가 너 여기 왜 있냐고 물어보면, 야! 한잔 하러 가자며 내가 현실로 착각하게 만들곤 하였지. 정말 즐겁게 놀았는데 깨어보니 내 생일 아침이더라. 고맙다 항상 나와 함께 해줘서.

언제나 생각하지만 미안하고 사랑한다. 항상 사람이란 게 없어지고 나서야 후회를 한다더라. 나도 네가 내 곁을 떠나고 나서야 내가 너를 서운하게 했을 거라는 생각도 들고 사소한 것까지 나의 머릿속을 스쳐 지나가더라. 아무렴 어떠랴, 친구인데. 하지만 나는 정말 미안하고 네가 보고 싶구나. 아쉬움이 큰 만큼 눈물도 많은 순간이었다. 무엇이, 어떤 일이 처음부터 잘못되었을까 어디서부터 틀어졌기에 네가 지금 내 옆에 없을까 생각하면 내 가슴이 아프고 미안하고 속상하다. 친구야, 사랑하는 재현아 너의 모습, 엄지용의 친구로서 멋지고 의리 있고 그 어느 누구보다 가치 있는 모습으로 다시 만날 날 너에게 말해주고 싶다. 내가 가장 아끼는 너라고 말이다.

너의 모습은 젊은 날 화창하게 빛나던 모습으로 남아있다. 너와의 7년간 추억은 잊지 않는다. 돌이켜보면 군대훈련소에서도 많은 추억이 있는 것 같다. 누구나 운명, 시작과 끝이 있다더라. 우리가 다시 만나는 그날, 젊은 날 우리가 늙어서 하고 싶었던 이야기와 추억을 다시 시작하자. 사랑한다, 재현아." [엄지용]

: 영원한 왕언니 **신슬기**

- 1990년 11월 16일 경남 거창에서 출생
- 1997년 3월 부천여월초등학교 입학
- 2003년 3월 부천여월중학교 입학
- 2006년 3월 부천여자고등학교 입학
- 2009년 2월 부천여자고등학교 졸업
- 2011년 3월 인하대학교 생활과학부 입학
- 2011년 7월 27일 인하대 발명동아리 아이디어뱅크 봉사활동 중 춘천에서 사망

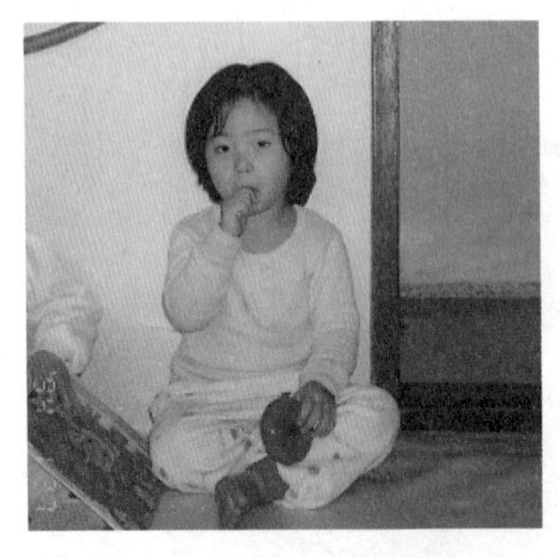

슬기는 1990년 11월 16일에 태어났고, 아버지 신현범과 어머니 윤미열 사이에서 가희, 슬기 그리고 나이 차이가 많은 동생 은비 이렇게 세 자매로 자랐다. 언니 가희와는 2살 터울이라 학교를 함께 다니며 고민도 나누는 사이였다. 가희가 언니지만 다른 사람에게는 말 못할 힘든 일이 있어도 동생 슬기한테는 다 말했다. 어렸을 때부터 같이 놀고 다쳐도 같이 다쳤다. 쇼핑할 때도, 맛있는 음식을 먹을 때도 항상 함께였다. 슬기는 식구 중 가장 애교가 많았다. 슬기와 나이 차가 많이 나는 막내 은비는 오히려 무뚝뚝했고 슬기가 제일 유머러스했다. 집에 식구들이 들어오면 제일 반갑게 반겼다. 재미있는 이야기로 분위기를 밝게 하고 가족을 화목하게 하는 중심이었다.

어렸을 때 경남 거창에서 부천으로 이사해 왔다. 슬기는 어릴 때부터 피아노에 소질이 있었다. 가희가 8살, 슬기가 6살 즈음에 피아노를 같이 배우다가 한 · 중 · 일 학생피아노경연대회에 참가하였고 그 대회에서 슬기는 대상 없는 특상을 수상하였다. 그 결과로 해외대회에 참가할 수 있는 기회가 생겼지만 그 대회는 초등학생이상이 참가 가능한 대회였기에 유치원생이었던 슬기는 포기할 수밖에 없었다. 부모는 안타까워했으나 슬기는 미련이 없었다. 피아노를 치는 것은 즐거웠지만 피아노와 관련된 직업을 장래희망으로 생각하지는 않았기 때문이다.

슬기는 초등학생부터 책을 많이 읽었고 특히 수필을 좋아했는데 마음에 드는 책은 여러 번 반복해서 읽었다. 참사 직전에는 일본인 작가가 쓴 '길은 여기에' 라는 책을 아주 좋아했다. 공부도 잘했다. 초등학교 고학년이 되면서 집안 사정이 안 좋아졌고 성격은 소극적으로 변했지만 슬기의 성적은 늘 상위권이었다. 중학교 때는 전교 1등을 할 정도의 실력이었다. 슬기는 부천여자고등학교로 진학하였고 좋은 친구들을 만났다. 그리고 그 친구들을 통해 자기 본래의 활발함을 되찾게 되었다. 그 때 만난 친구들은 아직도 슬기의 미니홈피에 글을 올려주고 잊지 않고 찾아온다. 다시 발랄해졌지만 슬기는 공부에 흥미를 잃고 슬럼프에 빠졌다. 성적은 급격히 떨어졌고 대학 입시에 실패했다. 점수는 잘 안 나왔지만 자기 나름의 목표가 있었다. 그냥 아무 대학이나 갈 수는 없었다. 재수를 결심했다. 처음 재수생활은 강남의 학원에서 시작했다. 종합반이었는데 첫 달에는 고시원에서 생활했지만 적응이 안 되었다. 집에서 언니, 동생과 생활하고 사람들과 어울리기 좋아하는 성격이었는데 혼자 있으려니 우울증이 왔다. 한 달을 못 버티고 통학을 했다. 삼수 때에는 학원도 다니지 않고 인터넷 강의를 들으며 도서관에 다녔다.

현실적인 고민 속에 인생 진로에 대한 목표도 재설정해야 했다. 상담 상대는 언제나 언니 가희였다. 언니는 과를 선택할 때 그 분야에서 무엇을 해야 하는지 미리 생각해 보라고 조언하며 식약청을 목표로 하면 어떠냐고 했다. 언니의 조언으로 식품영양학과를 가겠다고 흔쾌히 결정하고 가더라도 요리 보다는 연구하는 분야가 좋겠다고 생각했다.

슬기가 전공을 선택한 계기는 아주 구체적이었다. 슬기는 요리하는 걸 즐겨 식구들에게 요리를 자주 해주었고 반응이 무척 좋았다. 또한 아이들을 무척 예뻐하였다. 요리와 아이를 좋아한 슬기는 이과였는데 인하대 생활과학부에는 아동학과와 식품영양학과가 있었고 이과생이 지원 가능했다.

삼수 끝에 대학에 들어가니 학교생활이 좋았다. 친구들과 어울려 이야기하는 것과 술자리에서 느끼는 즐거움이 좋았다. 술을 마시고 집에 늦게 들어오니 아버지가 통행금지를 발령하였다. 밤 10시까지 무조건 들어오라는 것이었다. 아쉬웠지만 아버지의 뜻에 따랐다. 세 자매의 학업 뒷바라지를 하시는 부모님의 짐을 조금이라도 덜어드리기 위해 아르바이트를 시작하였다. 처음에는 빵집에서 했는데 슬기는 계산을 꼼꼼히 하고, 빵 이름과 가격을 단시간에 모두 외워 주인이 놀랄 정도였다. 어디에 가든지 칭찬을 들었다. 참사 직전에도 편의점 알바를 했었는데 편의점 점주도 참 잘했다고 칭찬이 자자했다.

슬기는 지난 번 언니 생일에 꿈에 나타났다. 너무 또렷하게 나와서는 '언니, 나야' 하는데 언니가 너무 기뻐 깨어나니 눈물범벅이었다고 한다. 자매들에게는 빈 공간이 너무 큰 것 같다. 동생 은비가 언니 슬기를 생각하며 쓴 글이 있다.

> "평소에 말 안 들었던 거 미안해. 항상 짜증내고 대들었던 거 미안해. 그래도 나중에 큰언니랑 셋이서 똑같은 집 짓고 살기로 했잖아. 일주일에 한 번씩 다 모여서 저녁도 먹으면서 살기로 했잖아. 나 그렇게 사는 거 기대했는데 갑자기 가면 어떡해. 미안하다는 말도 못했고, 잘 해주지도 못했는데. 언니 그렇게 될 때 속 편히 자고 있어서 미안해. 무서웠을 텐데 곁에 있어주지 못해서 미안해, 정말 미안해. 그리고 사랑해." [동생 은비가]

온통 미안하다는 동생의 말이 무엇을 의미하는지 알 것도 같다. 슬기는 남자친구 한 명 없다가 대학에 입학하고 한 살 연하의 동기와 다정한 기류가 흘렀단다. 언니 가희에게 연하인데 괜찮을까를 물어봤다고 하니 싫지는 않았나보다. 지금은 둘이 인천가족공원 납골당에 나란히 안치되어 있다. 아이디어뱅크 친구들이 슬기에게 보내는 편지들이다.

> "처음에 동아리 가입하고 기 엠티 가서 처음 본 슬기누나! 같은 기수라서 편하고 누나였기에 듬직했고 우리들 다 잘 챙겨준 것 고마웠어. 몇 안 되는 문과학생이었는데. 지금은 동아리에 문과생이 없어서 허전하네. 그곳은 지낼 만 해? 우리 동아리 잘 하고 있나 지켜보고 있지? 계속해서 지켜봐주고, 걱정은 마. 다들 그립다." [성우]

> "누나, 안녕. 처음에 쉽게 말을 놓지 못했었는데 친해지고 말을 놓고 경철이형이랑 까불곤 했지. 항상 누나 놀렸던 게 기영이형 만나러

갈 때 누나가 계단 내려오다 넘어져서 기영이형한테 절했다는 거였는데 ㅋㅋㅋ. 그게 다 누나 성격이 좋아서 가능했던 일인 거 같다. 기영이형이랑 경철형이랑 누나는 환상의 조합인거 같다 @.@ 누나랑 더 많이 친해지고 싶었는데 아쉽다. 행복해. 누나~!" [승훈]

"누나 안녕? 나 현빈이야. 누나 하면 항상 생각나는 건 누나가 하던 말 '아~ 정말 좋다'야. 오랫동안 공부하고 학교 와서 어린 우리랑 노는 게 너무 좋다고 항상 말했지. 그때마다 우리도 고마웠어. 아! 아쉽다. 진짜 너무 아쉽고 아쉽다. 누나 동아리 항상 지키고 있으니까 같이 지켜줘~ 언제든 놀러오고! 지켜봐 줘~." [현빈]

"김혜수 누나! 23기 왕언니 슬기누나~ 누나가 알바비 받아서 한턱 쏜다고 인경호 옆에서 놀았던 거 아직도 기억나 ㅋㅋ. 만날 웃고, 진짜 화내는 거 한번을 못 봤네. 앞으로 많은 시간 같이 있고 싶었는데 너무 아쉬워. 만날 말 놓으라고, 누나라 부르지 말라고 했는데 못했네. 슬기야! 사랑해~ 서로 잊지 말자!" [동찬]

"슬기언니 나 주영이야! 내가 언니를 동아리? 과? 어디서 만났지? 기억이 가물가물하지만 처음 만났을 때 언니가 나한테 상냥하고 친절하게 말을 걸어줘서 정말 고마웠어! 아마 다른 애들도 다 언니를 그렇게 생각했을 거야~ 항상 든든한 맏언니처럼 모두한테 친절히 대해준 거 정말 고마워~!" [주영]

"슬기언니! 우리 23기의 맏언니였는데. 언니가 있었다면 지금 우린 더 똘똘 뭉쳐 있을 거라는 생각을 해. 동아리에 언니들이 별로 없어서 언니가 생각날 때가 많다! 보고 싶다." [혜준]

"슬기언니, 내가 언니 참 좋아했던 거 알지? 모르려나 ㅋㅋㅋ 기엠티 갔을 때도 그랬고, 발갬 가서도 언니 좋아하는 거 엄청 티 냈었어 ㅋㅋ 언니가 알았으면 다행이야! 항상 잘 챙겨주고 어른스럽고 그래서 좋았어. 같이 지낼 수 있는 시간이 더 많았으면 더 친해질 수 있

었을 텐데 너무 아쉬워. 거기서도 재밌게 잘 지내~." [미리]

"슬기언니, 너무 보고 싶어. 엄마 같던 우리 슬기 언니. 뽀니콩 다시 또 뭉치고 싶다. 머리카락 귀 뒤로 넘기면서 움-하며 입 모양 짓던 습관 생각난다. 5동 옆 벤치에서 시간 맞는 뽀니콩끼리 앉아서 도시락 먹고 생맥주 먹고 그랬잖아. 롯데월드 간다고 정말 팔짝팔짝 뛰면서 좋아하던 언니 모습이 아직도 생생하다~ 학교 안에서도 뭐 할 때마다 이거 진짜 해보고 싶었다고 행복해하곤 했잖아. 생각할수록 언니랑 함께 추억이 한둘이 아니다. 정말 보고 싶어, 뽀니콩 맏언니, 슬기 언니!" [연하]

※ 뽀니콩은 인하대학교 생활과학부 학생 6명이 학습을 하기 위해 만든 모임이다. 총원이 6명이었는데 단체로 롯데월드를 다녀와서 장난스럽게 만든 명칭이었다. 고인이 된 최민하, 신슬기를 포함하여 연하, 지훈, 상일이 등이 함께 하였다.

항상 듬직했던 이경철(프란치스코)

- 1991년 4월 3일 울산 언양에서 출생
- 1998년 3월 언양초등학교 입학
- 2004년 3월 언양중학교 입학
- 2007년 3월 경의고등학교 입학
- 2010년 2월 경의고등학교 졸업
- 2011년 3월 인하대학교 IT공대 전기전자과 입학
- 2011년 7월 27일 인하대 발명동아리 아이디어뱅크 봉사활동 중 춘천에서 사망

경철이는 1991년 4월 3일 울산광역시 울주군 언양면 서부리 378번지에서 아버지 이상섭과 어머니 전온순 사이에서 둘째로 태어났다. 경철이의 부모님은 양가 모두 6남매의 대가족이었다. 아버님과 어머님의 만남은 아주 묘한 인연이었다. 두 분의 고향은 강원도였는데 아버지 이상섭은 취업을 해서 울산에서 일하고 있었고, 어머니는 서울 상도동에서 오빠와 동생 뒷바라지를 하고 있었다. 이상섭의 형수와 전온순의 어머니가 속초 중앙시장에서 직접 경작한 밭작물을 내다 파시다가 만났다. 서로 객지에 나가 살고 있는 딸과 시동생에 대한 걱정을 하며 짝 찾는 이야기를 하다가 인연을 맺게 된다. 추석 때 선을 보고는 마음에 들어 사귀게 되었다. 울산과 서울이 너무 멀었지만 어머니가 휴일에 울산으로 내려와서 데이트를 하다가 3개월 만에 결혼을 했다. 그리고 1979년 울산에 신혼집을 꾸려 정착한다.

경철이는 어려서부터 체격이 좋고 자기 표현력이 분명한 성격이었다. 성당에서 운영하는 유치원을 다녀서 그런지 남을 돕는데도 남달랐다. 성당도 열심히 다녔다. 피아노도 배우고 미술도 배웠다. 처음에 피아노를 가르쳤는데 소질이 없는 것 같았다. 그래서 미술을 가르쳤는데 역시 비슷했다. 남자 아이라 운동을 시키려 했지만 태권도 같은 것에는 취미가 없었다. 그래서 바둑과 컴퓨터를 배웠다. 경

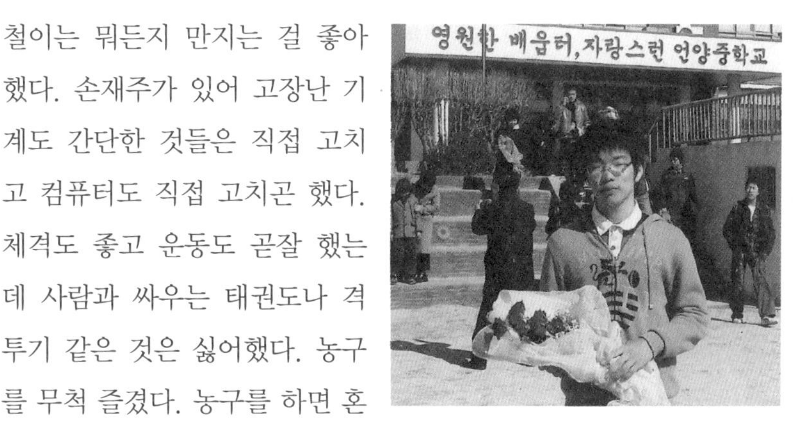

철이는 뭐든지 만지는 걸 좋아했다. 손재주가 있어 고장난 기계도 간단한 것들은 직접 고치고 컴퓨터도 직접 고치곤 했다. 체격도 좋고 운동도 곧잘 했는데 사람과 싸우는 태권도나 격투기 같은 것은 싫어했다. 농구를 무척 즐겼다. 농구를 하면 혼자 나가서도 2시간은 놀고 왔고 친구들을 데리고 다니며 하곤 하였다. 자기 혼자 나가서 농구를 하는 것을 보고 왜 그렇게 농구를 열심히 하냐고 물으니 농구를 하면 키가 큰다고 해야 한다고 했다. 그렇다고 학업을 게을리 한 것도 아니었다. 중학교를 졸업할 때까지는 걱정할 것 없는 아들이었다. 학업 성적도 항상 상위권을 유지해 외고에 갈 생각을 했었다.

종교적인 영향 때문이었을까? 가정교육 때문이었는지 몰라도 경철이는 남을 도와야 한다는 생각이 확실했다. 중학교 때 같은 반에 지체장애인이 있었다. 반 아이들 중 장난치고 놀리는 아이들에게 경철이는 나서서 그러지 말라고 하고 지체장애인 친구를 도와주고는 했다. 집에 와서 그 장애인 친구가 자기 집에 가자고 한다고 했단다. 부모님 말씀도 잘 들었다. 장래희망도 아버지가 원하는 군인이었다. 결국 대학 전공은 자신이 선택했지만 특별히 자기가 뭘 하겠다고 고집을 부리지는 않았다.

자기가 하고자 하는 것과 생각하는 것은 다 이야기하는 성격이었다. 학교 가서도 선생님이 따지는 거를 굉장히 좋아한다고 하셨다.

리더십도 있어서 고등학교에서는 영어동아리 회장도 했다. 울산의 고교입시는 추첨제였다. 시내에 있는 학교에 보내려고 했지만 다 떨어지고 집 근처가 되었다. 남녀공학이고 기숙사에 있어야 하는 학교였다. 어머니가 기숙사에 안 보내려고 했지만 학교에서 일단 상위권이면 집이 멀리 있든 가까이 있든 기숙사를 보내야 한다고 해서 할 수 없이 보냈다. 그게 화근이었다. 마침 사춘기를 맞은 경철이에게 기숙사에서 여자 친구가 생긴 것이다. 성적도 떨어지고 눈치가 이상해서 붙들고 물어봤다.

"경철아, 어떤 엄마가 너를 봤는데 여자애랑 다닌다고 그러더라. 너 혹시 교제하니?"

"엄마는~ 우리가 남녀공학인데 여자 친구들하고 다니면 다 교제하는 거야?"

대꾸할 말이 없었다. 그러나 성적은 계속 떨어졌고 나중에 여자아이가 보낸 편지를 보고 알게 되었지만 그 때는 아들을 믿을 수밖에 없었다.

경철이는 어머니에게 조곤조곤 이야기를 잘했다. 사소한 이야기부터 친구 이야기까지 다 하는 편이었다. 그러나 여자 친구 이야기는 안했다. 아마도 어머니가 어릴 때부터 지금은 공부할 시기지 여자 사귈 시기가 아니라고 강조한 것 때문인 것 같았다. 어머니가 싫어하는 이야기라 안한 것 같다.

결국 대학입시에 실패한다. 내신이 못나온 건 아닌데 수시도 다 떨어지고 어디 갈 데가 없는 상황이었다. 아버지가 재수를 권했다. 경철이 본인도 결심을 해서 경기도 광주에 있는 D기숙학원에 간다. 1년을 고생한 끝에 경철이는 대학에 합격한다. 그것도 경북대, 경희대, 인하대에 모두 합격하였다. 과도 전기전자과를 선택하였다.

그 당시, 2007년부터 아버지는 직장을 안성으로 다니셨다. 숙소에 계시다가 주말이면 울산에 내려오셨는데, 경철이가 인하대에 입학하자 어머니는 아버지와 집을 보러 가자고 수원으로 데려가서는 집을 계약해 버렸다. 큰 딸도 수원에서 학교를 다녀 더 이상 울산에 살 이유가 없었다. 2011년 2월에 이사하였다. 2010년 11월 입시 때까지 기숙학원에 있다가 2010년 12월부터 불과 3개월간 가족과 있다가 2011년 3월부터는 하숙을 하였으니 고교시절부터 기숙사 생활을 치면 거의 4년 반을 떨어져 살았다.

경철이는 자기 관리가 철저하였다. 술은 기숙학원을 나와서 성인이 된 날 아버지에게 배웠다. 담배는 대학시절에도 안 피웠다. 철저한 가정 교육 때문이었는지 경철이는 또래 친구들과는 자기 관리에 있어 달랐다. 짧은 기간이었지만 대학 생활도 자기 성격에 맞게 활발했던 것 같다. 아이디어뱅크에서는 23기 기수의 기장을 맡아서 일했다. 아이디어뱅크를 선택한 것도 재수하고 들어간 대학에 친구가 하나도 없었는데, 동아리에 너무 빠지는 거 아니냐고 걱정하는 어머니에게 군대 가기 전에 친구를 많이 사귀는 길은 동아리밖에 없다고 하면서 어머니를 설득했다. 동아리 동기들에게 경철이의 인기는 최고였다. 대부분 나이가 어린 동생들이었지만 경철이는 기장을 맡으며 알찬 대학생활을 위해 동기들과 함께 하였다. 동기들이 경철이를 생각하며 쓴 글을 보자.

"항상 재밌고 듬직한 경철이형! 나 그때 아파서 발명캠프 못 가서, 개강 후에 보자고 연락했었잖아. 개강하고 나서 문득 형이 생각났어. 너무 그리웠어. 지금도 그립고 항상 보고 싶어. 잘 있는지, 항상 23기의 첫째형으로서 동아리 생각 많이 했었는데. 역시 형 누나들은 우리보다 성숙하고 다른가보다. 우리 23기, 작년에 열심히 동아리 이끌고 지금은 24기들이 우리들을 이어서 열심히 이어가고 있으니 동아리 걱정은 말고 편히 쉬어. 그립다." [성우]

"경철이형 안녕 ㅋㅋㅋ 오티 때부터 친해져서 나를 따라 동아리에 가입해줘서 고마웠어. 오티 때 왜 술 못 마시는 척했는지는 아직 의문이다. ㅎㅎㅎ 같이 1학기 때 수업 들으면서 과제도 같이 하다 조교한테 같이 한 거 걸리곤 했지만 즐거웠어. 생각해보면 형이랑 매일 술 마셨던 거 같기도 하다. 돈 없어서 편의점에서 사서 동찬이 집에 가서 먹기도 하고. 형은 항상 얼굴에 웃음이 떠나지 않아서 좋았어. 조금은 바보 같았지만, 헤헤. 거기서도 항상 웃는 얼굴로 잘 지내요, 형." [승훈]

"형? 명준이가 옆에서 아직도 놀리고 있겠지? 그럴 거라고 예상됨. 옆에서 형한테 얻어맞고 있는 모습이 상상된다. ㅋㅋㅋ 동아리 들어와서 동기 중에 나 가장 잘 챙겨주던 우리 경철이형. 항상 고마웠어. 술도 잘 못 마시는 나 커버해주고~ 놀 때도 만날 같이 있고~ 제일 재밌었고 제일 좋았어. 고마워 형~!" [현빈]

"ㅋㅋㅋ로 형은 한 줄 채우고 시작해야 돼. 형만 생각하면 웃음이 나온다. 성격 조아도 너~무 좋아. 형 사진은 다 웃는 사진들뿐이야. 항상 한 명 한 명 잘 챙겨주고 최고의 기장이야 형 덕분에 23기가 잘 형성된 거 같아. 아 맞다, 형! 슬기누나한테 고백했어? ☞☜ 말하지 않아도 형의 눈빛 많은 사람이 알고 있었어. 헤헤~ 서로 잊지 말자!" [동찬]

"오빠 안녕~ 나 주영이야. 오빠가 나랑 유라랑 동아리 나오게 하려고 엄청 애쓰면서 잘해주던 거 생각나? 나는 알면서도 그 때는 왜 그렇게 숫기가 없었는지 모르겠어. 그래도 숫기 없는 동생한테 관심 가져줘 고마워~!" [주영]

"오빠 안녕! 우리의 기장! 오빤 정말 기장에 제 격이었는데! 나 진짜 낯 많이 가리는데 오빠가 먼저 편하게 대해줘서 편하게 말할 수 있었던 거 같아. 항상 생각하건데 만약 우리가 다 같이 함께 했다면 지금보다 더 활기차고 밝은 23기가 됐을 거 같아. 항상 보고 싶고 항상 23기 지킬게!" [혜준]

"경철오빠, 잘 지내고 있어? 오빠 생각하면 우리 기수 기장답게 의젓하고 잘 챙겨줬던 모습이 떠올라. 나 술 잘 못 먹는데 오빠가 항상 그런 거 많이 배려해주고 잘 챙겨줘서 너무 고마웠어! 오빠가 우리 기수 보면 엄청 뿌듯할 것 같아! 오빠가 기장도 잘 했고, 연하가 회장도 잘했고 그래서 우리 기수 똘똘 뭉쳐서 잘 지내고 있어. 오빠 거기서도 우리 기수 잘 챙겨주고 기장포스 뿜어줘! 잘 지내~." [미리]

"우리 기장 경철오빠. 나랑 현빈이는 하는 건 없지만 부기장이었던 거 기억하지? 아무도 모르더라고, 흑흑. 그래도 나름 기장 부기장 사이라고 오빠한테 엄청 친밀감 많이 느꼈는데. 오빠도 술자리 좋아하고 나도 좋아해서 술자리에서도 항상 만났는데. 오빠랑은 술자리 추억이 많다! 그래서 더 빨리 친해질 수 있었던 것 같아~ 여기에는 좀 그렇지만 오빠한테 하고 싶은 말이 정말 많아. 너무 보고 싶다, 경철 오빠!" [연하]

경철이는 아이디어뱅크 23기의 기장이었다. 짧은 대학 생활에서 주변 친구들에게 수많은 추억을 남기고 떠나간 이경철 프란치스코, 대부분의 친구들이 기억하듯 바보스러울 만큼 웃으며 아이들을 챙겨주던 그 모습으로 영원히 남을 것이다.

만들기 천재 이민성

- 1987년 2월 27일 인천시 부평구에서 출생
- 1993년 3월 산곡남초등학교 입학
- 1999년 3월 산곡남중학교 입학
- 2002년 3월 서운고등학교 입학
- 2005년 2월 서운고등학교 졸업
- 2005년 3월 인하대학교 나노시스템공학부 입학
- 2007년 휴학 군입대
- 2009년 3월 3학년 복학
- 2010년 3월 휴학, 전국발명동아리연합회 수도권 지부장 역임
- 2011년 3월 복학
- 2011년 7월 27일 인하대 발명동아리 아이디어뱅크 봉사활동 중 춘천에서 사망

민성이는 1987년 2월 27일 인천시 부평구 산곡2동에서 아버지 이건학과 어머니 김미월의 첫째로 태어났다. 2살 아래 여동생이 한 명 있었고, 아버지는 4남매, 어머니는 8남매로 친척들이 많은 가족이었다. 인정 많은 가족들 사이에서 자라서 그런지 애교가 많고 장난도 많이 치는 밝은 아이였다. 아버지와는 술잔도 같이 기울이고 등산도 같이 다니는 좋은 아들, 어머니에게는 달라붙기도 잘하고 귀찮을 정도로 따라다니며 장난을 많이 치는 아들이었다. 동생과도 속마음을 터놓고 말할 수 있는 좋은 친구이자 오빠였다. 아버지 이건학은 인천의 자동차 회사에 다니셨고 어머니는 주부셨다. 민성이는 생일이 빨라 남들보다 이른 나이인 7살에 초등학교에 입학하여 중 · 고등학교와 군대를 다녀와 대학 4학년이 되었을 땐 꿈 많고 꽃다운 25살의 나이였다. 숨 가쁘게 달려온 학창시절이었다.

민성이는 어렸을 때부터 손재주에 남다른 재능을 보였는데 유치원에 다니기 전부터 레고놀이를 좋아해서 레고를 갖고 놀 땐 몇 시간씩 꼼짝도 안하고 집중력을 보였다. 레고 뿐 아니라 손으로 만드는 모든 것을 좋아했다. 만들기는 취미를 넘어 초등학교 때 교내 과학상자 만들기 대회에서 최우수상을, 인천시 대회에선 장려상을 받을 정도의 특기로 이어졌다. 또한 컴퓨터를 초등학교 3학년 때 사주어서인지 또래의 아이들과 달리 PC방에도 많이 다니지 않고 건담 만들기, 직접 납땜질을 해 라디오를 만드는 등 손으로 직접 만들고 체험하는 놀이를 즐겼다. 심지어 십자수도 잘했다. 민성이는 나가서 놀기보다 첫째라 그런지 의젓한 모습을 많이 보이며 책읽기를 좋아했다. 어렸을 땐 주로 위인전집이나 식물도감 같은 것을 좋아했는데 대학생활과 군대생활 중에도 엄청난 독서량을 과시했다.

어린 시절 과학자를 꿈꿨지만 아버지는 교사가 되기를 희망하셨다. 중학교에 가서도 로봇 만들기를 좋아하며 과학도의 꿈을 키웠지만 아버지는 평범한 회사원이 되기를 희망하셨고 민성이에게 취업에 유리한 공대로 진학할 것을 권유하셨다. 민성이는 어렸을 때 아버지 회사 사택에서 살았는데 아토피를 앓았다. 심할 때는 이부자리에 피가 많이 묻을 정도로 아파해서 장갑을 끼우고 재웠는데 중학생이 되고 환경이 달라지면서 아토피는 점차 호전되었다. 초 · 중학시절엔 수학과 사회, 한문에서 두각을 나타냈다. 역사 · 위인전집을 많이 읽어서인지 사회에 능통하였고, 한문은 초등학교 때 같은 아파트에 사시던 전직 교수님이 소일거리로 아이들을 가르치셨는데 거기서 습득하였다. 그 당시 1년 넘게 배운 것이 중고교에 가서 실력으로 나타났다. 아버지 이건학은 아이들 공부는 환경을 만들어주면 자기들이 알아서 하는 거라는 교육관을 가지고 있었다. 공부를 잘하고 열심히 할 수 있게 뒷바라지는 해 주지만 공부하는 것은 자신들의 몫임을 강조했다. 본인도 학업에 욕심이 있어 부모님을 실망시키는 일이 없는 우등생이었다.

고등학교는 가고 싶은 학교를 써서 추첨하는 방식이었다. 본인이 원하던 학교가 안 되고 2002년에 신설된 서운고등학교(남녀공학)에 입학한다. 고교에 가서는 여러 동아리 활동을 하였는데 주요하게는 봉사활동 동아리인 다소다의 일원으로 활동하였고, 여전히 만들기

를 좋아해 조립모형 동아리를 만들어 활동하였다. 다소다는 주로 장애인들의 목욕을 돕는 일을 하였다. 다소다 회원들은 이제 모두 사회인이 되어 민성이 참사를 계기로 정기적인 모임을 갖고 있다. 조립모형 동아리는 어렸을 때부터의 취미이자 특기를 살린 활동이었다. 자신이 주도해서 만들어 운영하는 열정적인 활동이었다. 내성적이던 민성이는 남녀공학인 고교에서 성격이 외향적으로 변해 부반장도 맡는 등 적극적인 고교생활을 했다.

서운고등학교는 신설 학교여서 입학 한 후로 밤 10시까지 야간자율학습, 공휴일 수업, 방학 보충수업 등으로 쉬는 날이 거의 없었다. 그래서 학내에 만들기 동아리를 만들어 자유 시간을 보냈던 것 같다. 또한 남녀공학을 다니면서 여자 친구들과도 자연스럽게 친해져 친한 이성친구들도 많이 있었다. 그래서 그런지 여자 친구도 사귀고 연애도 알아서 잘 했던 것 같다.

대학 전공은 본인이 선택했지만 학교는 아버지와 의논하여 선택했다. 아버지가 직접 학교 몇 개를 골라서 공대에 진학할 것을 권유하셨고 민성이도 공대가 자기에게 맞는다고 생각하고 진로를 결정하였다.

민성이는 어린 시절부터 일본에 살고 싶어 하였다. 어렸을 때 아버지가 일본에 출장 갈 때 마다 사온 학용품을 보며 일본에 대한 작은 동경을 품었다. 심지어 일본에 있는 회사에 취직하기를 희망했다. 그래서 그 당시 유행하는 나노기술 관련 학과를 선택하였고, 독학으로 일본어 공부를 하며 자격증 시험까지 봤다. 대학에 입학해서는 발명동아리 아이디어뱅크에 가입하고서 동아리방에서 살 정도로 열심히 활동하였다. 남들보다 일 년 빨리 학교에 갔으니 자기계발을 하겠다며 일 년 휴학하기를 원해 대학 3학년을 마치고 휴학 시에는 전국발명동아리연합회 수도권 지부장을 역임하기도 하였다. 또한 대학교의 아이디어뱅크에서 활동하던 중 같은 동아리 회원들과 발명대회에도 참가하였는데 거기서 장려상을 받아 실력을 인정받았다. 아버지는 학생은 본업인 학교생활과 학업에 열중하라고 아르바이트 하는 것도 반대했지만 사회 경험은 필요하다며 대학 1학년 때부터 롯데에 들어가 음료배달 등을 하고 특허청 아르바이트도 했다. 그리고 동아리에서 친했던 친구 정희와 정희아버지를 쫓아서 광주, 대구에 각각 2주씩 내려가 대단위 주택 단지의 싱크대를 만드는 등 이런 저런 아르바이트를 경험하였다. 하고 싶고 해야 할 일이 있으면 찾아서 해보고 경험하는 성격이었다. 집에선 사랑스럽고 듬직한 아들이자 자상하고 천사 같은 오빠였으며 학교에선 재미있고 좋은 착한 선배이자 후배, 친구였다. 2011년 참사 때에도 군대를 포함하여 7년의 대학생활 중에 여섯 번째 발명캠프 참석이었다. 민성이는 후배들에게 무언가를 알려주고 싶어서 일을 하다 하루 늦게 출발하여 처음 발명캠프에 온 후배들과 늦게까지 대화를 나누었다. 어린 나이에 미처 열매를 다 맺지 못하고 마지막까지 교육의 손길이 닿지 않는 타지에 발명캠프 봉사를 하러가서 소중한 가족들과 선·후배 친구를 뒤로한 채 참사를 당하게 되었다.

민성이의 여동생 지현이와 친구들의 글을 함께 보자.

"세상에서 제일 착하고 멋진 오빠에게

오빠~ 이제는 불러도 대답 없는 오빠지만 하루에도 몇 번씩이나 불러보곤 하네. 가끔 길을 가다가도 하늘을 보고 오빠와 자주 이야기하는데 잘 듣고 있지? 예전에 우리 같이 다니면 내가 누나로 착각할 정도로 오빠는 동안이었는데 오빠가 자연스럽게 세월에 나이 들어가는 모습이 궁금해.

아, 이 이야기는 오빠랑 상의해야지, 오빠한테 물어봐야지, 오빠한테 당장 말해줘야지 이런 일들도 있고 하고 싶은 이야기가 많아. 다른 누군가에겐 그때 그 일이 잊혔을 수도 있겠지만 난 아직도 방금 전에 벌어진 일들처럼 생생하다. 아직도 많은 사람들이 오빠를 기억하고 있어. 오빠가 가고 나서 많은 변화도 있었지. 학교에는 오빠이름이 새겨진 추모비도 생겼고, 춘천에도 공적비가 생기고 조례도 제정되고, 오빠 이름 하나는 제대로 남겼어. 그곳은 좀 어때? 오빠가 하고 싶은 거 다하면서 잘 지내고 있어, 혹시 아직도 엄마 아빠랑 내가 걱정이 되서 우리 셋 지켜주느라 떠나지 못하고 있으면 그러지 않아도 돼. 오빠가 못다 하고 간 효도까지 내가 다 하면서 엄마 아빠 지켜주고 챙길 거니까. 내가 오빠보다 더 씩씩했잖아. 오빠 뜻 이어서 나보다 남을 먼저 생각하고 남을 위해 봉사하면서 살게. 그래서 나 요즘에 대외활동으로 SK그린봉사대서 봉사도 하고 신소재공학부에 다시 들어가서 공부하고 있어. 너무 너무 어려워. 머리가 터질 것 같아. 오빠가 있었다면 이것저것 물어보고 조언도 구할 텐데. 여기서 짧았던 인생 거기서 즐기면서 행복하게 지내고 있어. 비록 지금은 같이 있지 않지만 우린 가족이니까 우리가 보고 듣고 하는 모든 것들을 오빠도 같이 느낄 수 있다고 믿어. 못해준 거에 대한 후회가 많이 남는데 그래도 우린 친구 같은 둘도 없는 남매였으니까. 서로 고민상담도 많이 하고, 비밀도 많이 만들었는데, 지금도 오빠랑 다니던 곳들 지나다니면 내 옆에서 같이 걷고 있는 것 같아. 우린 둘만 아는 좋은 추억이 많이 있잖아~ 어렸을 때 진짜 식칼 들고 싸웠던 일, 엄마 아빠에게 혼나면 밖에 나가서 편들어주며 위로해 주던 일, 어렸을 때 엄마 아빠 몰래 집에서 먼 곳에 다녀와 많이 혼났던 일, 같이 영화도 보고 쇼핑도 하고 만날 같이했던 운동도 다 생각이 나네. 이제는 같이 할 수 없는 일들이 되어 버려서 더 아련한 추억으로 남지만 좋았던 추억들이 더 많다. 오빠라고 알게 모르게 배려도 많이 해주고 싸워도 꼭 먼저 손 내밀어 주고 엄마 아빠 안 계실 땐 천사로 변해서 다 챙겨주고 그랬던 거 다 알아. 내 투정 다 받아주기만 하고 그리고 나한텐 속마음 많이 보여주긴 했지만 부모님 앞에선 내색 한번 안하고 투정 한번 부리지 않고 뭐 하나 사달라고 조르지 않던 오빠였어. 세상은 참 불공평한 것 같아. 세상에 나쁜 사람들이 얼마나 많은데 왜 이렇게 착한오빠를 일찍 데리고 갔는지. 그렇지만 이렇게 슬퍼만 하고 있지 않으려고. 내가 좀 더 열심히 살면 오빠도 더 뿌듯할 테니까, 그치?

우리가 혹시 다음 생에 다시 만난다면 그땐 오빠가 내 동생으로 태어나서 투정도 부리고 힘든 거 다 나 시켜. 내가 오빠가 나에게 해주었던 것 이상이 되도록 다 받아주고 잘해줄게~ 그곳에서도 여기서 생활한 것만큼만 하면 분명 사랑받으며 행복할거야~ 영원한 넘버원 오빠~ 쑥스러워 해본 적 없는 말이지만, 사랑해 오빠! 자랑스러운 우리 오빠! [오빠의 하나뿐인 동생 지현이가]

"항상 유쾌했던 민성이에게.

하늘에서 잘 지내고 있니? 바쁘게 살다보니 가끔은 잊힐 때도 있지만, 오늘처럼 비가 내리는 날이면 네 생각이 난다. 아직도 술 한잔 하자고 전화 걸어 널 부르면 볼 수 있을 것 같은데, 그럴 수 없다는 것을 생각하니 아쉽네.

동아리 친구들 가끔씩 모여서 너와 재현이를 그리워하며 살고 있어. 지난번에 인철, 희용, 진호 졸업식 했을 때 비가 잠깐 왔는데 네가 와서 축하해주고 간 거라 생각할게. 고맙다, 민성아. 위에서는 아팠던 발 꼭 낫고, 항상 행복하게 잘 지내길 바랄게. 친구야, 다시 만나는 그 날까지 잘 지내. 카카오톡에 있는 너의 사진을 보며." [김양곤]

"벌써 2년이네. 그 사이 1학년이던 애들은 3학년이 되었고 우리 동기들은 나 빼고 다 졸업하고 취업도 했어. 2005년 OT에서 너를 만날 때만 해도 우리가 이렇게까지 같이 지낼 줄은 상상도 못했어. 수업 들을 때도 놀러갈 때도 같이 다닌 걸 보면 진짜 신기했어. 당시 선배 중에 한 명이 우리에게 지금 보는 애들이 평생 보는 애들이라고 말했던 게 생각난다. 동아리도 같이 들고 수업도 같이 들으며 너랑 항상 붙어 다녔던 생각이 난다. 둘 다 노는 걸 워낙 좋아해서 수업 빠지고 게임방 가고 없는 돈 모아서 술 마시면서 갈 시간 되면 나는 붙잡고 너는 택시비 비싸다고 가야 된다고 실랑이하던 모습이 아직 눈에 선한데 그러다 결국 남아서 놀고 가면서 아버지께 혼난다고 걱정하고 그랬었는데.

지금 생각해 본건데 우리가 졸업식 날 찍은 단체 사진이 얼마나 귀한건지 이제야 알았어. 만약 그때 사진을 안 찍었다면 우리 함께 있는 사진은 영영 못 찍었을지도 몰라. 너랑 보낸 시간이 얼마인데 같이 찍은 사진이 이렇게 없는지. 사고 나던 날 찍은 우리 둘 사진은 아직도 내 카카오톡 프로필 사진으로 되어 있어. 신기하지? 그 사진을 찍은 폰을 잃어버렸는데 경찰이 찾아다 주고 사진을 페이스북에 올리자마자 폰을 다시 잃어버렸거든. 덕분에 이 사진은 아직 내가 간직할 수 있었다. 나뿐만이 아니라 너를 알고 지내던 모든 사람들이 널 기억하고 그리워하고 있다는 걸 잊지 말고 잘 지내고 있어. 나중에 만나게 되면 그 때 못한 이야기들 할게. 보고 싶다, 민성아" [김동현]

"네가 연기처럼 하루 아침에 사라진지도 벌써 2년의 시간이 흘렀구나. 아직도 비가 억수같이 쏟아질 때면 네 생각 많이 나. 비 오는 날 어디 가는 게 노이로제 걸릴 정도로 비가 몸서리치게 싫어졌어. 네가 어둠속에서 두렵고 무서웠을 시간을 생각하면 하늘이 너무 미워. 왜 우리한테 소중한 널 데리고 간 건지. 누구보다 사람 좋아하고 착한 너였는데. 되돌릴 수 있다면, 이 모든 게 꿈이었으면 좋겠어. 그곳은 편안하니? 가끔 꿈속에 찾아오는 네 모습을 보면 아무 걱정 없었던 고등학교 때처럼 네가 편안하게 웃고 있어. 편안하게 웃는 네 모습, 꿈이지만 기분이 좋더라. 넌 언제나 좋은 사람으로 기억될 거야. 늘 편안하길 기도할게." [김연경]

"너한테 정말 고마워. 바보 같고 어리석었던 나에게 친구의 소중함이 무엇인지 다시 깨닫게 해주고 내가 잊고 있었던 다소다의 따뜻함과 친구들을 다시 만나게 해주었으니까. 지금 우리 동아리는 자주는 아니어도 1년에 두세 번은 만날 수 있게 되었고, 가끔씩 생각날 때 연락할 수 있는 사이가 되었어. 그리고 정말 미안해. 내가 먼저 알아서 깨닫고 너와 우리 동아리 친구들을 먼저 만났어야 했는데, 그러지 못한 것 정말 미안해. 정호는 만나서 내가 미안하다 했으니 괜찮지만, 너한테는 나에 대한 서운함을 아직 못 풀어줘서 그게 가장 마음이 아프다. 그래도 이곳에서 널 그리워하고 너의 안녕을 빌어주는 사람들이 있으니까 외롭지 않았으면 좋겠다." [김새로미]

"조금 있음 네 생일이다. 우리 생일이 2주 정도 차이 나서 확실히 기억하고 있지~ 벌써 우리가 만난 지 10년이다. 넌 고등학교를 함께 했던 친구 중에 가장 나에 대해서 많이 알고 도와주고 이해해주는 친구잖아. ㅋㅋㅋㅋㅋㅋ 밝게 장난치고 같이 뛰어놀던 그때가 참 그립다. 고등학교 때 조립모형 동아리 한다고 같이 돌아다니고, 다소다 하면서 봉사활동도 하고 놀러도 다니고. ㅋㅋㅋ 소소하게 즐거웠던 것들이 너무 많아서 다 쓸 수가 없네. 너도 생각해보면 입가에 미소가 딱 지어질 걸? 친구야! 멋진 미소 항상 간직하고, 저번처럼 술 한잔하면서 얘기하자. 너 보러 갈게." [송영석]

"그때는 너도 그렇고 나도 그렇고 취업 준비하느라 정신이 없었는데…. 지금 생각해봐도 아찔하다. 나는 지금 대림산업에 다니고 있어, 강원도에서 LNG탱크를 짓고 있단다. 내가 하늘나라로 보낸 친구가

2명인데 그중에 한명이 너라니…. 형근이는 하늘나라에서 만났는지 모르겠다. 하늘나라에서 형근이랑 놀고 있어. 어차피 우리 친구들도 시간이 지나면 다 올라갈 테니까. 중학교 2, 3학년 고등학교 1, 2학년 4년 연속 같은 반하는 게 참 쉽지 않은데 너랑 나랑은 특별한 인연이었던 거 같아. 고등학교 배정을 서운고로 같이 받았다가 같이 세상을 욕했던 것이 생각이 난다. 3년 동안 너하고 효상이하고 통학버스를 타고 학교 다니면서 고생했던 것도 생각나고, 복도에서 만날 돌아다니던 생각도 난다. 너는 인하대 수시 붙었지만 나는 떨어져서 네가 미안해 어쩔 줄 몰라 했던 것도 생각난다. 내가 편입으로 인하대를 갈 줄은 몰랐지만 대학까지 너하고 함께 간 것을 보면 참 신기한 인연이야! 대학교 때 둘이서 부평에서 술 많이 먹고 지하상가 계단에서 어깨동무하며 걸어오다가 굴러 떨어진 것도 생각이 난다. 고등학교 후배들 수능 100일 남았다고 너랑 나랑 미성년자 후배들 술집 데려가서 술 잔뜩 먹은 것도 생각 나고….

참 별일 많았어. 대학교 때 백운역에서 우연히 만나 등하교 했던 것도 생각이 나네. 너 오전 10시 시험인데 밤새 공부했다고 등교하는 나를 붙잡고 8시에 당구 치러 갔던 것도 생각난다. 너 덕분에 당구실력이 많이 늘었어. 강원도에서 집에 2, 3주에 한 번씩 가는데 집에 가면 가끔 네 생각이 난다. 집이 가까워서 밤에 시간이 맞으면 술도 먹고 당구도 쳤는데. 지금은 그럴 친구가 없어졌네. 취업할 때 대외활동란에 쓴다고 네가 발명캠프 가려고 할 때 내가 너한테 '그런 거 하지 말고 차라리 영어공부를 해' 했던 게 아직도 생각이 난다. 내가 그때 너를 때려 말렸으면 어땠을까 하는 생각을 지금도 해. 너의 장례식장에서도 그 생각이 많이 나서 마음이 참 아프더라. 하늘나라로 갔지만 나를 비롯한 많은 사람들이 너를 기억하고 그리워하고 있단 것을 명심해! 너의 이름이 사람들의 입과 귀에 울려 퍼지니까. 항상 고마웠다, 친구야." [정호]

: 내 편한 친구 이정희

- 1987년 7월 15일 인천시 남구 출생
- 1994년 3월 안산 고잔초등학교 입학
- 1997년 3월 인천 학익초등학교 4학년 전학
- 2000년 3월 인천 신흥중학교 입학
- 2003년 3월 학익고등학교 입학
- 2006년 2월 학익고등학교 졸업
- 2006년 3월 인하대학교 IT공대 컴퓨터정보학과 입학
- 2007년 3월 휴학 군입대
- 2009년 3월 2학년 복학
- 2010년 3월 휴학, 인천 서구 케이블TV사 근무(6개월 간)
- 2011년 3월 3학년 복학
- 2011년 7월 27일 인하대 발명동아리 아이디어뱅크 봉사활동 중 춘천에서 사망

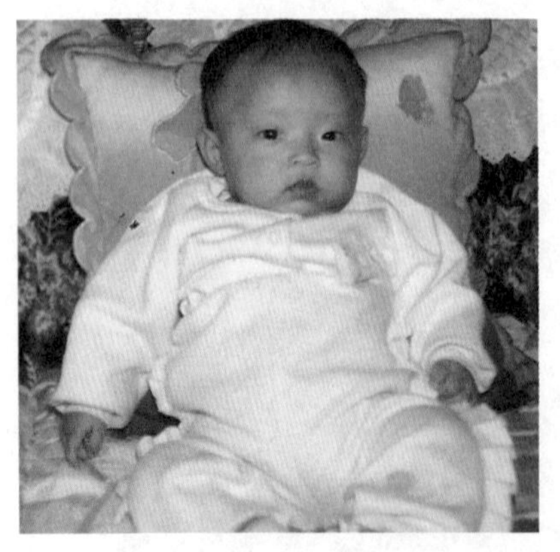

정희는 1987년 7월 15일 인천광역시 남구 주안동에서 아버지 이상규와 어머니 김영순 사이에서 첫째로 태어났다. 두 살 터울의 여동생이 하나 있었고 맞벌이 하는 부모 손에서 컸다. 정희는 아버지의 사랑을 듬뿍 받으며 자랐다. 첫째이기도 하고 아들이라 정희가 세 살 때부터 모임이나 놀러갈 때는 꼭 데리고 다녔다. 아버지의 직장동료나 친구들 중 정희를 모르는 사람들이 없었다. 인천에서 6살까지 살다가 안산으로 이주하였다. 인천에서는 웅변학원을 다녔고, 안산에서는 속셈학원을 다녔다. 초등학교에 입학해서는 피아노와 컴퓨터를 배웠다. 아버지는 본인이 못해 본 것들을 아이들이 한다고만 하면 뭐든지 다양하게 시키고 싶었다. 그러나 한편으로는 아이들은 놀아야 한다는 생각을 갖고 있었다. 커서도 공부하고 일하며 힘들 것인데 어린 시기는 놀고 싶은 만큼 놀아야 된다는 것이었다. 그래도 아이들이 학원에 가겠다고 하면 보냈다. 하고 싶어 하면 다니게 했다가 싫증을 내면 그만 다니게 했다. 한 가지 철저히 지킨 것은 방학 중에는 학원에 안 보내는 것이었다. 방학은 하고 싶고 놀고 싶은 것 하는 기간이라는 뜻이었다. 그래서 어머니가 이것저것 학원은 많이 보냈지만 싫증내면 바로 그만두었다. 정희는 컴퓨터 학원 다니는 것을 가장 좋아하였다.

아버지가 아이들을 자유롭게 키워서인지 정희는 어린 시절부터 친구들과 밖에서 활발하게 잘 놀았다. 주위 어르신들을 만나면 인사도 잘하는 예절바른 아이로 칭찬을 많이 받았다. 초등학교까지 배운 피아노와 컴퓨터는 수준급이었다. 얼굴에 점이 많아 친구들이 달마시안이라고 놀렸지만 성격이 좋아 화내는 일 없이 친구들과 잘 어울렸고 방과 후에도 동네 아이들을 데리고

다니며 놀았다. 장래희망은 선생님이었다. 아이들 가르치는 것을 자신의 천직으로 생각했고 부모도 적극적으로 지지했다. 그것뿐만 아니라 어려서부터 장난감을 뜯어서 새로 만들곤 했다. 기계분야는 어려서부터 웬만한 거는 잘 다뤘다. 초등학교 때 컴퓨터를 사주자 잘했고, 정희가 원해서 핸드폰도 초등학교 시절에 사주었다.

중고등학교에 진학해서도 컴퓨터에 심취하였다. 선생님이 되겠다는 꿈은 버리지 않았지만 전공은 컴퓨터공학 쪽으로 하겠다는 생각을 하게 된다. 그러다가 단순히 컴퓨터를 이용하는 것을 넘어서 컴퓨터에 문제가 생겼을 때 스스로 고쳐보고 여러 가지 시도를 해보면서 컴퓨터에 대한 지식을 쌓아갔다. 학업도 게을리 하지 않아 항상 좋은 성적을 유지했다. 장래희망인 선생님이 되기 위해서는 교육대학에 가야했지만 성적이 부족해 고 3때 자신의 진로를 일찌감치 컴퓨터공학 쪽으로 결정하였다. 인하대학교 전반기 수시에 합격하여 수능의 부담이 없어지자 고3 여름방학부터 아버지를 좇아 일을 다녔다. 아버지와 함께 일하는 것은 대학에 가서도 계속되었다. 정희는 손재주가 있어 기계를 고치는 일뿐 아니라 아버지가 하시는 가구일

도 곧잘 하였다. 심지어는 아이디어뱅크에서 만나서 친해진 민성이와 방학 때 아버지를 쫓아서 아르바이트를 함께 하기도 하였다.

정희의 대학생활에서 동아리 아이디어뱅크는 절대적이었다. 회원으로 여러 공모전에 참여하기도 하였고 매년 여름 발명캠프에도 군 복무 시절을 제외하고는 빠지지 않고 다녔다. 선생님의 희망을 발명캠프를 통해 실현하고 있었는지도 모른다. 2011년에도 대천에서 아르바이트를 하다가 발명캠프 전날 올라와 춘천으로 갔다. 참사 나던 날 용인에서 다른 아르바이트를 하기로 되어 있어서 이틀 있다가 바로 내려와야 했던 일정이었다. 쉴 수 있는 이틀 동안 발명캠프를 위해 춘천까지 갔던 것이다. 정희의 인간관계도 거의 동아리였다. 동아리 회원들과 아주 친하게 지냈으며, 군 복무시 휴가를 나와도 동아리 선배들을 만나느라고 휴가 기간을 다 보냈고 휴학 중에도 동아리 방에 늘 들르곤 하였다. 졸업한 선배들과도 꾸준히 연락을 하고 동기나 후배들도 잘 챙기고 같이 여행도 하는 등 재밌게 잘 지냈다. 집과 학교가 가까워 늦게까지 동아리방에서 친구들과 어울리기도 하였다.

정희의 컴퓨터 게임 실력은 프로급이었다. 온라인 게임에서 친구를 만나 그 친구를 만나기 위해 수원까지 다녀오기도 했고, 그 친구의 동생이 인하대학교에 입학하자 아이디어뱅크에 가입시키기까지 하였다. 그때 그 친구 동생이 2011년 발명캠프에서 가장 크게 다쳤던 현빈이다.

정희는 가만히 있는 성격이 아니었다. 어린 시절부터 아버지를 쫓아다니며 배우고 활동적으로 살아서 그런지 몰라도 중고등학교와 대학 시절에 무슨 일이든 열심히 했다. 아르바이트도 아버지와 함께 하는 것은 상당한 기간 집을 떠나 합숙하면서 하는 일인데도 적극적으로 다녔고, 다른 아르바이트도 장소를 가리지 않고 다녔다. 2010년에는 학교를 휴학하고 인천 서구의 케이블TV 업체에서 사무직으로 아르바이트를 6개월 넘게 하기도 하였다. 이렇게 외향적인 정희였지만 내면에는 가정적인 면도 있었다. 어린 시절부터 부모가 맞벌이를 해서 바쁘니 정희가 심부름으로 장을 보기도 하고 동생을 잘 돌보았다. 여동생과는 아주 사이가 좋았다. 부모에게는 장래 얘기를 잘 안 해도 남매지간에는 비밀 얘기도 서로

잘했다. 아버지의 정희에 대한 지나친 애정이 문제였지, 남자라고 특별하게 대하진 않아서 남매간에 갈등이 있거나 하지는 않았다.

정희에게는 콤플렉스가 한 가지 있었다. 바로 이름이었다. 한자로 하면 바를 정에 빛날 희 '正熙' 지만 한글로 하면 여자 이름 같아 놀림도 많이 받았다. 부모도 고쳐줄까 했지만 못했다. 참사가 나고 이름을 못 고쳐 준 것이 후회스럽기도 하였다.

친구들이 정희를 생각하는 마음이 편지에 잘 드러나 있다. 아주 편한 친구였다.

"안녕, 정희야 편지를 쓴다는 게 매우 어색하다. 짧다면 짧고 길다면 긴 시간이지만 아직도 너와의 추억은 생생히 기억난다. 너 따라서 처음 온 동아리 어색하고 건방졌던 1학년 생활, 그냥 알던 친구에서 동아리 활동하면서 친해졌었지. 동아리 사람들하고 친해지려고 수업 빠지며 게임했던 기억, 추운 늦가을 어느 날 난 다음날 논리회로시험이라 추운 동아리방에서 공부를 하고 있었는데 네가 술 먹고 들어와서 주먹으로 책장 치며 한탄하더니 다음 날 일어나서는 주먹이 너무 아프다고 해서 엄청 웃었던 일, 군대 제대하고 나는 공부하자, 넌 계속 술 당긴다고 해서 결국 9시쯤 나가서 '종로닭한마리' 가서 가볍게 술 먹고 집에 갔던 기억, 이런 일들이 일주일에 서너 번은 되었지. 난 만날 돈이 없어서 술 먹자면 돈 없다고 빼고 그래도 그때 공부만 하던 나에게 너는 나의 활력소였던 거 같구나. 예전에 내가 모르던 술 맛을 알려줬지. 나한테 매일 같이 도서관 오라고 공부하자고 한다면서 나 소개할 때, 자기 여자 친구 같다고 했었지. 항상 부르면 나와서 술도 같이 먹고 게임도 같이 했던 정희야. 요즘도 자주 네 생각이 난다. 전화하면 당장이라도 나와서 술 먹고 휴일만 되면 '뭐하냐? 학교 와라. 술 먹자' 그럴 거 같구나. 너의 보름달 같던 얼굴과 멋있다고 자부했던 목소리! 아직도 내 기억 속에 생생히 살아있는데. 나한테 이제 공부할 테니까 도와 달라고 같이 공부하자고 했던 게 엊그제 같은데. 나도 졸업과 취직을 하고 많은 것들이 바뀌어도 내 마음 속은 쉽게 바뀌지 않는 듯하구나. 여전히 네가 보고 싶고 그립고 같이 미래를 꿈꾸던 때도 있었지. 너와 언젠간 만나게 되겠지. 그리고 아직은 우리를 기억해 주는 사람들이 많이 있더라. 그것만으로 행복하게 생각해도 되지 않을까? 그래도 민성이형 재현이형 동아리 애들하고 같이 있으니까 외롭지는 않을 거라 생각해. 다시 만날 날을 기약하며." [박희용]

"군대에 있을 때 편지 써보고 처음 써본다. 우리가 처음 만난 지 벌써 만 7년째네. 처음 동아리에서 만났을 땐 과도 다르고 노는 것도 많이 달라서 그리 친하진 않는데 당구치고, PC방 다니고, 술 여러 번 먹으면서 정말 많이 친해진 것 같아. 특히 술자리를 함께 하면서 친해진 것 같아. 우리 동기 중에서 술 좋아하는 사람이 얼마 없어서 우리 둘은 항상 술자리마다 있었고 서로 속 얘기 하면서 많이 가까워졌지. 네가 군대를 1학년 마치자마자 가버려서 2학년 때는 술자리 있을 때마다 아쉬웠지만, 그 기분은 내가 군대 갔다 오면서 다시 많이 만나면서 바로 없어지더라. 나 말년휴가 나와서 학교에서 공부할 때 심심할 때마다 부르면 항상 나와 주고, 또 나 하숙할 때 내 방 찾아와서 놀아줄 때 정말 좋았었어. 네가 전화해서 치킨 시켜 놓으라 하고 내 방에 맥주 사들고 오면 방에서 예능 보다가 치맥 한잔 하고, 아쉬우면 집 바로 앞에 있는 해장국 집에서 한잔 더하고. 요즘도 학교에서 늦게까지 일할 때면 그때 기억이 자주 떠오른다. 네가 있을 때 나는 예비대학원생이었지만, 이제는 어엿한 통합박사가 되었다. 졸업하려면 아직 한참 남았지만. 너만큼이나 술 좋아하는 내가 요즘 일주일에 술 한번 먹을까 말까 하니, 이정도면 내가 얼마나 건조하게 사는지 알겠지? 나도 일하는 입장이라 술을 자주 먹을 순 없지만, 술 먹고 싶을 때 편하게 부를 친구가 이젠 없다는 게 항상 아쉽더라.

너와의 추억을 떠올리면서 편지를 쓰는 데 전부 술 얘기뿐이라 좀 그렇네. 이럴 줄 알았으면 같이 여행이라도 한번 갔으면 좋았을 텐데. 너 여행갈 때마다 내가 괜히 바빠서 그런 추억 하나 쌓지 못한 게 정말 아쉽다. 같이 찍은 사진도 별로 없고.

이번 졸업식에 우리 동기가 세 명이나 졸업했다. 너도 학사모 쓰고 그 옆에 있어야 하는데 그러지 못해 정말 아쉽지만 너도 그 자리에 있었을 거라 생각한다. 너도 엄연한 인하대 학사이면서 아이디어뱅크 OB이니까. 조만간 네가 좋아하는 안주에 소주 들고 부평에 찾아갈 테니 기다리고 있어. 또 보자." [신태진]

: 무채색의 바른생활 소녀 최민하

- 1993년 3월 19일 경기도 고양시에서 출생
- 1999년 3월 봉일천초등학교 입학
- 2000년 3월 대원초등학교 전학
- 2005년 3월 중산중학교 입학
- 2008년 3월 일산 중산고등학교 입학
- 2011년 2월 일산 중산고등학교 졸업
- 2011년 3월 인하대학교 생활과학부 입학
- 2011년 7월 27일 인하대 발명동아리 아이디어뱅크 봉사활동 중 춘천에서 사망

민하는 1993년 3월 19일 아버지 최영도와 어머니 정경원 사이에서 1남 1녀의 첫째로 태어나서 일산에서 자랐다. 민하의 부모는 학생운동을 하다가 만났다. 결혼 후 아버지 최영도는 가족들 부양을 위해 생업에 뛰어들었고 어머니 정경원은 노동운동을 하였다. 90년대 초반 육아에 대한 사회적인 책임이 전무하던 시절, 부모님이 일을 하시니 민하는 고모할머니 손에 자랐다. 정경원은 어린 민하를 데리고 사무실에 나온 적도 있었다. 어머니 품에 안겨 사무실에 나와 앉아 있던 민하의 모습을 많은 운동가들이 기억하고 있다. 낯도 안 가리고 혼자서도 잘 놀던 민하는 주변 사람들에게 순하고 착하며 환경에 잘 적응하는 아이로 기억되고 있다. 바쁜 어머니에 대한 배려 때문이었을까? 민하는 어머니가 걱정할 만큼 바른생활 어린이였고, 나이에 비해 생각이 깊었다.

민하네 가족은 민하가 5살이 될 때까지 초등학교 선생인 이모 정주원과 대학원에 다니는 외삼촌 정회주와 함께 살았다. 그 시절 민하는 이모와 더 많은 시간을 같이 보냈다. 어린아이를 데리고 다니면 귀찮을 법도 하지만 민하는 너무 순하고 착해 외삼촌과 이모와 같이 다녔다. 외삼촌은 5살 민하를 당구장에 데려 가고, 이모가 친구를 만날 때도 종종 데리고 다녔지만 힘들다고 생각한 적은 없었다. 민하 어머니는 늘 바빴고 놀이동산을 좋아하지 않는 어머니 대신 민하와 동생 준하를 데리고 놀이동산에 가는 게 이모의 큰 즐거움이었다. 민하는 착하기는 했지만 소심하거나 겁이 많은 아이가 아니었다. 놀이동산에 가면 무서운 놀이기구도 잘 타고 정말 씩씩하고 용감했다. 그리고 단 한 번도 뭘 사달라고 조르거나 귀찮게 하는 일이 없었다. 오히려 사주고 싶어도 됐다고 하는 일이 더 많았다. 이모에게 유일하게 해달라고 했던 것은 옛날이야기였다. 밤이면 이모가 이야기를 지어서 해 주었고 민하는 잠잘 생각도 않고 진지하게 들었다. 큰 소리로 웃다가 외할머니에게 혼난 게 한 두 번이 아니었다.

초등학교 시절 민하는 어머니와 떨어져 동생과 함께 외할머니 집에서 살던 날이 대부분이었기 때문에 독립심이 강했다. 주변 정리부터 거의 모든 일을 스스로 하는 아이였다. 그러나 주말에만 보는 부모님이었기에 부모에 대한 애착은 강했다.

초등학교 시절 영향을 가장 많이 받은 사람은 이모 정주원이었다. 이모와 조카 사이였지만 둘은 친구 같았다. 초등학교 선생님이었던 이모는 민하와 방학을 같이 보낼 수 있었다. 방학 뿐 아니라 함께 보낸 추억들이 많다. 2002년 월드컵 때 같이 붉은 악마 옷을 사서 입고 일산 호수공원에 가서 멋지게 사진도 찍고 페이스 페인팅도 하며 응원하러 다니고 밤마다 같이 수다 떨고, 학교 이야기 하고…. 그런 생활을 하다가 이모 정주원은 남편이 있던 싱가포르로 가게 되었다. 이모는 싱가포르에 가서도 방학이 되면 민하를 불렀다. 싱가포르와 말레이시아, 인도네시아까지 함께 다녀오고 참 행복했다.

민하에게도 사춘기가 찾아왔다. 그 시기를 옆에서 같이할 사람이 없었다는 게 민하에게는 더 괴로웠을 것이다. 함께 살다시피 한 이모는 외국에 있었고 부모님은 주말에만 만났다. 가정 형편도 어려웠다. 어린 민하에게도 힘든 시기였다. 초등학교 5학년 때부터 갑자기

예민해지기 시작했다. 조그만 말에도 상처를 받고 자신에 대해 생각하는 시간이 많았다. 가족들에게 투정도 잘 부리고 자신의 감정을 잘 통제하지 못했다. 우울한 시간이 많았고 항상 자신감 없이 고개를 숙이고 다녔다. 밖에 놀러 다니지는 않았지만 그렇다고 공부에 전념하지도 않았다.

중학교에 진학해서도 방황의 시기는 있었지만 공부를 열심히 하는 친구들을 만나고서 학업도 열심히 하고 놀기도 열심히 놀았다. 그런 친구들을 만나고 이모에게 공부를 가르쳐 달라고 하였다. 이모가 수학을 가르쳤는데 성적이 올랐다. 중학시절 이모는 선생님으로, 친구로 민하와 함께 하였다. 중국 여행도 같이 다녀오고 이모는 민하의 견문을 넓혀 주는데도 적극적이었다. 민하는 그 당시 초등학교 선생님이 희망이었다. 이모가 만날 노는 것 같아서 좋겠다고 생각했단다. 민하가 이모하고만 친했던 것은 아니다. 외가, 친가 할 것 없이 사랑을 듬뿍 받고 자랐다. 외가에서는 민하가 첫째 손주라 할아버지와 같이 다녔으니 노인정에서 인기가 많았고, 동네 어른들은 여전히 '민하 할머니', '민하 할아버지' 라고 부르기도 한다. 가족들 우애도 깊어 중학교 졸업식에는 너무 많은 가족이 와서 민하가 창피해 할 정도였다. 민하는 사랑을 받기만 한 아이는 아니다. 고등학생이 되어서는 반대로 조카들을 돌보고 같이 놀아주었다. 사촌동생(이모의 딸)이 아직도 민하와 함께 했던 놀이를 기

억하고 있다.

민하는 대인관계가 아주 좋았다. 상대방에 대해 겉으로 티를 안 내려고 노력하기 때문에 처음 본 사람에게도 말을 잘 건넬 수 있었다. 대인관계에 있어서 남을 대할 때 미리 생각을 많이 하고 행동하며 가끔은 상대방에 따라 자신의 성격을 조정하기도 했다. 조용한 사람에게는 분위기를 띄우기 위해 말을 많이 하는 편이고 말이 많은 사람 앞에서는 상대방의 말을 들어주었다. 고등학교 친구들 열세 명이 '몽치'를 만들어 몰려다니기도 했고 서글서글한 성격을 가진 친구에게 간호사가 되는 게 어떠냐고 진로 상담을 해주기도 했다. 대학에 다니면서도 재수하는 친구에게 격려 전화를 잊지 않았다. 이처럼 민하는 사람과의 관계를 소중히 여기고 마치 상담사처럼 남의 고민을 잘 들어주었다. 아마도 어린 시절 잘한 일이 있어도 큰 칭찬을 받지 못했던 것을 스스로의 장점으로 만든 것 같다. 부모가 민하에게 중립적이고 객관적인 태도를 유지했기 때문에 독립심이 커졌고 이성적이고 강한 사람으로 자란 것 같다. 민하는 힘든 시기를 스스로 극복하고 이해심 넓은 심성을 만든 것이다.

민하는 무채색과 같은 아이였다. 다소 엉뚱하긴 하여도 침착하고 사고가 깊은 아이였다. 어떤 색과도 어울리는 것이 무채색이듯이 무엇을 가르치건 선입관 없이 자신의 것으로 만들어 내는 능력이 있었다. 고등학교에 진학하자 대학 입시를 고민한 어머니 정경원은 주변 사람들에게 민하를 부탁하였다. 모두들 놀랐다. 이렇게 성실하고 성과가 바로 나타나는 학생은 드물었다. 대학 진학은 자신의 소질을 찾아내어 구체적인 계획을 세웠다. 대학도 학교 보다는 학과에 맞추어져 있었다. 패션디자이너가 되고 싶었다. 몇 개 학교를 응시했고 되었지만 인하대 생활과학부를 선택한다.

대학에서의 교우관계는 두루두루 친한 편이었다. 민하는 절친 한 두 명 보다는 또래들과 넓게 잘 지내는 편이었다. 대학 입학 전에도 인터넷 채팅이나 휴대폰 등을 통하여 친구들과 연락하면서 친해질 수 있도록 많이 노력을 했고 예전에 비하여 더 활발한 성격을 가지게 되었고 다양한 곳에서 온 친구들과 사귀면서 이타심도 커지고 더 넓은 상황을 수용할 수 있는 마음이 생겼다. 중 · 고등학교를 남녀공학으로 다녔지만 이성 친구와 깊이 교류한 적은 없었다. 오히려 이성에 대한 호기심이나 의식이 부족한 편이었다. 하지만 이 부분은 대학에 진학하고 극복된 것 같다.

대학생이 된 민하는 어머니가 하시는 노동운동사 집필을 위한 녹취 아르바이트를 하며 도왔고, 조카들을 돌보는 아르바이트를 자청하였다. 대학 1학년 1학기를 기숙사 생활을 하며 동아리 활동에, 미술 학원을 다니며 부족한 부

분을 보충하기에 여념이 없는 바쁜 생활을 보냈다. 민하는 뒤늦게 발견한 재주라며 그림 그리는 것을 참으로 좋아했다. 장래 패션디자이너의 감각으로 동생과 엄마 옷을 골라주곤 했다. 민하는 발명캠프를 다녀온 뒤 시작할 두 가지 계획을 가지고 있었다. 그림을 본격적으로 그리겠다는 것, 그리고 민하 언니에게만 배우겠다는 사촌동생의 미술 공부를 맡아 주겠다는 약속. 재주를 키워가는 일도, 사촌동생과의 약속도 못 지키고 민하는 세상과의 인연을 마감하였다.

생활과학부 학생회장 최동희(26)는 "민하는 밝고 명랑한 성격으로 모든 일에 의욕이 넘치는 후배였으며, 학업 성적도 우수했다"고 기억하고 있다.

"민하야, 나 혜령이야 보고싶다, 민하. 너랑 만날 날이 많이 남아 있을 줄 알았어. 그래서 생일도 잘 못 챙겨주고 연락도 못했네. 미안하다, 정말 미안하다 미안해. 민하 착하니까 좋은데 가서 잘 지내고 있겠지. 민하~ 알라뷰♡" [혜령이가]

"내일 드디어 몽치 애들 얼굴 보네, 이번에도 너로 인해 우리가 모이는구나. 고맙고 미안하네. 몽치 애들이랑도 점점 멀어지는 것 같아. 애들도 다 대학생활 하는데 그래도 뭐 조금만 노력하면 되는데 우리 노력이 부족하지 뭐. 몽치 애들 중에서도 너랑 장세영이랑 유난히 친했지. 너한테 편지를 쓰면 항상 신세한탄 하고 내 걱정만 이야기하는 것 같네. 네가 없으니 나의 진심을 깊게 털어놓을 사람이 없네. 편히 쉬어야 하는데, 여전히 넌 나의 좋은 친구고 난 너를 괴롭히는구나. 고맙다, 민하야." [인화가]

"연하랑 자매같이 다녀서 연민하라 불렀었는데 ㅋㅋㅋ 너도 은근히 4차원이라 엉뚱하고 재밌는 아인데. 같이 정석도서관에서 밤도 새고 분식도 먹고 술도 마시고 영등포에 '고지전' 보러 가서 너무 즐거웠고 행복했다. 여름에 10명이 엠티 간 건 정말 최고였어. 계속 더 친

해질 수 있었을 텐데 너무 아쉽다, 안녕~." [승훈이가]

"연하의 단짝 민하야. 연민하야 너네랑은 항상 늦은 시간까지 같이 논 것 같아. 나는 여자 대하는 게 서툴러서 너네한테 말도 별로 안 걸고 그랬는데 연민하 너네는 그중에서 제일 많이 말하고 놀았던 것 같아. 너 그때 동아리방에서 새벽에 영화 본 거 기억나니? 그 때 기담 네가 완전 무섭다고 해서 쫄았었자나 ㅋㅋㅋ. 동기들 중 가장 귀엽고 착한 민하야, 보고 싶구나." [현빈이가]

"상큼 터지는 인기쟁이 민하 안녕 ~ 하늘에서도 사랑 듬뿍 받고 있겠다. ㅋㅋㅋ 동생이랑 친해지고 싶은데 너랑 다르게 너무 시크해. 머리 터질 것 같은 고민 있을 때 예전처럼 너 찾아가서 해결책을 듣고 싶다. 연하랑 너랑 자매처럼 같이 있는 모습 보고 싶네. 너 없으니까 많이 허전하다, 서로 잊지 말자!" [동찬이가]

"안녕 민하야~ 나 주영이야! 나는 처음에 동아리 전단지 보고 우리 동아리에 가입했는데 가입하고 나서 보니까 우리 동기 여자는 다 생활과학부여서 신기하고 정말 반가웠어~! 그리고 나 사실 너랑 연하랑 둘이 이름 비슷해서 처음에 헷갈렸다. 내 별명이 괜히 붙여진 게 아닐 거야. 지금 후회해도 소용없다는 거 알지만 그래도 우리 동기 여자끼리 많이 놀러 다녔으면 좋았을 텐데, 너무 아쉬워." [주영]

"엉뚱한 민하! 우리 23기 잘보고 있지? 항상 동기들 생각하고 잊지 않을 거야! 한번 민하랑 신명나게 놀았어야 되는 건데 아쉽다! 항상 보고 싶고! 23기 영원하자! ·_·" [혜준]

"민하야! 1학년 1학기에 있었던 일 생각하면 항상 네가 같이 있었어. 대학교 오티 때부터 언제든지. 우리 정말 하루 종일 붙어 있었던 것 같다. 심한 날은 24시간 내내 같이 있고 그랬잖아~ ㅋㅋ. 그리고 어딜 가든 다 너랑 있던 추억이 있어. 그래서 하루 종일 쉴 새 없이 네 생각이 난다. 항상 같이 있는 것 같아··! 너한텐 정말 하고 싶은 말도 많고 듣고 싶은 말도 많아. 알던 기간은 어떻게 보면 짧다고 할 수 있는 6개월이지만, 너의 빈자리가 나한텐 너무 큰 것 같아. 정말 너무너무 보고 싶어, 내 오글이 토글이 민하!" [연하가]

: 노벨상을 꿈꾸던 미래소년 최용규

- 1991년 5월 2일 경기도 부천시 출생
- 1998년 3월 신곡초등학교(서울 강서구) 입학
- 2000년 3월 음암초등학교(충남 서산시) 전학
- 2000년 6월 東林초등학교(일본 가나가와현) 전학
- 2004년 4월 백석중학교(서울 강서구) 입학
- 2007년 3월 세현고 입학
- 2010년 2월 세현고 졸업
- 2010년 3월 인하대학교 공과대학 생명화학공학과 입학
- 2011년 7월 27일 인하대 발명동아리 아이디어뱅크 봉사활동 중 춘천에서 사망

용규는 1991년 5월 2일 3형제의 장남이었던 아버지 최영찬과 4남매의 장녀였던 어머니 박화미의 둘째로 경기도 부천시에서 태어났다. 부모는 서울 사당동에서 살고 있었으며 누나가 한 명 있었다. 태어나서 유아기에는 몸이 약했지만 온순하고 명랑한 아이였다. 취학 전에는 레고, 로봇 조립에 열중하였고, 태권도장, 피아노, 미술학원 등을 다니며 친구들도 사귀고 건강도 좋아졌다. 어렸을 때부터 식물과 곤충 관찰에 남다른 관심을 보였으며 독실한 신자인 부모의 영향으로 교회에도 열심히 나갔고, 찬송가 부르기를 좋아했다.

강서구 등촌동에 있는 신곡초등학교 3학년 때 일어일문학을 전공하던 어머니가 일본에 교환학생으로 가게 되었다. 아이들이 걱정이었다. 아이들을 불러놓고 희망사항을 물어보니 딸은 외할머니 집을, 아들은 시골 할아버지 댁으로 가고 싶다고 하였다. 자기가 좋아하는 꽃, 식물, 곤충을 마음껏 볼 수 있는 시골이 좋다는 것이었다. 용규는 어릴 때부터 백과사전의 곤충과 식물을 다 외우는 아이였다. 어머니는 처음에 1년 과정으로 가서 6개월이 지나자 아이들이 너무 보고 싶었다. 비자가 잘 안 나왔는데 애들이 너무 보고 싶다고 일본의 높은 사람에게 편지를 썼더니 생각지도 않게 2년 비자가 나왔다. 석사만 하려고 했다가 남편과 상의하여 박사과정까지 하기로 하고 아이들을 일본으로 데리고 갔다.

용규는 일본에 간 후 그곳의 온화한 자연환경과 학교 교육방법 등의 영향으로 곤충과 식물에 더 관심을 갖게 되었다. 스스로 백과사전을 통해 지식을 쌓으며 자기가 키운 곤충과 식물에 대해 관찰일기를 기록하였다. 자기가 기른 식물을 주변 사람들에게 선물도 하며,

관찰일기1_곤충

관찰일기2_식물

희귀식물 수집에도 열심이었다. 용규의 꿈은 식물학자로 노벨상을 수상하는 것이었다.

일본에서 초등학교 6학년 때에는 학부모와 학생들의 추천으로 반장을 하기도 하였으며, 일본어능력시험 1급에 합격하였고, 수학과 과학에 두각을 나타내었다. 일본과 학기가 틀려 일본에서 6학년 졸업 후, 귀국하여 4월에 중학교에 입학하게 된다. 늦게 시작했지만 수학과 과학은 여전히 잘했다. 2004년에는 MBC아카데미 주최 수학학력평가대회에서 대상을 수상하기도 했으며 과학은 중학시절 내내 전교 1등이었다. 재능을 살려 과학고에 응시하였으나 실패하였다. 우리나라 과학고는 그 분야의 인재를 받는 곳이 아니었다. 용규의 일기를 보면 그 시절 영어 스트레스가 있었던 것 같다. 신설학교인 세현고에 가게 되었다. 고교에 진학해서도 수학과 과학은 두각을 나타냈고, 유학의 영향도 있었겠지만 일본어는 현지인에 버금가는 실력이었다. 일본어능력1급을 취득하였다. 교우관계도 소수였지만 깊은 관계를 유지하며 사귀었다. 고3 무렵에는 신체도 성장하여 신장

182㎝의 건장한 체구였고, 자기 계발을 위해 노력하였다. 바쁜 학업 중에도 종교생활도 열심히 하며 교회 성가대 오케스트라에서 플루트 연주 봉사도 하였다.

용규의 진로는 명확하였다. 용규의 방에는 세계지도와 유명한 과학자들의 사진과 업적들이 실려 있는 연대기가 붙어 있었다. 자신이 꿈꾸는 미래를 먼저 열었던 사람들을 보며 꿈을 키웠다. 너무 명확해서 어떻게 이런 꿈을 꿀 수 있나 놀랍기도 하지만 용규의 노트에 적혀 있는 꿈은 분명했다. '광합성 작용을 이용한 식량문제와 에너지 문제 해결과 이를 통한 노벨상 수상 및 산업화를 통한 기업 설립' 이었다. 식물학자를 원할 수도 있고, 노벨상도 꿈꿀 수 있다. 하지만 그 이유가 인류의 식량과 에너지 문제 해결이라는 것이 놀랍다. 그래서 생명공학을 택한다. 전공이 문제가 아니라 학교가 문제였다. 카이스트를 가고 싶었지만 성적이 안됐다. 용규는 재수를 원했다. 건설회사에 다니는 아버지는 자신이 직장생활을 하고 있을 때 공부를 마치라고, 원하는 곳은 대학원 진학할 때 가라고 재수를 만류하였다.

용규의 대학 생활은 개인이 감당하기 어려운 생활이었다. 부모의 뜻대로 인하대를 다니며 학업도 열심히 하여 1학년 1학기에 전액장학금, 2학기에 2/3장학금을 받았다. 자신의 꿈도 버릴 수 없어 그 와중에 수능 준비를 해서 대학입시에 재응시한다. 주변 사람들의 권유로 방문한 동아리 아이디어뱅크에 가입하면서 자신의 창의성에 자극을 받아 나름대로 위안이 되고 친구들을 사귀며 동아리 활동도 열심히 한다. 아이디어뱅크에서 대학창의발명대회 입상도 하고 발명

에 관한 공부를 계속한다. 2010년 5월에는 발명진흥회가 주최하는 '2010 대학창의 발명대회 발명특허교육'을 2011년 4월에는 '대학생 특허입문 교육'을 수료한다. 종교활동은 강서구 소재 경향교회 대학부내 선교부에서 초등학교 보조교사로 활동하였다. 쉽지 않은 생활이었지만 잠자는 시간을 줄여가며 성실하게 보낸 시기였다. 1학년을 마치고 군대에 가려고 했지만 아버지가 또 만류하였다. 공부부터 하고 다녀오라고 했던 것이다. 용규는 그럼 2학년 때는 동아리활동을 적극적으로 하겠다고 했다. 아이디어뱅크 총무를 맡았다. 발명캠프를 위한 통장관리, 준비사항 등 답사도 다니며 꼼꼼히 챙긴 흔적들이 남아있다.

용규는 '꿈꾸는 자'였다. 꿈을 단지 희망으로가 아니라 실현하기 위해 구체적인 방안들을 고민하고 기록해 놓았다. 단지 현재의 계획과 꿈뿐만 아니라 과거 자신의 생활을 분석하고 현재와 미래를 20대부터 80에 생을 마칠 때까지 구체적인 장래계획, 성취 방안, 본인의 장단점 분석, 단점 보완 방안까지 기록하고 있었다. 아래는 미래에 대한 용규의 계획을 발췌한 것이다.

| 용규의 꿈

22살~24살 : 카투사에서 잘 적응하고 영어 회화실력이 많이 늘고, 군대에서의 훈련으로 뭐든지 다 해결 할 수 있게 됨. 교회를 잘 다니고 전도하며 사

람들의 고민을 해결해준다.

24세 2학기~25세 : 복학 후 사람들을 많이 사귄다. 실험실에서 심층적인 연구를 해서 광합성에 관한 중요한 지식을 알게 된다. 학과공부는 4.5를 받고 MIT공대에 갈 스펙을 쌓는다. MIT공대의 학비를 위해 2천만 원을 모은다.

26세~27세 : MIT공대에서 석사학위를 따며 수석을 하여 장학금을 받으며 대학원을 다닌다. 대학원에서 인공광합성을 발전시키며 사이언스지에 실리게 된다. 여자 친구가 미국에 유학을 오게 된다.

27세~33세 : 결혼을 하며 박사 학위를 따게 된다. 30살 즈음에 아이를 낳는다. 인공광합성에선 최고권위자가 된다.

34세~38세 : 한국에 와서 연구원에 취직하여 최고의 연봉을 받으며 살아간다. 기부를 하여 나라의 발전에 기여한다. 여러 가지 특허를 받게 된다.

39세~50세 : 인공광합성 회사를 만들어 대기업으로 성장시킨다. 행복한 가정을 꾸린다.

50세~60세 : 노벨상을 받는다. 교회 장로가 된다. 이 회사를 이어갈 사원을 찾게 된다.

60세~70세 : 우리나라에 식물의 다양성을 위한 연구원을 세운다. 나는 한국에서 희귀했던 식물들을 수입해 꽃집을 연다. 세계적으로 우리나라는 북한과 평화통일을 하게 된다.

80세 : 짧고 굵은 삶을 마치고 천국에 간다. 아내는 자식들이 돌보아 잘 살게 된다.

나이 20살에 자신이 죽는 시기까지의 삶을 설계하는 것이 쉽지는 않을 것이다. 막연한 미래를 구체화시키는 그 꿈을 향해 전진하는 자의 모습을 남기고 떠난 용규의 모습에서 부모는 여리고 수줍었던 아들이 아니라 짧은 인생이었지만 의지가 분명하고 아름다운 꿈으로 수놓은 인생의 성공자를 만나고 있다. 용규의 꿈은 단순히 상상에서 출발한 것이 아니다. 곤충과 식물의 관찰로 시작하여 자신의 체험을 통해 미래를 설계했으며, 부족한 부분은 고전에 대한 계획성 있는 독서를 통해 보충해 나간 것이다. 다음은 좋은 교회 목사님과 친구들이 용규를 생각하며 남겨놓은 글이다.

그 아이의 교정에서

오늘 용규 교정에 왔습니다. 정문에 인하대학교 학교 마크가 보입니다.

추모비를 둘러보기 위해 온 길입니다. 그러나 교정을 들어오는 순간부터 마음이 달라졌습니다. 용규의 체취가 온몸으로 느껴졌습니다. 이곳저곳 그 녀석의 발길이 닿지 않은 곳이 없습니다. 이 작은 연못에 오리가 둥지를 틀고 물 위를 헤엄치고 있습니다. 아마 그도 이 연못 주위를 거닐었을 것입니다. 친구들과 장난기를 발동하면서 이곳에서 대학생활을 즐겼을 것입니다. 건물마다 강의실이 보입니다. 이 어느 강의실에서 노교수님의 강의에 두 눈 반짝이며 강의를 청취하고 있을 그 아이의 모습이 그려집니다. 또 다른 교실에서 동아리모임을 하면서 삶에 필요한 아이디어를 창출하고 어느 시골 문화 혜택이 적은 아이들을 위한 봉사계획을 세우는 아이의 모습을 상상하는 사이에 코끝이 찡해져옵니다.

삼삼오오 학생들이 모여 웃음꽃을 피우고 있습니다. 한걸음에 달려가 보면 우리 용규도 그들 사이에서 큰 웃음 지으며 있을 것 같습니다. 멀리 다정히 교정을 걸어 내려가는 남녀모습이 보입니다. 그들 모습에서 우리아이도 어느 여학생의 손을 붙잡고 해 저무는 이 교정 아래로 걸어갔을 것입니다. 용규의 체온을 가득 담은 채, 이제 나도 이 교정을 떠나갑니다. [좋은교회 목사]

"용규야, 그 곳에서 잘 지내고 있는지 궁금하구나. 점잖고 진지한 성격 덕분에 분명 그 곳에서도 듬직한 존재가 되어 있을 거라 생각해. 네가 우리 곁을 떠났지만 군대에 있을 때나 전역을 하고 나서나 너를 잊어 본 적이 없단다. 고민거리가 있을 때 혹은 선택의 기로에 있을 때는 '이럴 때 용규가 있다면 조언을 구할 수 있을 텐데'라는 생각을 해. 나에게 넌 항상 좀 더 현명한 판단을 할 수 있게 해주는 조언자 같은 사람이었어. 비록 나보다 어릴지라도 깊은 생각을 가지고 있고 또 많은 지혜와 지식을 갖고 있었기 때문에, 거리낌 없이 너에게 많은 것을 물을 수 있었어.

용규야, 혹 기억나니? 취미생활을 비롯해 꿈, 고민거리 등 이런저런 주제를 가지고 얘기를 나눴던 거 말이야. 그 때 알게 된 사실은 네가 미래를 위해 누구보다 모든 초점을 자신의 꿈에 맞추고 노력하고 있다는 점이었다. 너의 모습을 보면서 '독수리는 마지막 성공을 거둘 때까지 온 생명을 바쳐 노력한다'는 말이 떠올랐어.

사실 처음 널 떠나보내야 할 때 군대에 있었기 때문에 실감이 나지 않기도 하고 도저히 네가 우리 곁을 떠났다는 사실을 받아 들일수가 없었던 거 같아. 형은 네가 우리 곁을 영원히 떠난 것이라고 생각하지 않는다. 우리가 알게 모르게 곁에서 우리를 지켜보고 있을 것이라고 생각해. 우리 역시 언제나 우리 곁에 있다고 생각할게. 넌 항상 우리들 가슴속에 살아있다는 걸 잊지 마!" [한모형이]

"이렇게 후회라는 게 남게 되는 건가봐. 너를 생각하면 세 가지 단어가 생각나. 노력남, 겸손남, 순수남. 우리와 재미있는 얘기를 하기 위해 유머책 읽는다고 했었던 너의 노력. 그게 제일 재밌었어. 내 기억속의 너는 정말 노력하고 하루하루를 헛되이 살지 않는 존경할 만한 친구였어. 매 학기마다 너의 목표와 노력이 보였어. 발명대회를 위한 너의 열정, 앱 창작을 위한 너의 열정 등. 그리고 그런 목표에 항상 집중하는 모습이 돋보였지. 그리고 겸손한 모습에 또 한 번 반했지. 내가 가양동으로 이사를 가면서 몇 번 학교와 집을 같이 가고. 그 때 많은 대화를 나눴었지. 대화를 할수록 네가 얼마나 겸손한 사람인지를 깨닫게 되었어. 그리고 너의 개인적인 이야기를 많이 듣게 되었어. 그게 좀 더 이전이었으면 얼마나 좋았을까 늘 생각해. 그 때 대화를 하면서 다음 학기 땐 더 재밌게 보낼 수 있을 것이라 생각했는데. 그리고 순수남. 이 단어는 못된 나 때문에 더욱 대조되는 단어인 것 같기도 해. 우리가 집행부일로 한창 바쁠 때 일도 도맡아 하고, 약속도 철저하게 지키고. 내가 미안한 적도 너무 많다. 용규야, 너는 영원한 우리 동기야. 넌 좋은 믿음을 가졌으니까 하나님께서 진심으로 너를 아껴주실 것이라 믿어." [한새미]